EURODÉLICES

DESSERTS

EURODÉLICES

DESSERTS

À LA TABLE DES GRANDS CHEFS

KÖNEMANN

Remerciements

Nous remercions toutes les personnes, restaurants et entreprises cités ci-dessous pour leur précieuse collaboration à la réalisation de ce livre:

Ancienne manufacture royale, Aixe-sur-Vienne; Baccarat, Paris; Chomette Favor, Grigny; Christofle, Paris; Cristalleries de Saint-Louis, Paris; Grand Marnier, Paris; Groupe Cidelcem, Marne-la-Vallée; Haviland, Limoges; Jean-Louis Coquet, Paris; José Houel, Paris; Lalique, Paris; Les maisons de Cartier, Paris; Maîtres cuisiniers de France, Paris; Philippe Deshoulières, Paris; Porcelaines Bernardaud, Paris; Porcelaine Lafarge, Paris; Puiforcat Orfèvre, Paris; Robert Haviland et C. Parlon, Limoges; Société Caviar Petrossian, Paris; Villeroy & Boch, Garges-lès-Gonesse; Wedgwood Dexam-International, Coye-la-Forêt.

Notre remerciement tout particulier à: Lucien Barcon, Georges Laffon, Clément Lausecker, Michel Pasquet, Jean Pibourdin, Pierre Roche, Jacques Sylvestre et Pierre Fonteyne.

Degré de difficulté des recettes:

☆	facile
☆☆	moyennement facile
☆☆☆	difficile

Copyright © 2000 pour la présente édition
Könemann Verlagsgesellschaft mbH
Bonner Strasse 126, D-50968 Cologne

Réalisation : Studio Pastre, Toulouse
Révision : Catherine Juston et Marie-Laurence Sarret
Lecture : France Varry, Cologne
Fabrication : Ursula Schümer
Impression et reliure : Neue Stalling, Oldenbourg
Imprimé en Allemagne

ISBN 3-8290-5274-X

10 9 8 7 6 5 4 3 2 1

Sommaire

Remerciements
4

Avant-propos
7

Recettes
8

Recettes de base
312

Les chefs
315

Glossaire
327

Index
329

Avant-propos

Eurodélices apportera à votre cuisine les plaisirs d'une gastronomie de tout premier ordre. Une centaine de chefs de restaurants renommés – originaires de 17 pays et la plupart moult fois primés – ont participé à la réalisation de cette collection de livres de cuisine. Ceux qui ont déjà eu le privilège d'apprécier l'hospitalité de certains d'entre eux pourront se réjouir d'en retrouver le raffinement ; les autres découvriront une nouvelle passion.

Ils n'ont pas seulement créé pour chaque gourmand une collection indispensable en 6 tomes et plus de 1 900 pages, mais aussi un document culinaire unique de la culture européenne, au-delà des modes éphémères. Dans ce volume, nos chefs vous offrent leurs meilleures recettes pour des desserts inégalables.

Avec une approche captivante, cette collection reflète les racines communes de l'art culinaire européen dans sa fantastique variété.

Car manger est bien plus que la simple satisfaction d'un besoin naturel. À chaque occasion, cuisiner devient un art, surtout s'il s'agit d'une fête, ou d'un événement particulier de la vie privée ou publique. Sous le regard attentif des cuisiniers, des couples d'amoureux se mettent à table pour construire l'avenir. De la même manière, on se réunit autour d'une table pour conclure une affaire, signer un contrat ou tout simplement fêter une réconciliation.

Souvent, on apprend à connaître la culture de nos voisins à travers leur cuisine. Ainsi des gourmandises culinaires peuvent-elles aider à être plus tolérant. Qui peut mieux transmettre cela que des chefs cuisiniers de premier rang venus de différents horizons ?

Des saveurs provenant des quatre coins de l'Europe montrent que l'amour pour les plaisirs de la table reste immuable dans ce vieux continent, berceau de la gastronomie. Cette collection unique de 750 recettes soigneusement sélectionnées éveille en nous le désir de faire de plus en plus de découvertes. Elle ouvre la voie des plaisirs classiques hérités de nos ancêtres qui ont forgé les traditions culinaires durant des siècles pour donner naissance à la cuisine contemporaine. On y découvre également des nouveautés surprenantes : ici des ingrédients sont employés de manière inédite, là des saveurs délicates sont créées à partir d'éléments originaires de régions lointaines dont nous faisons parfois connaissance pour la première fois.

La gastronomie ne connaît pas de frontières. Elle parle une langue authentique qu'apprécient les amateurs de saveurs originales. Cette langue se transmet à travers nos sens et nous fait apprécier la qualité et le raffinement de préparations provenant des méridiens les plus différents. Enfin, elle nous entraîne dans l'empire infini des saveurs et des couleurs opulentes.

Cette collection contient tout cela, de l'élément le plus infime mais unique aux luxueux plats festifs. Vous trouverez ici des recettes pour chaque occasion, de la délicate collation facile à réaliser au menu exquis à plusieurs plats. Environ 5 000 photos en couleurs ainsi que des descriptions pas à pas garantissent une parfaite réussite. Ces recettes n'invitent pas seulement à l'imitation, elles renforcent aussi la créativité, car, tout comme les auteurs de cette collection, les gourmands de tous les continents se consacrent à la culture de la cuisine et de la dégustation.

Ainsi réunis autour de spécialités raffinées, les us et les coutumes, les plaisirs et les secrets de tout un continent nous permettent de donner libre cours à notre imagination et d'apprécier les bonheurs simples de la vie.

Coco choco

Préparation   *2 heures*
Cuisson   *30 minutes*
Difficulté   ✳ ✳ ✳

Pour 4 personnes

Bananes caramélisées :
1 banane
100 g de sucre

Gelée au curry :
1 feuille 1/2 de gélatine
250 ml d'eau
1 petite pincée de curry
30 g de sucre

Cylindres :
chocolat
pulpe de noix de coco râpée

Sauce au chocolat :
sucre
200 ml de jus de coco naturel
beurre de cacao
100 g de chocolat

Mousse au curry :
250 ml de crème fleurette
4 jaunes d'œufs
40 g de sucre
1 pincée de curry

Cette étonnante combinaison de saveurs inattendues recueille bien des suffrages dans la cuisine d'aujourd'hui.

Les Indiens maîtrisent depuis des siècles la conjugaison du curry et de la noix de coco, qui figure à la carte de leurs meilleurs restaurants. Là-bas, le curry (ou cari), mélange d'épices multiples, connaît autant d'utilisations sucrées que salées. Il se présente en poudre ou en pâte. Vous prendrez garde à la composition du mélange qui doit comporter au moins du curcuma, du gingembre, du cumin, de la coriandre et du piment, assez habilement dosés pour que l'un d'eux ne l'emporte pas sur les autres. Cet équilibre est d'autant plus important qu'il conditionne doublement le succès de la recette, par le goût de la mousse et celui de la gelée.

Initialement, la préparation devait être salée et ne comporter que coco et curry. L'idée d'ajouter du chocolat pour en faire un dessert ne manquait pas de panache et notre chef a sans doute eu des sueurs froides au moment de la dégustation par une assemblée des chefs cuisiniers illustres. Mais ayant brillament passé l'épreuve, il consent aujourd'hui à nous confier que la réussite dépend aussi d'un chocolat riche en cacao (70 % minimum).

Cette recette est une belle démonstration du principe qui accorde aux épices une place croissante dans les desserts : cannelle, pavot, muscade ou anis étoilé se font ainsi les compagnons ordinaires de la pâtisserie et des entremets, et les gourmets s'en accommodent avec bonheur.

1. Éplucher et couper la banane en gros morceaux et la caraméliser 5 minutes avec le sucre. Pour la gelée au curry, faire ramollir la gélatine à l'eau froide. Porter à ébullition l'eau, le curry et le sucre. Retirer du feu et ajouter la gélatine. Réserver au froid.

2. Pour les cylindres, faire tiédir le chocolat. À l'aide d'un film alimentaire rigide, confectionner des cylindres de chocolat de 8 x 4 cm. Les remplir de pulpe de coco râpée avant de refermer la partie supérieure avec un couvercle de chocolat. Pour la sauce au chocolat, porter à ébullition le sucre, le jus de coco et le beurre de cacao. Ajouter le chocolat.

curry

3. Pour la mousse au curry, faire bouillir la crème dans une casserole. Mélanger à part les jaunes et le sucre au fouet, ajouter la crème chaude. Remettre le tout dans la casserole et faire pocher comme une crème anglaise (voir p. 312). Verser dans un saladier et ajouter le curry. Conserver un jour au réfrigérateur, puis monter la crème au batteur pour l'épaissir.

4. Placer un bouquet de bananes caramélisées sur le côté de l'assiette, puis la gelée au curry, la mousse au curry, et sur celle-ci une trace de sauce au chocolat. Démouler la timbale de chocolat et poser à l'opposé. Décorer de feuilles de menthe.

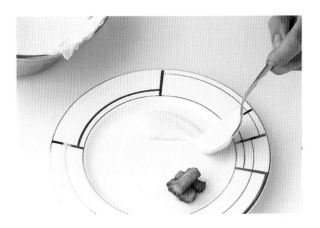

Envoltini de

Préparation 1 heure 20 minutes
Cuisson 50 minutes
Difficulté ★

Pour 4 personnes

1,5 kg de mangues
400 g de miel
1 feuille de gélatine
400 g de fromage blanc
eau
200 g de sucre
300 g de purée de cassis
quelques feuilles de menthe

Sorbet à la mangue :
voir p. 312

Lors de la préparation de ce livre, Alberto, le frère de notre chef Fernando Adría, nous a fait profiter de son tour de main de pâtissier professionnel dans cette recette initialement conçue pour de l'avocat. Mais l'avocat s'oxyde beaucoup trop vite au contact de l'air, il noircit et n'est plus du tout présentable, si bien qu'il a fallu lui substituer la mangue.

Ce fruit des Tropiques a toutes les qualités pour mener à bien ces envoltini : une pulpe parfumée, riche en vitamine A, un toucher agréable et une texture bien résistante.

Pour sa part, le miel doit renforcer la douceur et la subtilité de ce dessert. Il faut cependant une qualité de miel qui sache

caraméliser sans brûler, ce dont vous devrez vous assurer à la faveur d'essais préalables. Sa couleur et son goût très prononcés trancheront sur la neutralité du fromage blanc.

Au cas où vous voudriez utiliser d'autres fruits, sachez que notre chef est tenté d'employer la banane, dont le caractère exotique ne fait aucun doute, mais aussi la pêche si vous préparez ce dessert en été.

Il est en revanche beaucoup plus réservé sur des fruits comme la poire ou la pomme, dont la consistance même ne se prête guère à de tels desserts. La réussite de ce dessert tient à l'idéale maturité des fruits.

1. Peler les mangues et les couper en très fines lamelles. Avec le miel et la feuille de gélatine, confectionner une gelée au miel. Poser sur la moitié des lamelles de mangues une noisette de fromage blanc. Plier en quatre et placer sur le dessus une noix de gelée de miel.

2. Caraméliser l'autre moitié des lamelles. Les sécher 40 minutes à four doux (80 °C), puis les verser dans un sirop à 30 °C (eau + sucre) et les remettre 7 minutes au four chaud (160 °C). Leur donner une forme de rouleau. Confectionner le sorbet à la mangue.

mango y miel

3. Farcir de sorbet, à l'aide d'une poche à douille, les rouleaux de mangue caramélisés.

4. Poser les envoltini sur une assiette. Verser la purée de cassis tout autour et à côté les rouleaux de mangue. Décorer avec des feuilles de menthe.

Mille-feuille

Préparation   1 heure
Cuisson   1 heure
Difficulté   ✶ ✶

Pour 6 personnes

250 g de pâte feuilletée (voir p. 312)

Riz au lait :
85 g de riz
190 ml de lait
190 ml de crème fraîche
1 citron non traité (écorce)
1/2 bâton de cannelle
2 cuil. à café de sucre

Mousse de riz au lait :
335 g de riz au lait

2 jaunes d'œufs
3 feuilles 1/2 de gélatine
135 g de meringue italienne (voir p. 312)
200 ml de crème fouettée

Sirop de cerises :
jus de 3 citrons, 85 ml d'eau, 70 g de sucre
thym

Cerises macérées :
85 g de cerises dénoyautées

Sorbet aux pommes :
660 g de pommes reinettes
250 ml de sirop (170 ml d'eau, 80 g de sucre)
jus de 3 citrons

La céréale la plus cultivée après le blé connaît de par le monde une infinité d'usages : à la fois produit de beauté (poudre de riz), matière première de faïence et de sculpture, le riz est encore – et surtout – un aliment de première nécessité. En Espagne, ses premières traces remontent au VIIᵉ siècle, car ce sont les Maures conquérants qui le firent découvrir aux autochtones. La présence arabe, à peu près constante jusqu'au XVᵉ siècle, eut pour effet d'enraciner le riz dans les traditions alimentaires de la péninsule. Il semble même que c'est par cette voie que la culture du riz fut importée en Italie du Nord, dans la plaine du Pô, et que c'est indirectement aux Maures que nous devons des plats aussi courants que le célèbre risotto.

Hilario Arbelaitz nous convie ici au classique riz au lait. Le véritable riz au lait ne supporte pas le riz long. Avec un riz à grains ronds, qui peut cuire et gonfler rapidement dans le lait, vous obtiendrez une mousse assez homogène pour l'intercaler entre les abaisses de pâte feuilletée sans craindre les débordements.

Pour réveiller le goût des convives, il vous faut prévoir un élément tonique, dont la nature apporte assez de contrastes à la douceur du riz au lait. Notre chef a donc préparé un sorbet aux pommes, en privilégiant la reinette pour son parfum très original, à la fois acide et sucré, parfaitement adapté pour produire cet effet.

1. Pour le riz au lait, mettre dans une casserole le riz, le lait, la crème fraîche, l'écorce de citron, la cannelle et le sucre. Laisser cuire à feu doux jusqu'à ce que le mélange devienne onctueux.

2. Pour la mousse de riz au lait, mélanger le riz au lait, les jaunes d'œufs et la gélatine ramollie à l'eau. Ajouter la meringue et, en dernier lieu, la crème fouettée.

de riz au lait

3. Faire des abaisses de 10 cm de diamètre, les plus fines possibles, avec la pâte feuilletée. Passer à four chaud (150 °C) pour les dorer. Poser sur l'assiette une fine abaisse de pâte, 1 cuil. à soupe de mousse de riz et continuer le montage trois fois de suite en terminant par une abaisse.

4. Pour le sirop de cerises, faire bouillir 2 minutes le jus de citron, l'eau, le sucre et le thym. Ajouter les cerises et faire cuire 30 minutes au bain-marie à 85 °C. Pour le sorbet aux pommes, passer les pommes à la centrifugeuse, ajouter le sirop, le jus de citron et mixer. Dresser sur une assiette et décorer avec quelques cerises.

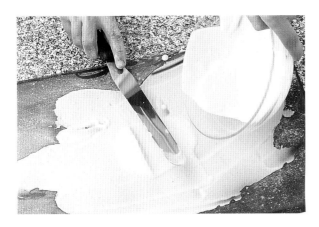

Soufflé de patxaran

Préparation	*30 minutes*
Cuisson	*2 minutes*
Repos	*6 heures*
Difficulté	✳ ✳

Pour 4 personnes

8 jaunes d'œufs
1 œuf
1 l de crème fraîche
300 g de meringue italienne (voir p. 312)
100 ml de patxaran (eau-de-vie de prunelles)
1 mangue
sirop de myrtilles
100 g de myrtilles

fruits de saison
écorce d'une orange non traitée

Il faut distinguer le prunier domestique du prunellier sauvage et la prune de la prunelle. De ce dernier fruit, que l'on récolte juste après les premières gelées et que l'on fait aussitôt macérer dans l'alcool – son acidité ne permettant guère de le consommer cru –, on tire plusieurs liqueurs et une eau-de-vie blanche très forte en nuances, nommée « épine noire » et en Espagne « patxaran ». C'est avec cet alcool régional que notre chef parfume son savoureux soufflé froid couronné de mangue.

Comme il s'agit d'un soufflé froid, bien des frayeurs vous seront évitées quant au minutage de la cuisson, à la température du four et du local ambiant, et à la rapidité du service : vous n'avez qu'à vous préoccuper de franchir avec succès la phase initiale de mélange des œufs et de la meringue, ce qui suppose de votre part une certaine délicatesse pour convertir ces deux masses en une substance homogène sans meurtrir l'une d'elles.

Parmi les vertus du cuisinier modèle figure encore la patience, car il faut absolument respecter les 6 heures nécessaires au refroidissement de la préparation, si vous ne voulez pas courir de risques au démoulage. La présentation finale sera plus soignée si vous avez fait le choix de moules individuels, qui vous offriront de plus une personnalisation accrue de chaque assiette.

La mangue décorative couronnera chaque petit soufflé. Ce doit être un fruit bien mûr et savoureux, à la pulpe souple sous le doigt, dont la découpe en fines lamelles sera facile.

1. Travailler dans un récipient les jaunes d'œufs et l'œuf entier. Monter la crème fraîche en chantilly. Confectionner la meringue, la faire refroidir et la mélanger avec les œufs.

2. Ajouter la crème Chantilly à la préparation œufs/meringue, 100 ml de patxaran et mélanger le tout.

à la mangue

3. Remplir les moules avec la préparation et faire glacer 6 heures au réfrigérateur (il est préférable d'effectuer cette opération la veille).

4. Peler la mangue et la couper en quartiers. Verser dans une poêle antiadhésive un peu de sirop dans lequel on aura auparavant confit les zestes d'orange et faire sauter les myrtilles 2 minutes. Démouler le soufflé, disposer harmonieusement les tranches de mangue, et décorer avec les fruits de saison et les zestes d'orange.

Gâteau

Préparation   *45 minutes*
Cuisson   *1 heure 20 minutes*
Difficulté   ⋆ ⋆

Pour 4 personnes

Pâte :
1 jaune d'œuf
100 g de sucre
100 g de farine
50 g de beurre ramolli
20 g de poudre d'amandes
5 g de levure chimique

1 cuil. à café de rhum
1/2 cuil. à café de sucre vanillé
1 pincée de sel
beurre pour graisser
2 œufs battus pour dorer

Crème pâtissière :
250 ml de lait
1/2 gousse de vanille
75 g de sucre
2 jaunes d'œufs
1 cuil. à café de rhum
25 g de farine

Nul ne peut ignorer les trois principaux fleurons de la gastronomie basque que sont le poulet basquaise, la piperade au jambon de Bayonne et le gâteau basque. Ce dessert traditionnel se conserve plusieurs jours et peut donc voyager bien au-delà de son terroir natal.

C'est bien plus qu'un simple gâteau fourré à la crème pâtissière ou à la confiture de cerises noires. C'est un véritable régal, à la fois moelleux et croustillant, qui conjugue à la douce âpreté de la pâte au beurre les arômes délicats de la fleur d'oranger, du rhum et de l'Izarra locale. Il occupe dans les souvenirs d'enfance de notre chef une place de choix, celle du gâteau cuit sur son papier plissé que l'on émiettait à la sortie de l'école et qui dans ses plis conservait comme un secret le nom du pâtissier.

De nos jours et loin des circuits commerciaux, le gâteau basque

demeure l'une des pâtisseries artisanales les plus fréquentes au pays Basque : il est très prisé dans les œuvres de bienfaisance, là où les ménagères de la région perpétuent d'anciennes traditions de solidarité.

Firmin Arrambide rappelle qu'il est très opportun de préparer la pâte la veille et de la laisser reposer au réfrigérateur, enrobée d'un film, pour éviter qu'elle ne durcisse en surface. Comme toujours en pâtisserie, il est essentiel de respecter exactement les proportions indiquées ; enfin, démouler et laisser refroidir le gâteau sur une grille une vingtaine de minutes dès sa sortie du four évite la condensation de la vapeur d'eau dégagée par la cuisson, et garantit à terme le croustillant du sablé.

1. Mélanger la veille les ingrédients de la pâte (ne pas la travailler trop longtemps). Laisser reposer au frais 4 heures. Pour la crème pâtissière, faire chauffer le lait avec la demi-gousse de vanille. Mélanger le sucre, les jaunes d'œufs, le rhum et la farine. Ôter la vanille du lait. Faire bouillir le lait et y incorporer le mélange. Faire bouillir la crème pâtissière sans cesser de remuer, puis la conserver au frais.

2. Beurrer un moule à manqué de 22 cm de diamètre. Étaler au rouleau la moitié de la pâte sur une épaisseur de 3 mm environ. Couvrir le fond et les bords du moule.

basque

3. Étaler la crème pâtissière froide dans le moule.

4. Recouvrir la crème avec l'autre moitié de la pâte étalée. Dorer à l'œuf battu. Faire cuire 1 heure à four moyen (160 °C). Déguster tiède ou froid.

Terrine de fruits à

Préparation | 2 heures
Repos | 8 heures
Difficulté | ★ ★

Pour 8 personnes

1 kg de fraises
4 mangues
7 kiwis
200 g de génoise (voir p. 312)

Mousse d'amandes :
200 g de poudre d'amandes
150 g de beurre
200 g de sucre glace
50 ml de Grand Marnier
250 ml de crème Chantilly

Ce dessert coloré aurait été inspiré à notre chef par la terrine de légumes des Troisgros. Son originalité réside dans la liaison de la mousse d'amandes avec le Grand Marnier, légère et goûteuse, qui permet une meilleure cohésion des divers fruits.

C'est précisément cette liaison, où l'on travaille conjointement le beurre, le sucre glace, la poudre d'amandes et le Grand Marnier, qui constitue la principale difficulté de cette recette. Le mélange doit être à la bonne température pour que l'incorporation de la crème Chantilly ne fasse pas durcir le beurre. Si l'on n'utilise aucune gélatine, ce qui garantit la légèreté de l'ensemble, sa consistance en sera d'autant plus délicate.

Vous aurez préparé les fruits à l'avance : après avoir choisi des mangues bien mûres, mais non molles, des kiwis de taille modeste et bien moelleux et des fraises assez grosses, vous les taille-

rez tous en bouchons de même diamètre. Il sera peut-être préférable de remplacer les mangues, dont la chair filandreuse est parfois difficile à tailler, par de grosses pêches jaunes très savoureuses.

Pour couper la génoise en tranches très fines, au couteau-scie ou à la machine à jambon, il vous est recommandé de la faire séjourner quelques instants au congélateur. Vous pouvez faciliter le démoulage en intercalant, entre le moule et la génoise, une feuille de papier d'aluminium.

La terrine sera remplie sur trois couches, en enfonçant à la cuillère les bouchons de fruits dans la préparation et en ne laissant aucun espace entre eux. L'alternance des fruits et de leur couleur sera du meilleur effet lorsque vous couperez la terrine en tranches.

1. Monter la mousse d'amandes au robot en mélangeant la poudre d'amandes, le beurre, le sucre glace et le Grand Marnier ; incorporer délicatement la crème Chantilly.

2. Peler les fruits et équeuter les fraises. Couper les mangues et les kiwis en quartiers dans le sens de la longueur.

la mousse d'amandes

3. Prendre une terrine en porcelaine ; en tapisser le fond et les côtés de fines tranches de génoise.

4. Monter la terrine en alternant les couches de fruits et la mousse d'amandes, en constituant si possible un décor. Couvrir d'une fine tranche de génoise. Mettre au réfrigérateur pendant au moins une nuit. Couper en tranches et servir sur une assiette avec un coulis de framboises.

Giboulée de cerises

Préparation   10 minutes
Cuisson   1 heure
Difficulté   ★

Pour 4 personnes

200 g de cerises
beurre
kirsch
40 ml de chartreuse verte

Sirop :
350 g de sucre
250 ml d'eau

Glace à la pistache (voir p. 312) :
500 ml de lait
6 jaunes d'œufs
125 g de sucre
pâte de pistache (ou pistaches moulues)

Voici des siècles que la cerise fait partie des fruits les plus appréciés. Sa culture était déjà bien connue au Moyen Âge et les cerises précoces furent inventées à la Renaissance. Louis XIV avait pour les cerises une prédilection particulière et les vergers de Montmorency connaissaient au XIXᵉ siècle, au «temps des cerises», une affluence extraordinaire. On allait jusqu'à louer les arbres à l'heure, ou à la journée, pour en cueillir discrètement les fruits.

Aujourd'hui, parmi les 2 000 variétés répertoriées dans toute la France, une douzaine seulement sont cultivées. Nous utiliserons de préférence des «cœurs de pigeon», disponibles au début du mois de juin, assez grosses, fermes et d'un beau rouge brillant strié de rouge foncé. À défaut, les cerises «burlat», charnues, savoureuses et parfumées, occupent les marchés dès le mois de mai.

L'infusion devra être réalisée la veille, de telle sorte que les cerises puissent reposer dans le sirop toute la nuit. Elles font bon ménage avec des éléments plus épicés, comme ici la pistache qui les accompagne sous forme de crème glacée. Bien évidemment, le voisinage des cerises chaudes fera fondre la glace si vous ne les réunissez pas au dernier moment.

Élaborée dans le plus grand secret par les moines chartreux, qui depuis le XIᵉ siècle vivent reclus dans le silence et la prière, la chartreuse est une liqueur de plantes originaire du Dauphiné, qui titre 55° d'alcool et regroupe, dit-on, 53 variétés d'herbes différentes. Hormis le filet de liqueur que vous verserez dans les cerises chaudes, vous pourrez éventuellement en servir un petit verre à vos convives…

1. Faire infuser en portant à ébullition 200 g de cerises équeutées non dénoyautées dans un sirop préparé avec 350 g de sucre et 250 ml d'eau. Couvrir et laisser refroidir. Confectionner la glace à la pistache et la réserver au froid.

2. Placer une poêle sur le feu. Ajouter du beurre. Lorsque celui-ci commence à chanter, ajouter les cerises et les rouler dans le beurre. Compter une douzaine de cerises par personne. Saupoudrer de sucre.

en chaud-froid

3. Une fois les cerises bien chaudes mais encore fermes, verser un peu de kirsch dans la poêle et faire flamber le tout.

4. Ajouter dans la poêle 50 ml d'infusion de cerises et laisser réduire doucement jusqu'à consistance d'une sauce. Ajouter alors 40 ml de chartreuse. Disposer deux boules de glace à la pistache par assiette et napper de cerises chaudes. Servir immédiatement.

Vaporeux glacé

Préparation	*1 heure*
Cuisson	*2 heures*
Difficulté	✳ ✳

Pour 4 personnes

Meringue italienne :
75 g de sucre
2 blancs d'œufs
500 ml de crème fleurette

Parfait :
75 g de sucre

4 jaunes d'œufs
essence de café

Meringue :
2 blancs d'œufs (75 g)
60 g de sucre
1 cuil. à café de café lyophilisé

Sauce :
75 g de sucre
4 jaunes d'œufs
rhum
500 ml de crème fleurette

sucre glace pour saupoudrer

Bien que ce vaporeux constitue un dessert de choix, on pourra le déguster par simple gourmandise à toute heure de la journée. Sa préparation demande quelque soin, notamment dans la succession des mélanges qui le composent.

La meringue est une invention diabolique que Stanislas Leszczyński, beau-père du roi Louis XV, aurait selon certaines sources importée de Pologne au XVIIIᵉ siècle. On en distingue trois variétés : la meringue ordinaire, la meringue sur le feu et la meringue italienne, qui reste plus moelleuse et que l'on confectionne avec des blancs d'œufs montés à moitié. Veillez à n'incorporer le sucre qu'en dernier lieu et à la température indiquée.

Il en est de même pour le parfait au café : le sucre doit avoir atteint la température de 118 °C lorsque vous le verserez sur les jaunes d'œufs. L'opération s'effectue progressivement, tout près du bord du récipient et sans cesser de battre avant que le sucre ne refroidisse.

La pâte à bombe est généralement constituée d'un mélange dense ; dans le cas présent, il s'agit d'une sauce que notre chef allège à la crème fleurette. À la différence des autres éléments qui pourront patienter une nuit, la sauce est à préparer le jour même.

La dernière phase consiste à monter les blancs en neige assez ferme pour éviter qu'ils ne retombent, mais sans excès puisqu'une mousse trop consistante pourrait grainer. Vous procéderez sans attendre à leur cuisson à la vapeur, sur du papier sulfurisé.
Une fois monté, le vaporeux sera servi sur-le-champ. Selon votre goût, vous pourrez le parfumer au chocolat sans modifier la recette.

1. Pour la meringue italienne, chauffer 75 g de sucre à 118 °C. Verser cette préparation sur deux blancs d'œufs à moitié montés. Battre jusqu'à refroidissement. Préparer ensuite le parfait. Chauffer 75 g de sucre à 118 °C. Verser ce mélange sur les quatre jaunes d'œufs. Mixer au batteur jusqu'à refroidissement.

2. Monter 500 ml de crème fleurette en chantilly. Mélanger ensuite le parfait avec la meringue italienne, puis l'essence de café. Ajouter la crème fleurette en dernier. Étaler sur une plaque à rebord munie de papier sulfurisé. Recouvrir d'un film alimentaire et mettre au congélateur.

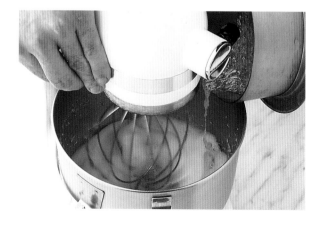

au café

3. Pour la meringue, battre 75 g de blancs d'œufs et 60 g de sucre. Ajouter le café lyophilisé à la moitié du montage. Étaler sur une feuille de papier sulfurisé une épaisseur d'un cm. Cuire 2 minutes à la vapeur à 80 °C. Pour la sauce, chauffer 75 g de sucre à 118 °C. Verser sur quatre jaunes. Battre jusqu'à refroidissement. Ajouter le rhum et la crème fleurette. Réserver.

4. Découper pour chaque portion deux disques de meringue et un disque de parfait de 6,5 cm de diamètre. Étaler la sauce sur l'assiette et glacer au chalumeau. Superposer meringue, parfait glacé et meringue. Déposer sur la sauce. Saupoudrer le vaporeux de sucre glace. Glacer de nouveau au chalumeau.

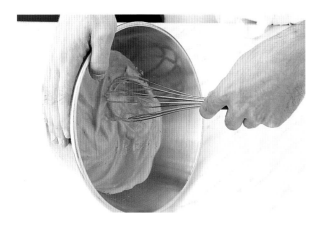

Feuilleté de meringue

Préparation	15 minutes
Cuisson	4 heures
Difficulté	✶ ✶

Pour 4 personnes

70 g de mascarpone
150 g de fruits rouges des sous-bois

Meringue :

15 g de blanc d'œuf
1 pincée de sel
20 g de sucre
20 g de sucre glace vanillé

Coulis :

150 g de fraises

Il fallut peu de temps à nos Anciens pour découvrir l'harmonieux mariage du sucre et des fruits, qui a connu dans le cours des siècles tant de savoureuses variantes. Vous pourrez ici, à votre tour, exalter les parfums et les vertus des divers fruits rouges, dont on connaît par ailleurs la richesse en vitamines et en sels minéraux. C'est bien sûr en été que vous trouverez les fraises, les framboises et les groseilles les plus mûres et les plus savoureuses, avec toutefois quelques décalages dans le calendrier qui rendront peut-être leur mélange difficile.

Le mascarpone, qui va donner à cette friandise onctuosité et piquant, est un fromage italien composé de couches alternées de crème fleurette et de persillé, ce qui lui confère une texture épaisse et surtout des saveurs très subtiles : vous le ferez passer sans encombre du plateau de fromages aux assiettes à dessert. La confection de la meringue constitue la principale difficulté de cette recette : il faut procéder avec des blancs battus en neige bien ferme, auxquels on incorpore toujours le sucre avant le sucre glace. Les disques de meringue doivent cuire 4 heures à l'étuve à 100 °C. Cela est indispensable pour éviter toute coloration et leur donner la fermeté nécessaire au montage du feuilleté. Il vous faudra donc faire preuve de patience et de vigilance.

Léger, parfumé et très rafraîchissant, ce dessert est à servir bien frais dans les déjeuners d'été, accompagné d'un coulis de fraises exécuté au dernier moment. Ce pourrait être un excellent prélude à la découverte des grottes de Balzi Rossi (les rochers rouges), l'une des principales attractions de la Riviera dei Fiori.

1. Pour la meringue, monter les blancs en neige avec une pincée de sel. Incorporer le sucre, puis le sucre glace.

2. À l'aide de la préparation précédente, former des disques au moyen d'une poche à douille plate de 8 cm de diamètre.

aux fruits des sous-bois

3. *Cuire les disques de meringue à l'étuve à 100 °C, sans donner de coloration, pendant 4 heures. Une fois la cuisson terminée, disposer sur les quatre disques du bas une légère couche de mascarpone.*

4. *Sur les couches de mascarpone, disposer les fruits des sous-bois. Recouvrir avec un second disque de meringue et saupoudrer de sucre glace. Servir avec un coulis de fraises.*

Sabayon au vin liquoreux

Préparation : 1 heure 15 minutes
Cuisson : 30 minutes
Difficulté : ✫ ✫

Pour 4 personnes

Sabayon :
8 jaunes d'œufs
4 cuil. à soupe de sucre
200 ml de vin liquoreux de Ligurie
(ou autre vin liquoreux)

Ganses :
500 g de farine
50 g de beurre en pommade
3 œufs
100 g de sucre
100 g de sucre glace
1 zeste de citron râpé
3 cuil. à soupe de cognac
1 pincée de sel
1,5 l d'huile pour la friture

La cuisine ligure est empreinte de simplicité, mais on doit combattre l'idée qu'elle est trop pauvre pour plaire. Si cette province du Nord-Ouest de l'Italie est longtemps demeurée très aride, sa situation délicate, entre les Alpes et la Méditerranée, n'empêche pas que l'on y développe certains types d'agricultures maraîchères et fruitières qui sont à la fois protégées des vents d'ouest et du nord. On y produit notamment des vins qui sont le juste complément d'une gastronomie savoureuse et raffinée.

Une fois vendangé vers la fin de septembre, le raisin qui s'est gorgé tout l'été de soleil méridional est suspendu à l'air libre pour quelques semaines. On en tire alors le vin liquoreux qui sert à diverses préparations et qui donne ici tout son caractère à notre sabayon.

Le sabayon ligure trouve son origine dans la célébration du carnaval. Il s'agit le plus souvent d'une fête très débridée,

mais où les cuisiniers doivent garder la tête froide pour réussir pleinement la cuisson de la pâte au bain-marie. L'utilisation d'un récipient de cuivre apporte au jaune d'œuf, par réaction chimique, une plus forte consistance qui favorise le maintien du sabayon.

La pâte à ganses ne peut se réaliser qu'avec du beurre en pommade, car elle doit être homogène. Vous ne la découperez qu'après un repos minimal d'une heure, quitte à la préparer la veille si vous le souhaitez. Les bandes ne doivent pas être trop larges, puisque vous devrez en former des nœuds sans les rompre avant de les plonger très rapidement dans la friture.

Ce dessert peut se déguster chaud ou froid. Si par miracle il en reste, vous pourrez le conserver dans une boîte métallique.

1. Dans une casserole en cuivre, verser les jaunes d'œufs et le sucre. Mélanger 5 minutes au fouet. Ajouter le vin. Mettre la casserole au bain-marie et, tout en remuant à feu très doux, battre jusqu'à obtenir une consistance dense et souple. Réserver au tiède une fois la cuisson terminée.

2. Pour les ganses, disposer la farine en fontaine. Mettre au centre tous les ingrédients et mélanger le tout avec la farine afin d'obtenir une pâte souple. Envelopper cette pâte dans un film alimentaire et laisser reposer 6 heures.

de Ligurie et ganses

3. Étaler la pâte sur une épaisseur de 0,5 cm et couper des bandes de 10 x 2 cm à l'aide d'une roulette dentelée. Confectionner ensuite des nœuds.

4. Faire frire les bandes dans l'huile bouillante. Égoutter soigneusement, puis saupoudrer de sucre glace. Servir chaud avec le sabayon.

Assiette du maître

Préparation   *1 heure 50 minutes*
Refroidissement *30 minutes*
Difficulté   ★ ★ ★

Pour 4 personnes

250 g de crème anglaise (voir p. 312)
2 cuil. à café d'extrait de café
2 cuil. à café d'extrait de pistache
100 g de coulis de framboise
70 g d'orange confite en julienne
70 g de copeaux de chocolat

Sorbet au chocolat :
400 ml d'eau
150 g de sucre, 15 g de miel
100 g de chocolat amer
35 g de chocolat en poudre

Biscuit au chocolat :
85 g de chocolat noir
5 g de beurre, 3 œufs
10 g de sucre, 20 g de cacao en poudre

Mousse au chocolat au lait :
240 ml de crème fleurette
100 g de chocolat au lait

Mousse au chocolat blanc :
240 ml de crème fleurette
100 g de chocolat blanc

Mousse au chocolat noir :
300 ml de lait
300 ml de crème fleurette
3 œufs, 60 g de sucre
200 g de chocolat noir

La diversité de ses ingrédients ne doit pas vous faire croire que cette recette est difficile : bien au contraire, il suffit d'un peu de méthode et de vigilance pour confectionner, en suivant pas à pas les consignes de notre chef, un dessert d'excellente qualité.

La préparation des mousses au chocolat requiert d'abord une température bien maîtrisée : si le chocolat est trop froid, la mousse ne prend pas, mais la crème fleurette montée pourrait fondre dans le cas d'une chaleur excessive. Quant au sorbet, il est recommandé de le préparer au dernier moment et de le mixer à froid, ce qui lui donne un bel aspect brillant.
Le biscuit pourrait souffrir d'une cuisson trop longue de la pâte chocolat-beurre, car le chocolat s'y dénature. Une fois cuit,

vous devrez d'ailleurs manipuler ce biscuit le moins possible et toujours avec précaution.
Afin de stopper la cuisson de la crème anglaise une fois à bonne consistance, vous pouvez tremper le fond de la casserole dans l'eau froide. Mais cette opération ne vous dispense pas de finir de la battre hors du feu, juste avant de l'additionner en partie de pistache et de café. Vous obtiendrez ainsi trois belles sauces de couleurs et d'arômes variés et complémentaires, et surtout de texture homogène.

C'est bien sûr pour les inconditionnels du chocolat que Michel Blanchet a voulu réaliser cette assiette gourmande. On dit par exemple qu'il combat le stress et la dépression.

1. Pour les deux premières mousses, monter d'abord la crème fleurette. Faire fondre le chocolat au lait au bain-marie. Incorporer la crème montée et réserver au frais. Effectuer la même opération pour la mousse au chocolat blanc. Pour le sorbet, faire bouillir l'eau avec le sucre et le miel. Faire fondre dans le mélange les chocolats amer et en poudre. Laisser refroidir et mixer.

2. Pour le biscuit, faire fondre au bain-marie le chocolat concassé avec le beurre. Blanchir les jaunes avec la moitié du sucre. Ajouter le cacao en poudre. Monter les blancs en neige avec le restant de sucre, ajouter les jaunes blanchis, le chocolat et le beurre fondu. Étaler sur une plaque. Cuire à 180 °C au four pendant 6 à 8 minutes.

chocolatier

3. Pour la crème anglaise, faire bouillir le lait avec la gousse de vanille fendue. Blanchir le sucre et les œufs. Verser le lait bouillant dessus. Cuire en remuant tout doucement à feu doux. La crème est cuite lorsqu'elle nappe la spatule. Diviser la crème anglaise en trois parts : parfumer une part avec l'extrait de café, une autre avec l'extrait de pistache au choix.

4. Pour la mousse au chocolat noir, mélanger le lait et la crème fleurette. Faire bouillir. Blanchir les jaunes d'œufs avec le sucre. Verser la première préparation sur le mélange de sucre et d'œufs. Faire cuire en remuant, puis incorporer 200 g de chocolat noir râpé. Laisser prendre, puis découper le gâteau à l'aide d'emporte-pièces. Décorer et présenter à votre guise.

Poires rôties au bourgogne,

Préparation   30 minutes
Cuisson   45 minutes
Difficulté   *

Pour 4 personnes

Pochage des poires :
4 poires
1 l de vin de Bourgogne
200 g de sucre
1 bâton de cannelle

Glace à la réglisse :
3 bâtons de réglisse
500 ml de lait
10 ml de pastis
20 ml de crème fleurette

Crème anglaise :
voir p. 312

Décoration :
pralines roses
4 feuilles de menthe

L'Antiquité orientale n'autorisait pas que l'on partage les poires, fût-ce entre amis, au risque de provoquer de graves querelles. D'ailleurs, la poire se dit « li » en chinois et ce mot signifie aussi « séparation ». Elle passait pour un fruit d'origine divine chez les Grecs, qui en connaissaient environ 6 variétés. Les croisements s'étant multipliés, on dénombrait au XIXe siècle un bon millier d'espèces distinctes et nous en avons aujourd'hui près de 5 000. Le grand commerce, hélas, n'en pratique pas plus d'une douzaine.

On les dégustera de préférence en automne, même si certains vergers les proposent dès la fin de l'été et bien que leur vente se poursuive en hiver. On choisira pour cette recette des poires qui ont une bonne tenue à la cuisson, qui atteint sa perfection quand les fruits sont moelleux au toucher. Leur consistance se rapprochera dès lors de la glace à la réglisse qui doit les accompagner dans l'assiette.

Libre à vous de choisir le vin rouge le mieux adapté pour y pocher les poires. Notre chef vous conseille de ne pas lésiner sur ce point et d'opter pour un vin de qualité assez fort en bouquet. Un bourgogne bien corsé, par exemple, dégage, quand il est chaud, des arrière-goûts fruités très alléchants. Ces qualités se conjugueront bien sûr à l'onctuosité des poires, qui se seront imprégnées de saveurs inattendues et flatteront d'autant mieux le palais de vos convives.

1. Éplucher les poires en conservant la queue. Les pocher 30 minutes à feu doux dans le vin rouge avec le sucre et la cannelle.

2. Pendant ce temps, réaliser la glace. Écraser les bâtons de réglisse et les faire infuser dans le lait. Préparer ensuite une crème anglaise. Après refroidissement, mettre en sorbetière. Avant que la glace ne soit complètement prise, incorporer la crème fleurette et le pastis. Réserver après avoir battu vigoureusement.

glace à la réglisse

3. Égoutter les poires et les fendre par moitié sur la hauteur après en avoir ôté la queue. Les mettre à plat, puis les émincer en laissant chaque tranche attenante côté queue. Les disposer en éventail sur une plaque, saupoudrer du sucre restant et faire colorer sous le gril chaud.

4. Réduire à consistance la cuisson des poires. Étaler en papillon deux demi-poires sur chaque assiette, napper avec le jus de cuisson des poires réduites, parsemer de pralines concassées, d'une feuille de menthe et disposer une quenelle de glace à la réglisse.

Bread and

Préparation   35 minutes
Cuisson   1 heure 45 minutes
Difficulté   ★ ★

Pour 4 personnes

35 g de raisins de Corinthe et de Smyrne
270 ml de lait
3 œufs
60 g de sucre
1/2 gousse de vanille
30 g de beurre salé
sucre glace

Pain aux fruits :
10 g de levure
100 ml de lait
250 g de farine type 1070
45 g de sucre
5 g de sel
1 œuf
65 g de beurre
75 g de raisins de Corinthe
65 g de cerises confites

Le pain perdu des ménagères d'antan leur permettait d'utiliser les restes de pain qu'il n'était pas question de laisser perdre. Aujourd'hui, cette pratique traditionnelle est la base d'une véritable gourmandise que l'on peut agrémenter de multiples façons. On en trouve plusieurs versions dans le Sud de la France, où l'on dégustait pour Pâques des « pains crottes » ou encore « croûtes dorées ». Mais c'est bien sûr en Angleterre que ce dessert est très connu sous le nom de pudding (en français : pouding), catégorie du « bread and butter pudding ». On évitera de le confondre avec le somptueux plum-pudding à la moelle de bœuf, dans lequel entrent des pruneaux et divers fruits confits, et que les Anglais préparent pour Noël avec plusieurs mois d'avance.

Le souci d'économie qui présidait jadis à la confection du pudding le faisait composer de beaucoup de pain, et de sensiblement moins de beurre et d'œufs. Mais de nos jours, il n'est plus seulement question de caler l'estomac des plus affamés et l'on a revu les proportions de ces divers ingrédients pour faire du pudding une préparation plus délicate.

C'est en principe la veille que l'on prépare complètement le pudding, avant de le garder au frais pour qu'il mûrisse un peu. Les plus impatients ne lui accorderont qu'un repos minimal de 3 heures après son refroidissement – quand il commencera à atteindre une consistance optimale et le croustillant qui le caractérise.

Si vous souhaitez donner à ce gâteau quelque subtilité supplémentaire, vous pouvez utiliser du beurre demi-sel à la place du beurre doux, mais l'un et l'autre ont leurs avantages. Servez tiède avec des fruits frais.

1. Parsemer le fond d'un moule à bread and butter de raisins de Corinthe et de Smyrne. Pour le pain aux fruits, faire un levain avec la levure, le lait et un quart de la farine. Laisser lever. Dans la cuve du mélangeur, mettre le reste de farine, le sucre et le sel. Ajouter les œufs, le levain et mélanger.

2. Ajouter le beurre ramolli à la main. Mélanger les raisins et les cerises. Laisser lever. Verser dans des moules à couvercle. Cuire au four à 200 °C, pendant 45 minutes. Faire bouillir le lait. Travailler au fouet les œufs avec le sucre et la vanille. Verser dessus le lait chaud. Fouetter énergiquement et ajouter progressivement le reste du lait. Passer au chinois.

butter pudding

3. Couper le pain aux fruits en tranches de 0,5 cm d'épaisseur et le poser harmonieusement dans le plat. Répartir dessus le beurre salé détaillé en trois morceaux.

4. Verser le mélange de lait et d'œuf sur le pain. Cuire au bain-marie à 150 °C pendant 1 heure environ jusqu'à solidification de la préparation et coloration dorée. Couvrir de sucre glace et glacer sous le gril. Servir chaud.

Cherry trifle

Préparation   *30 minutes*
Cuisson   *15 minutes*
Difficulté   ✶ ✶

Pour 4 personnes

Trifle génoise :
150 g de sucre
5 œufs
150 g de farine
1 pot de confiture de cerises noires

Marinade de la génoise :
15 ml de rhum
35 ml de dry cherry
70 ml de sirop à 30 °C

Cream custard :
375 ml de lait
30 g de sucre

2 jaunes d'œufs
10 g de poudre à flan
1 œuf

Crème Chantilly :
500 ml de crème fleurette
50 g de sucre

Décoration :
amandes effilées grillées
pistaches hachées
gelée de framboises
framboises

Ce n'est qu'avec l'amour du détail que l'on atteint l'excellence en matière de cuisine, comme le démontrent les pâtissières du Connaught Hotel.

Le cherry trifle est une préparation typiquement anglaise où se mêlent les arômes du rhum et du cherry, cette liqueur de cerises très prisée de l'aristocratie britannique que seuls des profanes pourraient confondre avec le sherry, le nom anglais du vin blanc de Xérès. Ces deux alcools ne s'emploient, comme on l'imagine sans peine, qu'avec une extrême modération. Rappelons que c'est un missionnaire français des Antilles, le père Jean-Baptiste Labat, qui sut au XVIIIe siècle extraire le rhum de la canne à sucre, alors pomme de discorde entre Français, Anglais et Hollandais. Ce prêtre s'est encore illustré dans la lutte contre les Anglais, ce qui ne manque pas de sel aujourd'hui…

Il faudra quelque précision dans les gestes au moment crucial, lorsque vous devrez mélanger la génoise avec les autres ingrédients, en prenant garde à conserver son velouté d'origine. En réalité, il faut toujours attendre qu'elle refroidisse avant traitement, quitte à la préparer la veille pour lui donner une consistance plus affirmée. Lorsque vous introduirez les cubes de génoise dans la marinade, assurez-vous que celle-ci recouvre entièrement le gâteau et que son absorption se produit de manière homogène.

La chantilly décorative se doit d'être mousseuse, aérienne même. Pour l'alléger davantage, notre chef vous recommande d'y inclure un blanc d'œuf au dernier moment. À défaut d'une confiture de cerises noires, vous pourrez tout aussi bien préparer le trifle à la fraise ou à la framboise.

1. Pour la génoise, chauffer le sucre au four sur du papier sulfurisé. Travailler les œufs au batteur. Ajouter le sucre chaud, puis laisser tourner jusqu'à refroidissement. Mélanger la farine tamisée. Verser la pâte dans un moule beurré, puis cuire au four à 200 °C. À couleur dorée, baisser le four à 160 °C et finir la cuisson.

2. Laisser refroidir la génoise, la couper en deux dans le sens de l'épaisseur et la recouvrir de confiture de cerises. Préparer la marinade pour la génoise avec 15 ml de rhum, 35 ml de dry cherry et 70 ml de sirop à 30 °C. Couper la génoise en cubes et en remplir la moitié du saladier. Verser la marinade et laisser absorber.

« Wally Ladd »

3. Pour la cream custard, faire bouillir le lait. Mélanger au fouet sucre et œufs. Ajouter la poudre à flan. Verser en fouettant un peu de lait bouilli sur le mélange. Ajouter l'ensemble du mélange au lait restant dans la casserole et cuire comme une crème pâtissière (voir p. 312). Passer au chinois et fouetter encore une fois énergiquement.

4. Lorsque le sirop est totalement absorbé par la génoise, verser dessus la cream custard. Laisser refroidir. Décorer avec la chantilly, les amandes effilées, les pistaches, la gelée de famboises et les framboises.

Crème

Préparation	*10 minutes*
Cuisson	*5 minutes*
Repos	*2 heures*
Difficulté	✶ ✶

Pour 4 personnes

425 ml de crème double
    (48 % de matières grasses)
150 ml de crème fleurette simple
    (40 % de matières grasses)

1 gousse de vanille
8 jaunes d'œufs
60 g de sucre
1 barquette de fraises des bois
100 g de cassonade

C'est vers 1850 que les desserts d'aujourd'hui ont fait leur apparition dans la gastronomie. Dérivé du verbe desservir, le dessert est évidemment ce que l'on offre une fois que les mets précédents ont quitté la salle à manger. On procédait jadis au montage du dessert en bout de table et dès le début du repas, dans des compositions très élaborées qui flattaient volontiers la démesure des gourmands. Mais nos chefs contemporains ont su lui donner de plus justes dimensions et séduire notre palais sans faire courir de risques inutiles à notre santé.

Les pâtissières du Connaught, les jumelles Power, excellent en ce domaine et font chaque jour la preuve que l'on ne saurait couronner un digne repas que par un dessert en rapport. C'est la philosophie qui préside à la confection de cette crème brûlée.

La conservation des crèmes est aujourd'hui plus facile, car la qualité même des produits a connu de grands progrès et leur utilisation n'est plus aussi hasardeuse qu'elle a pu l'être. Il faut cependant bien respecter les proportions entre les deux sortes de crèmes employées dans notre recette.

Les fraises des bois se prêtent merveilleusement à cette préparation en raison de leur petite taille, mais de petites framboises sont aussi bien indiquées. Il est indispensable de respecter le temps de refroidissement avant le glaçage final, car le sucre de surface doit pouvoir caraméliser sans pour autant réchauffer la crème. Du contraste entre la chaleur du chalumeau et la fraîcheur de la crème naîtra un sucre lisse et brillant. Ensuite, il faudra remettre le dessert au frais pour servir un ensemble bien ferme.

1. Mettre les crèmes avec la gousse de vanille ouverte dans une casserole. Faire bouillir. Blanchir au fouet les jaunes d'œufs avec le sucre, puis ajouter au fouet un peu de crème bouillie. Remettre le tout dans la casserole. Fouetter jusqu'au début de l'ébullition. Passer au chinois.

2. Tapisser le fond des moules avec les fraises des bois. Ajouter un peu de la préparation précédente pour stabiliser les fraises. Mettre au froid. Refroidir le reste de la crème et finir de garnir les moules en recouvrant entièrement les fraises des bois. Mettre au réfrigérateur pendant 2 à 3 heures.

brûlée

3. À la sortie du réfrigérateur, saupoudrer d'une bonne couche de cassonade et faire fondre sous le gril chaud sans faire chauffer la crème.

4. Terminer le glaçage au chalumeau pour obtenir une bonne finition et un joli brillant. Réfrigérer à nouveau. Servir bien froid pour que le glaçage soit ferme à souhait.

Préparation 45 minutes
Repos 12 heures
Difficulté ★

Pour 4 personnes

1 pain de mie de type anglais
1 feuille de gélatine
100 ml de sirop
1 barquette de mûres
1 barquette de myrtilles
1 barquette de cassis noirs
1 barquette de groseilles rouges
1 barquette de framboises
1 barquette de fraises

1 barquette de tayberries (airelles)
1 cuil. à café de sucre

Coulis de framboises :
500 g de framboises
125 g de sucre

Ce classique britannique à base de fruits rouges ne peut évidemment se préparer qu'en été. Il s'agit d'un véritable festival de vitamines et de minéraux, riche en baies de toutes sortes : groseilles presque translucides (éventuellement groseilles à maquereau, bien que leur couleur tranche quelque peu sur l'ensemble), mûres à la belle robe sombre, airelles plus acidulées et myrtilles violacées, cassis et fraises des bois (qu'il ne faut surtout pas laver avant l'emploi). Les framboises très parfumées pourront être de la fête – les Anglais en cultivent même une variété jaune.

Vous devrez impérativement confectionner le summer pudding avec du pain de mie anglais, qui a pour particularité d'être spongieux et donc de se gorger complètement des divers jus produits par le mélange des fruits. Ce pain présente une mie très blanche et pour ainsi dire pas de croûte. Les Britanniques en font une forte consommation, ce qui n'empêche pas l'inexorable disparition des boulangeries artisanales (moins d'un millier en Angleterre). Vous couperez pour en chemiser le moule des tranches moyennes, car elles doivent assurer la tenue de l'ensemble.

La plupart des baies qui s'intègrent à ce pudding sont très fragiles et vous devrez les manipuler avec d'infinies précautions. La composition du mélange doit tenir compte, bien sûr, de l'équilibre de leur goût. Vous aurez veillé à les choisir bien mûres mais non talées et vous devrez les consommer rapidement. Servez bien frais, avec une crème légère.

1. Chemiser le moule à pudding avec le pain de mie coupé en tranches moyennes. Faire tremper la feuille de gélatine à l'eau froide, confectionner le sirop, puis ajouter la gélatine.

2. Blanchir tous les fruits débarrassés de leurs rafles. Les égoutter dans une passoire pendant qu'ils sont encore chauds. Les sucrer, puis les verser dans le sirop. Mélanger avec délicatesse. Remettre les fruits à égoutter et passer le sirop au chinois.

pudding

3. Remplir le moule à pudding chemisé de pain avec les fruits rouges. Tasser légèrement pour ajouter le maximum de fruits. Placer un disque de pain de mie par-dessus.

4. Faire couler délicatement le sirop de fruits entre la paroi intérieure du moule et le pain. Verser le sirop sur le disque de pain de mie qui couvre l'ensemble. Laisser refroidir pendant une nuit. Démouler et décorer avec du coulis de framboises et des fruits d'été.

Préparation	2 heures
Repos	12 heures
Difficulté	★ ★

Pour 4 personnes

Génoise « pan di spagna »
(voir p. 312) :
4 œufs
125 g de sucre
125 g de farine

Glace à la vanille :
180 g de sucre
6 jaunes d'œufs
1 gousse de vanille

500 ml de lait
1 zeste de citron

Crème :
2 blancs d'œufs
4 cuil. à soupe de fruits
    candis marinés au rhum
50 ml de crème fraîche

Décoration :
fruits rouges selon le marché

Coulis :
framboises ou autres fruits

Tous les fruits ou presque se trouvent en Sicile, véritable jardin d'Eden pour les gourmands. On les conserve notamment sous forme de fruits candis, ce qui permet de les déguster toute l'année dans de savantes préparations. On connaît le talent consommé des Siciliens pour la pâtisserie et les spécialités que le monde entier leur envie : les délicieux cannoli farcis au fromage et bien sûr cette cassata si fréquemment imitée. Carlo Brovelli l'inscrit en permanence à son menu et se flatte même de recueillir des compliments des Siciliens de passage qui rendent hommage à son respect des traditions.

Le nombre et la variété des fruits croquants et colorés qui contribuent au succès de ce dessert étaient une marque d'honneur pour les invités. La cassata s'impose à chaque événement solennel, repas de noces, festins de Pâques ou de Noël, qui sont autant d'occasions d'apprécier des mets exceptionnels.

La préparation d'une véritable cassata demande beaucoup de temps et de savoir-faire, et vous devrez nécessairement procéder par étapes. Il est indispensable de commencer la veille, puisqu'il faut attendre que la glace soit bien dure pour monter les blancs d'œufs, leur incorporer les fruits et travailler le tout avec la crème fraîche. Le dessert fini, un repos d'une nuit fera prendre à l'ensemble la fermeté nécessaire au démoulage.

L'appellation « pan di spagna » dévolue à la génoise peut surprendre. En réalité, de nombreux desserts italiens ont pour origine des dérivés de pains et la dénomination s'est maintenue jusqu'à nos jours dans le respect des traditions culinaires nationales, à l'image « du pan di Natale à Noël ».

1. Confectionner la génoise « pan di spagna » et en tapisser le pourtour de petits moules ronds en bandes de 2 cm d'épaisseur.

2. Rassembler tous les ingrédients de la glace à la vanille et mixer. Chemiser les parois des moules tapissés de génoise avec la glace. Mettre au froid.

siciliana

3. Pour la crème, verser les blancs d'œufs dans un récipient et les monter au fouet en neige ferme. Ajouter les candis marinés au rhum. Monter la crème fraîche. Mettre les deux mélanges dans un récipient et travailler 10 minutes à la spatule afin d'obtenir une crème bien homogène.

4. Terminer le garnissage des moules avec la crème. Lisser et mettre au réfrigérateur pendant une nuit. Démouler sur une assiette, disposer un bouquet de fruits rouges et entourer de coulis de framboises.

Préparation   *45 minutes*
Cuisson   *45 minutes*
Difficulté   ☆

Pour 4 personnes

1 kg de pommes cotogne ou golden
200 ml de vin blanc
1/2 zeste râpé de citron
200 g de sucre

Pâte brisée :
250 g de farine tamisée
1 cuil. à soupe d'eau froide

100 g de beurre
1 œuf
70 g de sucre
1 pincée de sel

Décoration :
crème anglaise (voir p. 312)

Cette tarte aux pommes cotogne a forcément fait le bonheur de tout « giovanotto » (petit garnement) sur le chemin de l'école. D'abord aussi grande qu'une pizza qui serait détaillée en portions individuelles, elle figure aujourd'hui dans une version réduite, mais tout aussi croustillante et savoureuse, à la carte des meilleurs restaurants. Vous pourrez l'accompagner d'une boule de glace à la vanille ou d'une crème anglaise.

Notre chef conseille une variété de pommes originaire de Lombardie qui est assez peu connue sur l'autre versant des Alpes. C'est dommage, car cette variété très douce conserve à la cuisson fort bonne tournure. Il faudra donc vous fournir en Lombardie ou vous satisfaire de belles goldens plutôt mûres, plus courantes sur nos marchés. Prenez cependant garde à ne pas les choisir trop vertes, car leur acidité pourrait l'emporter

sur le goût de la torta et dénaturer votre dessert. En fin de cuisson, les pommes doivent être fondantes et sucrées, mais encore solides.

Le décor de bandes de pâte qui vient couvrir la couche de fruits cuits n'est pas sans évoquer la « Linzertorte », si répandue en Autriche. Selon que vous voudrez soigner plus ou moins la présentation, vous pourrez superposer simplement les bandes perpendiculairement ou les passer une fois dessus, une fois dessous.

Cette tartelette fournira un excellent goûter. Vous pouvez la proposer avec un thé bien chaud, un cappuccino ou un muscat fruité. D'autres fruits la garniront volontiers, par exemple la poire.

1. Mettre à cuire à feu doux les pommes pelées et coupées en huit quartiers. Ajouter le vin blanc, le zeste de citron et le sucre. Laisser cuire une quinzaine de minutes.

2. Faire une fontaine avec la farine, l'eau, le beurre, l'œuf, le sucre, le sel et confectionner une pâte brisée. Laisser reposer 1 heure au frais, puis foncer en moules individuels.

pommes cotognes

3. Une fois ces opérations terminées, garnir soigneusement les fonds de tartelettes de compote de pommes.

4. Recouvrir d'une grille de pâte (au moyen de bandes taillées au préalable à la roulette). Mettre au four à 180 °C pendant 30 minutes et présenter les tartelettes accompagnées de crème anglaise.

Sablés aux oranges,

Préparation	2 heures
Cuisson	10 minutes
Difficulté	✷ ✷

Pour 4 personnes

10 oranges de montagne

Pâte sablée (voir p. 312) :
150 g de farine
120 g de beurre
1 jaune d'œuf
60 g d'amandes broyées
60 g de sucre glace

Crème au Grand Marnier :
1 cuil. à soupe de crème pâtissière
    (voir p. 312)
3 cuil. à soupe de crème Chantilly vanillée
250 ml de Grand Marnier

Sauce au chocolat :
250 g de chocolat noir fondant
125 ml d'eau

Garniture :
pistaches hachées

Pourra-t-on jamais cesser de célébrer les bienfaits de l'orange ? Cet agrume gorgé de vitamine C, disponible toute l'année, est une source inépuisable de vitalité. On la choisit bien mûre, ferme et lourde dans la main, en prenant garde à son seul défaut : elle ne se conserve pas longtemps.

Les oranges se rattachent en Belgique à de multiples traditions. Lors du carnaval de Binche, dans la province de Hainaut, le défilé des « Gilles » dans leur costume à grelots, sous leur chapeau orné de gigantesques plumes d'autruches, s'accompagne par exemple de jets d'oranges dont ils bombardent généreusement le public.

On privilégiera les fruits avec une chair juteuse et pleine de saveur. Il conviendra d'égoutter les fruits épluchés quelques heures avant leur utilisation.

La chantilly vanillée se prépare avec du sucre vanillé, de préférence à la vanille liquide qui risquerait de faire retomber la crème fleurette. D'autre part, la crème pâtissière à laquelle vous l'ajouterez peut fort bien se conserver s'il en reste. Veillez seulement à la placer au frais, couverte d'un film alimentaire, pour lui éviter tout contact avec l'air.

Il est préférable de monter les sablés à la dernière minute, car le jus résiduel des oranges pourrait les imbiber avant de les servir.

1. Étaler la pâte faite la veille pour obtenir une abaisse de 0,5 cm d'épaisseur, puis découper à l'aide d'un emporte-pièce des cercles de 8 cm. Compter deux sablés par personne. Déposer sur une plaque graissée et parsemée de sucre. Cuire au four à 225 °C pendant 5 à 6 minutes. Réserver à température ambiante.

2. Pour la crème au Grand Marnier, réaliser d'abord la crème pâtissière. Pour cela, faire un ruban avec les jaunes d'œufs et le sucre, puis incorporer la poudre de flan. Verser dans le lait bouillant et donner un début d'ébullition en fouettant. Laisser refroidir dans un autre récipient. Monter la crème Chantilly et incorporer à la crème pâtissière. Terminer par le Grand Marnier.

au chocolat amer

3. Peler les oranges à vif et les découper en quartiers. Laisser égoutter dans une passoire. Faire fondre le chocolat avec l'eau. Quand il est bien lisse, en couvrir le fond des assiettes. Attendre quelques instants et décorer les assiettes de crème légèrement fouettée à l'aide d'une poche à douille.

4. Monter les sablés. Disposer les cercles de pâte sur le plan de travail, puis poser par-dessus un petit dôme de crème au Grand Marnier et les quartiers d'oranges tout autour. Terminer l'opération en posant dessus un cercle de pâte préalablement saupoudré de sucre glace. Disposer les sablés sur les assiettes décorées de sauce au chocolat et de pistaches.

Normandise

Préparation   20 minutes
Cuisson   18 minutes
Difficulté   ✳

Pour 4 personnes

4 pommes (reinettes et granny smith)
50 ml de kirsch
4 cuil. à soupe de crème Chantilly
50 g de beurre
50 g de sucre
20 g d'amandes grillées
fraises (facultatif)

Pâte feuilletée (voir p. 312) :
4 carrés de 6 x 6 cm

Coulis de pommes :
pommes
100 g de sucre

Crème pâtissière :
voir p. 312

Sorbet aux pommes (250 ml) :
voir p. 312

Ce chaud-froid aux pommes constitue pour notre chef la quintessence de son engagement pour la sauvegarde de la tradition culinaire et des produits normands. La pomme est en pays d'Auge une véritable légende, autant pour les variétés que l'on y cultive encore que pour celles qui ont aujourd'hui disparu : Michel Bruneau cite ainsi la pomme Napoléon, de la taille d'une cerise, dont il affirme qu'elle est la meilleure de toutes.

Dans ce dessert très éloquent, il vous suggère de marier les espèces et de choisir, en complément de la granny smith plus acide, plus apte à donner au sorbet couleur et saveur, une reinette assez douce qui cuira dans sa peau pour constituer la base du coulis.

Dans la droite ligne des produits normands, c'est avec une crème double que vous aurez préparé la chantilly : associée à l'arôme du kirsch, elle enrichira toute la composition. Pour confectionner le sorbet, vous devrez émincer les pommes, les placer la veille au congélateur pour raffermir leur chair, puis verser dessus un sirop brûlant juste avant de les passer au mixeur.

La cuisson des pommes détaillées demande un soin particulier : l'intérieur doit rester croquant et chaud, mais l'extérieur, après passage au sucre dans la poêle, sera brillant et caramélisé.

Pour la présentation, vous pourrez ajouter au dernier moment un filet de caramel à base de cassonade, enrichi selon votre goût de parures de pastillage concassées et de calvados, ou de ce mélange de calvados et de cidre nouveau que l'on appelle pommeau.

1. Cuire les feuilletés au four 12 minutes environ. Pendant ce temps, peler les quatre pommes et les tailler en olives (six à huit par personne). Pour le coulis de pommes, passer des pommes à la centrifugeuse, porter le jus à ébullition avec 100 g de sucre et laisser refroidir.

2. Dans un récipient, mélanger la crème pâtissière avec le kirsch et la crème Chantilly sucrée. Faire sauter 4 à 5 minutes les pommes au beurre et au sucre jusqu'à ce qu'elles soient bien dorées. Confectionner le sorbet aux pommes.

gourmandise

3. À la sortie du four, remplir les feuilletés chauds de la crème et disposer les pommes par-dessus.

4. Dresser sur l'assiette les feuilletés et disposer le sorbet. Parsemer de coulis et d'amandes grillées et décorer d'une fraise.

Symphonie de tomates

Préparation   30 minutes
Cuisson   4 minutes
Difficulté   ☆ ☆ ☆

Pour 4 personnes

4 petites tomates rondes
500 ml d'eau minérale
500 g de cassonade
4 barquettes de framboises
décor de glace royale (sucre glace
     blanc d'œuf, citron)
12 feuilles de menthe
quelques baies roses

Ce dessert dérivé des tomates farcies à la provençale fut inspiré à notre chef par son confrère parisien Alain Passard et le constat que la tomate, qui est tout de même un fruit, supporte fort bien le sucre.

L'idéal serait de préparer cette symphonie avec deux types de framboises : l'un pour farcir les tomates, avec des fruits fermes et savoureux, l'autre pour le coulis, dont les échantillons seront mûrs et fondants. Mais Michel Bruneau vous laisse la liberté de choisir éventuellement d'autres fruits, telles la fraise des bois ou la gariguette.

Les tomates seront bien rondes : celles qu'en saison l'on récolte en plein champ, mûres et de formes fantaisistes, ne se prêteront pas à vos exigences. La ferline ou la roma allongée (qu'il ne faut pas confondre avec la petite tomate italienne du même nom, un peu trop sèche) gardent une bonne tenue à la cuisson et conviendront mieux à ce dessert. Les gourmands préféreront la saint-pierre, belle grosse tomate aux joues pleines, susceptible d'accueillir une bonne ration de framboises. Dans tous les cas, l'ouverture sur le côté rend indispensable de conserver le pédoncule, qui assure la solidité du fruit et sa résistance à la cuisson – cuisson qu'il faut quand même aborder avec prudence et surveiller sans relâche.

Les condiments jouent ici un rôle important : menthe confite, basilic et baies de poivre rose apporteront chacun à sa manière d'agréables saveurs parfaitement complémentaires.

1. Après les avoir mondées (conserver la queue), évider les tomates sur le côté à l'aide d'une cuillère à pomme parisienne. Faire un sirop avec l'eau minérale et la cassonade.

2. Confire les tomates 2 minutes dans 250 ml de sirop. Confectionner un coulis avec deux barquettes de framboises et le reste de sirop.

et framboises

3. Pour le décor de glace royale, mélanger dans un récipient le sucre glace et le blanc d'œuf. Bien travailler. Ajouter en dernier le jus de citron.

4. Fourrer les tomates avec les framboises restantes. Ciseler huit feuilles de menthe et déposer les baies roses. Confire à nouveau 2 minutes ; arroser souvent. Dresser les tomates sur le coulis froid et décorer de feuilles de menthe et de glace royale.

Petite crème brûlée à la

Préparation	*20 minutes*
Cuisson	*1 heure*
Difficulté	✶ ✶

Pour 4 personnes

8 jaunes d'œufs
150 g de cassonade
1 pincée de sel
2 cuil. à soupe de vanille liquide
1 l de crème fleurette
100 ml de Suze (gentiane)
8 pamplemousses roses
quelques feuilles de menthe

Il faut sans doute aimer fortement l'amertume de la gentiane pour la mêler aussi généreusement à la crème brûlée. C'est justement le cas d'Alain Burnel, qui reconnaît un net penchant pour l'inimitable Suze et la grande gentiane (*gentiana lutea*), cette fleur jaune si attrayante qu'on la surnomme « reine d'or des neiges ». Bien que le secret de la Suze soit bien gardé, on chuchote que la racine de la plante est macérée dans l'alcool et cette décoction soumise à deux distillations successives.

Notre chef recommande de préparer la crème la veille et de ne réserver au moment de servir que le glaçage final, celui qui donne tout son caractère à la crème brûlée. De la sorte, la crème ayant reposé dégage un arôme plus subtil et ses différents éléments se sont mariés plus étroitement. Le traitement à la cassonade permet d'obtenir au glaçage une belle teinte ambrée. Le décor de suprêmes de pamplemousses justifie quelques éclaircissements sur ce fruit d'apparition plutôt récente, que les pâtissiers utilisent de plus en plus. Quelle que soit sa variété (et il en naît toujours de nouvelles), le pamplemousse ou pomelo est très riche en vitamine C et en calcium. Il doit être bien ferme, lourd dans la main. Très juteux en général, il offre de beaux quartiers couverts d'une pellicule blanchâtre qu'il faut retirer pour soigner sa présentation. Préférez le pamplemousse rosé qui enrichit le dessert de sa nuance pastel. Prenez garde, avant de glacer la crème, à éliminer au papier absorbant l'excédent de jus des suprêmes.

1. Dans un bol, blanchir les huit jaunes d'œufs avec la cassonade, le sel et la vanille liquide.

2. Verser sur cette préparation 1 l de crème préalablement bouillie. Bien mélanger pour obtenir un liquide homogène. Passer au chinois.

gentiane et pamplemousse

3. Verser la gentiane dans la crème. Écumer et répartir dans quatre moules allant au four. Faire cuire 1 heure au four à 90 °C.

4. Laisser refroidir, saupoudrer de cassonade et glacer sous le gril chaud. Disposer au centre les suprêmes de pamplemousses roses préalablement débarrassés de la pellicule et décorer de petites têtes de menthe fraîche.

Petite tatin de figues

Préparation	*45 minutes*
Cuisson	*15 minutes*
Difficulté	✶

Pour 4 personnes

3 kg de figues fraîches
3 cuil. à soupe de miel d'acacia
1 cuil. à soupe de pectine neutre
400 g de pâte feuilletée
jus d'1 citron vert
100 g de beurre

Sirop à 30 °C :
1 kg de sucre
1 l d'eau

Décoration :
amandes effilées
groseilles

Il n'est pas dit que les demoiselles Tatin, à qui la petite ville de Neung-sur-Beuvron s'enorgueillit d'avoir donné le jour, n'ont pas rapporté d'un voyage en Provence ces petites tartes renversées riches en saveurs sucrées. On servira la « Tatin » de préférence tiède. Ce n'est sûrement pas un sacrilège que de remplacer la sacro-sainte pomme par de la figue, car ce fruit reçoit des hommages du monde entier. Ne dit-on pas que les jardins suspendus de Babylone, l'une des merveilles du monde, étaient largement pourvus de figuiers ?

L'idéal est sans doute, en saison, de cueillir les figues sur l'arbre. Si votre jardin ne comporte pas de figuier, vous pourrez sans doute trouver au marché de belles figues noires à chair très rouge. Il est facile de peler une figue mûre et de la caraméliser au miel. Si les figues sont vraiment très fraîches, notre chef reconnaît qu'il vaut mieux les caraméliser et les mouler la veille, puis les réserver au frais pour finir au dernier moment la tatin par la pose et la cuisson de la pâte feuilletée.

Par sa couleur et son parfum, le miel d'acacia se marie parfaitement à la figue. Alain Burnel préfère celui de Provence, qu'il estime plus riche en goût et dont la transparence est remarquable. Le miel coulait à flots dans les banquets des dieux de l'Olympe, avec le nectar et l'ambroisie. Vos convives s'y sentiront sûrement transportés devant ce dessert tiède accompagné d'une boule de glace à la vanille.

1. Éplucher délicatement les figues, faire caraméliser le miel et y plonger très doucement les figues et la pectine.

2. Placer les figues refroidies dans des moules, en prenant soin d'occuper toute la base du moule. Combler avec des morceaux de figues découpées.

fraîches au miel d'acacia

3. Une fois les figues convenablement disposées, recouvrir chaque moule d'un disque de pâte feuilletée et passer quelques minutes au four.

4. Verser le miel dans une casserole, le cuire et déglacer au citron vert. Ajouter le sirop à 30°C et monter au beurre. Démouler la petite tatin au centre de l'assiette et napper du beurre d'acacia. Décorer d'une figue fraîche joliment découpée ou parsemer d'amandes grillées à demi tièdes, ou de groseilles en saison.

Croquant aux mûres,

Préparation	30 minutes
Cuisson	1 heure 30 minutes
Difficulté	✶ ✶

Pour 4 personnes

500 ml de crème Chantilly
500 g de framboises
40 g de sucre glace
500 g de petites fraises mûres
250 g de mûres
200 ml de coulis de framboises

Meringue :
5 blancs d'œufs
125 g de sucre glace
125 g de sucre

Glaçage :
125 g de nappage d'abricots

Décoration :
quelques groseilles
quelques myrtilles
feuilles de menthe

Consacrez-vous donc tout l'été au culte des fruits rouges, si variés et si colorés, qui font merveille dans les gelées, les desserts et les sorbets. Quel que soit l'usage auquel vous les destinez, fixez-vous pour règle de ne jamais accepter que des fruits à pleine maturité, sans la moindre trace de moisissures ou de chocs.

Les fraises doivent être bien rouges, et conserver leur queue qui irrigue et protège la pulpe. Les mûres sont d'une belle couleur sombre, uniforme, avec des grains juteux et gonflés, et les framboises, bien que plus claires, présentent les mêmes qualités. Toutes ces baies riches en vitamines sont pourtant très fragiles et ne se conservent pas : il faut donc vous les procurer au dernier moment et si possible ne pas les laver, car elles perdraient beaucoup de leur saveur.

À la base du croquant se trouve la meringue, composée principalement de blancs d'œufs et de sucre, et d'une parfaite légèreté. Prenez soin de monter les blancs dans un récipient bien sec et de préférence métallique, sans le moindre soupçon de matière grasse. Jan Buytaert vous recommande d'y verser d'abord une petite quantité de vinaigre salé, puis de le rincer à l'eau claire avant de l'essuyer avec un linge immaculé. La cuisson des meringues est assez longue, à une température très basse, après quoi vous devrez les réserver dans un endroit bien sec. Moyennant cette dernière précaution, vous pouvez réaliser toutes ces opérations la veille.

On retrouvera, dans l'opulente coloration de ce dessert, comme un écho des joyeux banquets que les peintres flamands, Rubens le premier, ont immortalisés.

1. Pour la meringue, battre les blancs d'œufs avec une pincée de sucre glace. Mélanger le restant de sucre glace avec le sucre. Les ajouter aux blancs d'œufs et terminer de battre pendant quelques secondes. À l'aide d'une poche à douille, confectionner des disques de 10 cm de diamètre sur une plaque beurrée et farinée.

2. Cuire les rondelles de meringue 1 heure 30 minutes au four à 90 °C. Laisser refroidir. Poser une rosace de chantilly au milieu de la rondelle de meringue.

fraises et framboises

3. Passer une partie des framboises au tamis pour le coulis. Ajouter les 40 g de sucre glace. Dresser les fraises, les mûres et les framboises en dôme autour de la crème Chantilly, puis les groseilles et les myrtilles au sommet.

4. Enduire les fruits de nappage d'abricots légèrement chauffé au préalable. Garnir d'une feuille de menthe. Dresser sur une assiette et napper de coulis de framboises.

Préparation	*35 minutes*
Cuisson	*45 minutes*
Difficulté	✫ ✫

Pour 4 personnes

Pâte sucrée :
50 g de beurre
25 g de sucre glace
1/2 œuf
100 g de farine
1 pincée de levure chimique

Farce au chocolat :
175 g de crème double
150 g de chocolat
1 œuf
2 jaunes d'œufs

Tuiles dentelles :
40 g de sucre glace
10 g de farine
40 g d'amandes concassées grillées
20 ml de jus d'orange
20 g de beurre

La finesse de ce dessert tient à la qualité du chocolat que l'on emploie et donc à sa teneur en pur cacao. Pour Jacques Cagna, il n'est pas question d'admettre un chocolat qui ne contienne pas 70 % de cacao et qui ne soit pas de noble origine : Caraïbes ou Venezuela, notamment le rare et précieux criollo.

Il faut reconnaître qu'à plus de 70 % de cacao, le chocolat prend un goût trop amer et ne permet plus de goûter l'équilibre de la recette. Dans le même esprit, vous prendrez garde à préserver la consistance de la farce au chocolat, qu'un travail excessif rendrait élastique et trop compacte, alors qu'il faut tout juste la mélanger du bout des doigts, comme le ferait un masseur. Selon votre convenance, vous pourrez préparer à l'avance la pâte sucrée et celle des tuiles dentelles, qui peuvent reposer au frais une nuit, mais réservez bien au dernier moment la confection de la farce au chocolat.

L'incorporation du jus d'orange aux tuiles dentelles les parfume agréablement, et l'alliance historique du chocolat et de l'orange a déjà séduit des générations de gourmets. Malgré sa faible quantité, vous presserez vous-même le jus d'un fruit sélectionné pour sa fraîcheur, en gardant à l'esprit qu'un trop long contact avec l'air l'oxyde et lui fait perdre beaucoup de ses propriétés vitaminiques.

Servies tièdes, ces tartelettes seront une parfaite occasion de rendre hommage au grand Hernan Cortés, dont la tradition prétend qu'il rapporta le cacao du Mexique en 1519.

1. Pour la pâte sucrée, travailler le beurre et le sucre, ajouter l'œuf, puis la farine et la levure chimique. Laisser reposer 1 heure.

2. Étaler finement cette pâte et foncer des cercles individuels de 10 cm de diamètre et 2 cm de haut. Verser des noyaux sur les fonds de pâte et cuire 10 minutes à 160 °C.

au chocolat

3. Pour la farce au chocolat, faire fondre la crème et le chocolat, puis ajouter les œufs hors du feu. Garnir les cercles de pâte avec cet appareil, saisir au four à 150 °C et cuire 15 minutes à 120 °C.

4. Pour les tuiles dentelles, mélanger le sucre glace, la farine et les amandes concassées grillées avec le jus d'orange et enfin le beurre fondu. Étaler sur un papier sulfurisé et cuire au four à 200 °C. Dresser sur l'assiette une tartelette au chocolat et planter sur le bord une tuile. Servir tiède.

Croustades aux marrons

Préparation	*50 minutes*
Cuisson	*10 minutes*
Difficulté	★ ★ ★

Pour 4 personnes

4 feuilles de brick
10 g de beurre
8 marrons au sirop
8 marrons glacés

Crème pâtissière :

125 ml de lait entier
1/2 gousse de vanille
2 jaunes d'œufs
40 g de sucre, 12 g de farine

Crème d'amandes :

50 g de beurre
50 g de sucre glace
50 g de poudre d'amandes
1 œuf

Sauce au chocolat :

25 g de cacao en poudre
60 g de chocolat des Caraïbes
1 cuil. à soupe de lait entier
70 ml d'eau
1 pincée de sel
15 g de sucre
15 g de glucose
20 ml de Grand Marnier
30 g de beurre

Que peut-on préparer de mieux l'hiver, sinon d'excellents desserts au chocolat et aux marrons ? Telle est en tout cas la position de notre chef, qui respecte avant tout les cycles de la nature et se fait un devoir de n'utiliser que des produits d'une parfaite fraîcheur. Marron et chocolat, ce sont aussi deux couleurs voisines qui trouveront dans l'assiette une occasion de constituer une belle harmonie, avant que d'enchanter le palais de leurs saveurs conjuguées.

La provenance des marrons frais revêt pour Jacques Cagna une importance primordiale. C'est dans le Piémont, au nord-ouest de l'Italie, qu'il se fournit de préférence, au pied des célèbres vignobles d'Asti, dans cette province qui fut à la fin du XVe siècle l'enjeu d'âpres luttes entre les Français et les Italiens. Mais l'on ne saurait passer sous silence les éminentes qualités des marrons de Corse, des marrons du Var et de ceux de l'Ardèche, dont les variétés portent d'ailleurs des noms si bucoliques : comballe, marigoule (cette dernière est connue pour sa superbe couleur d'acajou foncé).

En réalité, c'est d'Espagne que nous importons la plupart de nos marrons glacés. Mais la conservation des marrons reste un problème épineux, qui rend nécessaire un examen détaillé de chaque fruit avant d'oser l'intégrer à la préparation.

La sauce au chocolat, qui présentera un arôme d'autant plus fin que vous aurez sélectionné un chocolat des Caraïbes fortement proportionné en cacao pur, sera délicatement relevée par un filet de Grand Marnier dont la discrète saveur d'orange soulignera la subtilité de l'ensemble.

1. Pour la crème pâtissière, faire bouillir le lait avec la demi-gousse de vanille. Blanchir les jaunes et le sucre, ajouter la farine, mélanger au lait et porter à ébullition. Pour la crème d'amandes, travailler au fouet le beurre et le sucre glace, ajouter la poudre d'amandes, l'œuf et finir en incorporant 100 g de crème pâtissière.

2. Dans des moules individuels de 6 cm de diamètre, disposer une feuille de brick beurrée en la laissant dépasser largement du moule.

glacés du Piémont

3. Déposer dans le fond de chaque moule 1 cuil. à soupe de crème d'amandes et deux marrons au sirop. Confectionner la sauce au chocolat en mélangeant tous les ingrédients, sauf le beurre. Porter à ébullition et monter avec le beurre.

4. Achever le garnissage des croustades avec la crème pâtissière, refermer, enfourner à 200 °C et cuire 5 minutes à 150 °C. Napper le fond d'une assiette de sauce au chocolat et déposer une croustade ainsi que deux marrons glacés.

Gâteau à la mousse au miel

Préparation	2 heures
Cuisson	40 minutes
Difficulté	★ ★ ★

Pour 4 personnes

250 g de chocolat blanc
30 framboises
30 mûres
30 airelles, myrtilles ou groseilles

Biscuit à l'orange :
9 jaunes d'œufs, 175 g de sucre
8 blancs d'œufs
1 orange 1/2 non traitée
125 g de farine

50 g de Maïzena
confiture d'abricots

Paniers de fruits :
20 g de sucre, 50 g de farine
75 ml de jus d'orange
75 g de poudre d'amandes
25 g d'amandes effilées, 75 g de beurre
Mousse au miel :
50 ml de vin blanc
125 g de miel de bruyère
3 jaunes d'œufs
3 feuilles 1/2 de gélatine
2 blancs d'œufs
350 ml de crème fleurette
25 ml de brandy (cognac)
Coulis aux mûres :
150 ml de jus de mûres
1/2 citron, 50 g de sucre glace

Les diverses variétés de bruyères ne sont pas l'apanage exclusif des Écossais, mais leurs landes arides en sont généreusement pourvues. Le nom français de la bruyère vient du gaulois «bruko», qui atteste l'ancienneté de ce sous-arbrisseau des régions pauvres, dont se nourrissent certains animaux et dont les fleurs roses ou violettes sont visitées par les abeilles. De là vient ce miel de bruyère dont Stewart Cameron, soucieux de faire connaître les spécialités de la région, vous propose d'aromatiser ce somptueux gâteau.

Il est vrai que le miel, connu depuis l'Antiquité et chargé de multiples symboles (saint Bernard n'est-il pas le «docteur [de l'Église] à la parole de miel»?), a connu de nombreuses utilisations. Aujourd'hui, les pâtissiers et confiseurs le font entrer dans le pain d'épices, le nougat, le praliné et bien d'autres, sans évoquer les recettes asiatiques salées, où l'alliance du miel et des viandes est un grand classique. Le miel apporte bonheur et prospérité, comme l'atteste le proverbe : «Qui n'a pas d'argent en bourse, ait du moins miel en bouche.»

Revenons à notre gâteau. La complexité de la recette exige une certaine organisation : il vous est vivement recommandé de préparer les biscuits la veille, afin de pouvoir vous concentrer le jour même sur cette mousse au miel et au brandy qui réclame une certaine attention. Dans le cas des deux biscuits, il suffit de vous en tenir à l'application des consignes, en choisissant toutefois pour le premier des oranges de belle qualité et en le couvrant après cuisson d'une couche de confiture d'abricots de Provence (ceux que l'on appelle «polonais»), voire du Roussillon (où les fruits sont plus rouges et peut-être plus savoureux).

1. Pour le biscuit à l'orange, battre les jaunes d'œufs et 75 g de sucre en sabayon. Faire une meringue avec les blancs montés et le sucre restant. Ajouter le jus d'orange et les zestes au sabayon. Incorporer un quart de la meringue au sabayon, puis la farine, la Maïzena et enfin le reste de la meringue. Dresser sur une plaque et cuire au four 10 à 12 minutes à 180 °C.

2. Couvrir le biscuit à l'orange de confiture d'abricots. Pour la pâte à paniers de fruits, mélanger le sucre et la farine, ajouter le jus d'orange, les amandes en poudre, les amandes effilées, le beurre fondu et bien mélanger. Laisser reposer 2 heures. Confectionner des boulettes de 15 g, les poser sur une plaque et cuire 8 à 10 minutes à 200 °C. À l'aide de moules à brioche, former de petites corbeilles.

de bruyère et au brandy

3. Pour la mousse, faire bouillir le vin et 25 g de miel. Verser sur les jaunes et cuire comme une crème anglaise (voir p. 312). Ajouter la gélatine et laisser refroidir. Faire une meringue, porter 100 g de miel à ébullition, verser sur les blancs montés et laisser refroidir. Monter la crème fleurette et ajouter le brandy. Incorporer la crème froide, la crème fouettée et la meringue.

4. Pour le coulis, passer les mûres au tamis, porter à ébullition avec le jus du demi-citron et le sucre glace. Réduire à consistance souhaitée et filtrer au chinois. Placer la mousse au centre de l'assiette, la décorer de copeaux de chocolat blanc et disposer tout autour trois paniers garnis de fruits rouges. Servir le coulis à part.

Larmes de chocolat amer

Préparation	2 heures
Cuisson	15 minutes
Repos	3 heures
Difficulté	✵ ✵ ✵

Pour 4 personnes

Larmes de chocolat :
250 g de chocolat de couverture noir

Mousse de poires au caramel :
4 feuilles de gélatine
100 g de sucre
250 g de purée de poires
250 ml de crème fleurette
50 ml d'eau-de-vie de poires

Sauce caramel aux noix :
125 g de sucre

250 ml de crème fleurette
30 g de beurre
250 ml de lait
1/2 gousse de vanille
5 jaunes d'œufs
1 cuil. à soupe de sucre vanillé
50 ml de caramel
25 g de noix hachées

Nappage à la poire :
50 g de sucre
100 g de jus de poires
1 feuille 1/2 de gélatine

Décoration :
pistaches hachées

Ces larmes seraient presque des larmes de crocodile, car on n'a guère de raisons de pleurer devant pareil dessert ! Chocolat, sauce caramel et mousse de poires, voilà qui réjouit au moins autant les yeux que le palais.

La poire s'y décline en trois formes distinguées : la purée et l'eau-de-vie pour la mousse, le jus pour le nappage. C'est un bel emploi pour ce fruit dont Homère et Virgile ont abondamment célébré les mérites, et dont on dénombre de nos jours plusieurs milliers de variétés.

N'allez pas vous égarer dans cet univers : les poires à peau fine les plus répandues sont très bien adaptées à cette recette, par exemple la guyot, la comice (« la reine des poires », diront certains) ou la williams, toutes fort riches en fibres et en vitamine C. Quant à

l'eau-de-vie, elle fait partie des alcools blancs que l'on obtient par fermentation des fruits frais en vase clos.

Ne verse pas des larmes de chocolat qui veut : cette opération réclame un certain tour de main, ne serait-ce que pour apprécier la consistance optimale du chocolat fondu au moment de procéder. Mais avec un peu d'entraînement et de patience, on peut réussir à le faire. Utilisez des bandes de plastique pour y déposer les larmes comme vous l'indique la première image et placez le tout quelques heures au frais pour faire bien durcir. C'est ensuite que vous pourrez décoller ces larmes de la feuille, les égaliser si besoin et rectifier les formes. Il va sans dire que le chocolat choisi doit être à la hauteur des poires qu'il accompagne, et si possible de haute origine : sa finesse vous aidera dans la mise en forme des larmes et son goût servira mieux la réussite de votre dessert.

1. Pour les larmes de chocolat, faire fondre le chocolat de couverture au bain-marie, l'étaler en fines couches sur des bandes de plastique et former des larmes. Laisser refroidir au réfrigérateur.

2. Pour la mousse de poires, tremper la gélatine dans l'eau froide. Mélanger le sucre et la purée de poires, puis porter à ébullition jusqu'à ce que le sucre ait fondu. Ajouter la gélatine et laisser frémir jusqu'à l'obtention d'une couleur caramel. Laisser refroidir, puis incorporer la crème et l'eau-de-vie. Verser dans les larmes et réserver 3 heures au frais.

à la mousse de poires

3. Pour la sauce caramel, faire fondre le sucre, puis ajouter la moitié de la crème et le beurre. Faire bouillir et laisser frémir jusqu'à l'obtention d'une couleur caramel. Faire bouillir à part le reste de la crème, le lait et la vanille. Battre les jaunes avec le sucre et les incorporer au mélange. Cuire comme une crème anglaise (voir p. 312) et passer au chinois. Ajouter le caramel et les noix hachées.

4. Préparer le nappage à la poire en faisant bouillir le sucre et le jus de poires. Ajouter la gélatine préalablement trempée et passer au chinois. Étaler au pinceau sur les larmes. Disposer les larmes sur l'assiette, napper de sauce caramel et garnir de pistaches hachées.

Cassata

Préparation	*1 heure*
Repos	*5 heures*
Difficulté	✫

Pour 4 personnes

300 g de ricotta
300 g de sucre
30 g de fruits confits
30 g de chocolat fondant
beurre
50 g de noisettes
100 ml de crème fraîche
300 g de fruits des bois assortis

Les Italiens connaissent en matière de desserts (les « dolci » dans les restaurants) bien des formules inspirées. Les cuisiniers du Nord ont ainsi multiplié les recettes de « budino » (pudding), « cassola » (omelette), « crostata » (croustade), « fritelli » (beignets), « pinocatte » (petits gâteaux) ou « timbalo » (timbale). Quant à la Sicile, la Sardaigne et généralement le Sud du pays, la renommée de leurs desserts et pâtisseries a depuis très longtemps franchi les frontières de l'Italie et s'est imposée dans toute l'Europe.

En Romagne, au Nord de l'Italie, la « tarta di ricotta » est très appréciée. C'est avec ce fromage de brebis frais qu'il est ici question de préparer une cassata croquante et savoureuse, à laquelle on donnera de préférence la forme d'un cône. Vous pouvez aussi choisir la forme traditionnelle en terrine oblongue, que l'on coupe en tranches au moment de servir.

Le choix des fruits confits qui garnissent la cassata, dont certains apparaîtront sur les parois extérieures, est laissé à votre appréciation. Il faut tout simplement les découper en dés, ni trop fins ni trop gros : il ne s'agit pas d'une brunoise, mais d'une cassata. Ils doivent apporter à la dégustation tout leur croquant, qui par alliance avec le chocolat émietté contraste avec la douceur de la ricotta, mais leur goût ne saurait l'emporter sur les autres ingrédients. Pour la même raison, vous ajouterez en dernier lieu le chocolat et les noisettes grillées, que vous aurez pris soin de ne pas caraméliser à l'excès. Il faut en effet déployer tous vos efforts pour maintenir l'équilibre subtil de cette composition. Un léger parfum de cédrat, recommandé en Sicile, saura donner à l'ensemble une saveur particulière.

1. Mélanger dans un saladier la ricotta et 200 g de sucre, puis incorporer délicatement les fruits confits coupés en morceaux.

2. À l'aide d'un couteau, émietter le chocolat. Dans une poêle, faire fondre le beurre avec du sucre. Piler les noisettes au mortier, puis les caraméliser. Incorporer la crème fraîche fouettée, le chocolat émietté et les noisettes caramélisées à la ricotta sucrée. Bien mélanger.

all'italiana

3. Verser le mélange dans des ramequins individuels et réserver 3 à 4 heures au réfrigérateur. Pendant ce temps, passer au mixeur la moitié des fruits des bois avec le sucre restant.

4. Démouler la cassata sur une assiette à dessert. Déposer sur le côté la purée de fruits obtenue et décorer avec les fruits entiers restants. Servir avec des tuiles.

Panna cotta e

Préparation   1 heure
Cuisson   1 heure
Difficulté   ✲ ✲

Pour 4 personnes

Panna cotta :
3 œufs
2 jaunes d'œufs
125 g de sucre
300 ml de crème fraîche
50 g de biscuits amaretti

Caramel :
150 g de sucre
250 ml d'eau

Pâte aux amandes :
75 g de poudre d'amandes
75 g de farine
75 g de sucre
75 g de beurre
1 pincée de sel

Sabayon :
2 cuil. à soupe de sucre
2 jaunes d'œufs
200 ml de marsala sec

Décoration :
sucre vanillé
assortiment de fruits rouges
quelques feuilles de menthe

Don Pellegrino Artusi, à qui ce dessert veut rendre hommage, est un gastronome italien du XIXᵉ siècle qui a eu le mérite de recueillir nombre de recettes traditionnelles. Inspiré par les cuisiniers de la Renaissance et de l'époque des grands duchés, son ouvrage principal, *L'Art de vivre et de bien manger*, a connu plus de 120 éditions et passe encore aujourd'hui pour l'expression la plus accomplie de la cuisine italienne. Bien que très attiré par la Romagne et la Toscane, Artusi a véritablement fédéré l'art culinaire de toutes les régions d'Italie et largement contribué à faire connaître leurs richesses.

C'est à lui que l'on doit notamment les premières mentions de l'usage du marsala dans la fabrication du sabayon, et l'indication qu'il faut choisir vierge et sec ce vin sicilien d'une étonnante légèreté. De nos jours, le marsala jouit d'une appellation d'origine contrôlée, ce qui doit nous mettre à l'abri de toute mauvaise surprise.

La panna cotta, équivalent de notre crème beurrée, ne présente pas d'importantes difficultés d'exécution, pourvu que l'on soit attentif à la cuisson. L'usage des petits biscuits amaretti (macarons aux amandes) émiettés dans la crème apporte à la fois le goût de l'amande amère et la consistance du macaron, dont ils sont proches. Cette adjonction est préférable à la gélatine. Encore faut-il résister à la tentation de croquer tout de suite ces aimables petits gâteaux !

Notre chef recommande en outre de préparer une pâte aux amandes très mince, comme un biscuit sec. Les parts individuelles pourront de la sorte servir de cuillère au moment de déguster le sabayon.

1. Pour la panna cotta, battre les œufs avec les jaunes et le sucre, puis ajouter la crème. Bien mélanger le tout, passer au tamis et ajouter les biscuits amaretti émiettés.

2. Pour le caramel, faire fondre le sucre dans l'eau. Laisser cuire jusqu'à l'obtention d'une couleur noisette. Verser le caramel dans un moule allant au four, ajouter la panna cotta et faire cuire à 130 °C au bain-marie 45 minutes environ. Laisser refroidir.

zabaione a la Artusi

3. Pour la pâte aux amandes, mélanger tous les ingrédients et étaler un disque d'1 cm d'épaisseur. Faire cuire au four à 170 °C 10 minutes environ.

4. Pour le sabayon, incorporer le sucre aux œufs, monter au fouet au bain-marie et ajouter le marsala. Disposer sur les assiettes la panna cotta coupée en forme de gouttes et mouiller avec le caramel. Disposer la pâte aux amandes coupée en quartiers et saupoudrée de sucre vanillé, et à côté le sabayon bien chaud. Décorer de fruits rouges et d'une feuille de menthe.

Craquelins de pralines

Préparation   1 heure
Cuisson   15 minutes
Difficulté   ★ ★

Pour 4 personnes

150 g de fraises des bois
150 g de framboises
80 g de groseilles
80 g de mûres
quelques feuilles de menthe

Pâte à craquelins :
75 g de beurre
75 g de sucre glace
3 blancs d'œufs
75 g de farine
3 g de graines d'anis
50 g de pralines roses

Crème pâtissière (voir p. 312) :
300 ml de crème fleurette fouettée

Vous obtiendrez avec ce dessert aux fines touches anisées un juste compromis entre le croquant du craquelin et l'onctueuse douceur de la crème pâtissière. Le complément coloré qu'apportent les fruits rouges, ainsi que leur saveur acidulée, achèvera de séduire les plus exigeants.

La pâte à craquelins est très fragile, tout comme la pâte à cigarettes qui doit subir un traitement comparable. Notre chef vous recommande de ne pas incorporer trop de graines d'anis, sous peine de condamner le goût de la crème pâtissière. Pour les craquelins, la plaque antiadhésive vous rendra de meilleurs services si vous l'avez auparavant maintenue à froid : il faut y étaler très finement l'appareil et le mouler avec délicatesse. Après la cuisson, les craquelins doivent être placés avec précaution dans une gouttière à tuiles. Ces manipulations demandent sans doute un peu d'expérience, mais vous pourrez facilement l'acquérir !

Les amandes caramélisées, colorées ou non, ont été inventées au XVIIIe siècle par le cuisinier du maréchal Plessis-Praslin, d'où leur nom de pralines. Si vous préférez une garniture plus modeste, vous pouvez les remplacer par des amandes mondées, des pistaches ou des pignons de pin que vous aurez pareillement broyés.

L'incorporation de crème fouettée à la crème pâtissière classique la rend plus mousseuse, donc plus légère au goût. Mais cette addition de crème fleurette doit se faire après refroidissement de la crème pâtissière.

L'accompagnement de fruits rouges pourra varier selon le marché : cassis, myrtilles, groseilles, mûres ou fraises des bois

1. Dans un saladier, bien mélanger le beurre en pommade avec le sucre glace. Incorporer progressivement les blancs d'œufs, puis la farine tamisée, ainsi que les graines d'anis finement broyées.

2. Sur une plaque antiadhésive, étaler à la spatule de fines abaisses en forme de gouttes. Parsemer de pralines roses broyées et passer au four à 160 °C jusqu'à coloration.

roses aux fruits rouges

3. Laisser refroidir dans une gouttière à tuiles sans donner de forme régulière. Préparer une crème pâtissière avec le lait, le sucre, les jaunes d'œufs, la farine et la gousse de vanille. Après refroidissement, lui incorporer délicatement la crème fouettée.

4. À l'aide d'une poche à douille, disposer dans chaque assiette creuse un peu de crème pâtissière, placer harmonieusement les craquelins de pralines roses et agrémenter de fruits rouges et de quelques feuilles de menthe.

Gratin de pamplemousses

Préparation 1 heure
Cuisson 10 minutes
Difficulté ✴ ✴

Pour 4 personnes

4 pamplemousses
4 figues bellone (de préférence)
4 brins de romarin

Crème glacée au miel de romarin :
2 jaunes d'œufs
250 ml de lait
100 ml de crème fleurette
100 g de miel de romarin

Crème d'amandes :
65 g de beurre
125 g de sucre glace
125 g de poudre d'amandes
1 œuf
100 ml de crème fleurette

Voici un superbe mariage entre la figue et le romarin, l'amande et le pamplemousse. On y trouve le plaisir des longs après-midi de farniente et toute la saveur de la campagne provençale.
Les fruits les mieux adaptés sont des figues bellone, très douces et de belle taille, mûres et souples au toucher. Leur pulpe est très dense, facile à trancher, et vous obtiendrez facilement des quartiers décoratifs.

Vous choisirez ensuite un pamplemousse rosé, à peau lisse et ferme, bien lourd dans la main : son goût provoquera de délicats contrastes avec le miel de romarin, que l'on produit surtout à Narbonne et qui fait l'essentiel de la crème glacée. On remarquera que son utilisation dispense de recourir au sucre et rend la glace d'autant plus souple. La saveur instantanée et subtile du romarin contenu dans le miel enrichira le dessert d'une note intéressante.

Pour une plus belle présentation, vous étalerez la crème d'amandes en une couche très fine au fond de l'assiette. Les suprêmes de pamplemousses seront égouttés et séchés sur un linge, pour éviter qu'ils ne rendent tout leur jus sous le gril chaud.

À défaut de pamplemousses, vous pourrez utiliser d'autres agrumes, par exemple l'orange ou la mandarine, dont les quartiers sont malheureusement moins développés. Le citron est à proscrire absolument, car sa trop forte acidité dévasterait l'équilibre des autres ingrédients.

Enfin, l'assiette pourra être décorée de fleurs de lavande ou de romarin légèrement cristallisées. Elles sont également comestibles et leur croustillant fera une agréable diversion dans cet ensemble moelleux.

1. Pour la crème glacée, fouetter les jaunes d'œufs. Porter à ébullition le lait avec la crème et le miel. Verser sur les jaunes d'œufs en fouettant. Verser le tout dans une casserole et cuire à feu doux en remuant constamment jusqu'à ce que la crème épaississe. Passer au chinois et laisser refroidir en remuant de temps à autre. Verser dans la sorbetière et mixer.

2. Pour la crème d'amandes, ramollir le beurre dans un saladier afin de lui donner la consistance d'une pommade. Incorporer progressivement le sucre glace et la poudre d'amandes, puis travailler l'ensemble. Ajouter l'œuf et remuer pour obtenir un mélange homogène. Fouetter la crème fleurette et l'incorporer délicatement.

et de figues en amandine

3. Couvrir la surface des assiettes plates d'une fine couche de crème d'amandes. Éplucher les pamplemousses, peler à vif les tranches, puis les mettre à égoutter. Les disposer harmonieusement sur la crème et passer le tout sous le gril. Couper chaque figue en cinq quartiers.

4. Placer soigneusement sur la crème d'amandes les quartiers de figues pour former une tulipe. Disposer au centre une belle boule de crème glacée au miel et piquer dessus un brin de romarin.

Effeuillé de fraises

Préparation	*15 minutes*
Cuisson	*10 minutes*
Difficulté	✶

Pour 4 personnes

200 g de chocolat noir de couverture
    (55 % de cacao)
300 g de fromage blanc lisse
    (20 % de matières grasses)
60 g de sucre
40 ml d'armagnac
4 très grosses fraises

2 brins de menthe ciselés
250 g de fraises moyennes
1/2 citron vert
15 g de sucre glace

La fraise (de l'italien « fragare », embaumer) doit son nom à son exquise senteur, qu'elle ne répand que lorsqu'elle est fraîche et mûre. Le cuisinier scrupuleux fera le vœu de ne l'utiliser qu'en saison et dédaignera les substituts que l'on nous propose en cours d'année, ces fruits qui n'ont de la fraise que le nom.

En digne citoyen de Grasse, ville des essences et des parfums, notre chef ne saurait admettre que l'on sacrifie à l'utopie qui voudrait nous faire consommer des fraises dix mois sur douze. Vous choisirez donc, uniquement en saison, de belles fraises bien rouges, telle la célèbre pajaro gorgée du soleil de l'été.

Le fromage blanc d'accompagnement devra être parfaitement lisse. Sa préparation au sucre et à l'armagnac, si elle est réalisée sans excès, lui conférera une saveur subtile, propre à souligner et à renforcer le goût des fraises que vous aurez fourrées. Frais et sucré, cet ensemble sera vivifié par le contraste avec le citron vert, beaucoup plus acidulé. Nos voisins italiens emploient en pareille circonstance leur vinaigre balsamique à la place du jus de citron.

Vous utiliserez un chocolat de couverture de grande origine, d'une teneur délicate en cacao (55 à 70 %). Son traitement doit connaître trois étapes : faites-le fondre délicatement à 55 °C, réduisez la température à 20 °C, puis augmentez à 31 °C avant d'étaler le chocolat pour la découpe.

Si les fraises que l'on vous propose ne vous paraissent pas assez savoureuses, vous pourrez les remplacer par des framboises ou tout autre fruit rouge de votre choix.

1. Faire fondre le chocolat et le mettre à bonne température. L'étaler en fine couche sur une feuille de papier sulfurisé ou un film alimentaire avec une spatule. Tailler des rectangles de 7 cm de large et de 12 cm de long (il en faut deux par personne).

2. Mélanger au fouet le fromage blanc, 40 g de sucre et l'armagnac. Creuser les grosses fraises, garder le pédoncule pour la décoration et garnir de fromage blanc. Ciseler très finement les brins de menthe avec un couteau bien aiguisé.

au chocolat

3. Émincer les autres fraises. Avec un couteau aiguisé, lever les zestes de citron, les hacher, puis les mélanger à 20 g de sucre. Mélanger le tout au jus de citron vert.

4. Sur une assiette, étaler un cercle de fromage blanc de 10 cm de diamètre. Poser une feuille rectangulaire de chocolat et, au centre, les fraises émincées. Recouvrir d'une autre feuille de chocolat, placer la fraise fourrée sur l'un des côtés et saupoudrer le tout de sucre glace. Décorer avec la menthe ciselée.

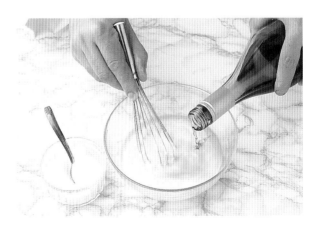

Soufflé chaud au

Préparation : 15 minutes
Cuisson : 15 minutes
Difficulté : ★

Pour 4 personnes

35 g de beurre
35 g de farine
165 ml de lait
3 jaunes d'œufs
100 ml de Grand Marnier
3 blancs d'œufs
1 pincée de sel
50 g de sucre

Le dessert doit équilibrer le repas : si les plats qui l'ont précédé sont riches et farineux, il faut concevoir un dessert frais et léger, de préférence à base de fruits. En revanche, après un repas modeste ou frugal, il est recommandé de servir une composition de choix, tel ce soufflé au Grand Marnier qui fera grande impression sur les convives. Le plus difficile est sans doute de mesurer son délai de cuisson pour le servir exactement gonflé dès la sortie du four.

Pour notre chef, la clef du soufflé tient dans la préparation des blancs d'œufs et dans la qualité du traitement qu'ils ont subi : c'est en fonction de leur fermeté qu'ils pourront donner du volume à la cuisson. Autre détail capital, le roux initial de farine et de beurre doit prendre le temps de colorer légèrement sous l'effet d'une chaleur modérée, et d'atteindre une consistance comparable à celle de la colle avant de se voir détendre au lait.

Toutes ces opérations préparatoires peuvent être accomplies quelques heures à l'avance, la cuisson finale étant évidemment réservée au dernier moment.

N'oubliez pas que le four dans lequel vous glissez votre soufflé doit avoir préchauffé quelque temps : une chaleur insuffisante pourrait compromettre la montée spectaculaire des blancs d'œufs.

Vous aurez toutes les raisons de rendre grâce à Louis-Alexandre Marnier-Lapostolle, inventeur de génie qui sut combiner oranges exotiques, écorces et cognac pour composer une liqueur élégante et subtile aujourd'hui encore justement réputée. Comme il est de règle dans toutes les bonnes maisons, le Grand Marnier relève d'un secret de fabrication dont la nature est jalousement préservée.

1. Faire fondre le beurre. Ajouter la farine et cuire à feu doux. Mouiller avec le lait, puis incorporer les jaunes d'œufs et le Grand Marnier.

2. Monter les blancs en neige dans un récipient métallique parfaitement propre et sec. Ajouter une pincée de sel et 50 g de sucre.

Grand Marnier

3. Incorporer les blancs en neige à l'appareil à soufflé en mélangeant délicatement. Les masser avec une spatule en métal, de préférence de bas en haut.

4. Chemiser des moules de beurre et de sucre, puis verser l'appareil. Cuire 8 minutes dans un four préchauffé à 250 °C. Servir très rapidement dès que le soufflé a monté.

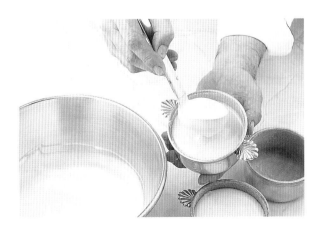

Terrine d'agrumes au

Préparation	45 minutes
Cuisson	15 minutes
Repos	2 heures
Difficulté	✷ ✷

Pour 4 personnes

150 ml de jus d'orange
50 ml de jus de pamplemousse
90 g de sucre
8 feuilles de gélatine
1/2 gousse de vanille
poivre du moulin
menthe fraîche
150 ml de muscat

6 oranges
2 pamplemousses

Sauce au thé :
500 ml d'eau
125 g de sucre
4 sachets de thé
4 feuilles de gélatine

Confit de grenadine :
1 cuil. à soupe d'eau
50 g de sucre
2 cuil. à soupe de sirop de
    grenadine
zestes d'une orange non traitée

Jouer sur la saveur et l'apparence des fruits est connu depuis l'Antiquité. Avec le développement de certains produits, on peut monter aujourd'hui de subtiles terrines de fruits que dissimulent des nappages onctueux et qui flattent la gourmandise des amateurs.

Ce sont ici les agrumes qui inspirent notre chef, plus précisément l'orange et le pamplemousse, dont la proximité de nature et de goût fait des alliés très sûrs. L'orange est un fruit d'hiver très répandu dont on doit l'introduction en Europe au navigateur portugais Vasco de Gama (1469-1524). Le pamplemousse est nettement plus récent, puisqu'il dérive du pomelo, dont on retrouve la trace en Floride au XIXᵉ siècle. De nos jours, on en a développé tant de variétés que l'on pourrait les classer aussi bien par pays que par couleur de peau. Il faut donc juxtaposer les variétés d'oranges et de pamplemousses qui s'accordent au mieux – et vous n'avez que l'embarras du choix ! Évitez tout de même les oranges sanguines, dont la coloration est trop intense, et prenez garde à retirer soigneusement tous les pépins de la pulpe des fruits : rien n'est plus désagréable que de les sentir croquer sous la dent lorsque l'on déguste une délicieuse tranche de terrine.

La gelée qui sert de base à la préparation comporte du muscat, précisément du muscat de Rivesaltes, sur le conseil de notre chef. Il s'agit d'un vin généreux et parfumé, originaire du Roussillon depuis des siècles. Son arôme capiteux fournira le meilleur contraste avec la sauce au thé, d'inspiration britannique.

1. Faire tiédir le jus d'orange et le jus de pamplemousse. Ajouter le sucre, la gélatine ramollie et la gousse de vanille. Poivrer légèrement, puis incorporer la menthe ciselée. Chauffer le tout à feu doux, puis laisser refroidir. Incorporer le muscat.

2. Éplucher à vif oranges et pamplemousses, puis en extraire les quartiers, sans peau ni pépins. Découper en fine julienne l'une des écorces d'orange.

muscat, sauce au thé

3. Foncer une terrine d'une couche de gelée d'orange et de pamplemousse, puis laisser prendre au réfrigérateur 15 minutes environ. Pour la sauce au thé, faire bouillir 500 ml d'eau, ajouter le sucre, les sachets de thé et la gélatine préalablement ramollie. Faire infuser jusqu'à complet refroidissement, puis passer au chinois en enlevant les sachets de thé.

4. Une fois la gelée prise, disposer une rangée de fruits dans le sens de la longueur. Recouvrir d'une couche de gelée et laisser à nouveau prendre au frais. Procéder de la sorte jusqu'à épuisement des ingrédients. Pour le confit de grenadine, faire bouillir eau, sucre et sirop, puis ajouter les zestes d'orange. Laisser frémir 10 minutes. Servir la terrine en tranches. Décorer avec la sauce au thé et l'écorce d'orange en julienne.

Nougat glacé au miel

Préparation	30 minutes
Repos	12 heures
Difficulté	★ ★

Pour 6 personnes

100 g de fruits confits en dés
100 ml de Grand Marnier
800 g de fraises
jus d'un citron

Nougatine (croquant) :
100 g de sucre
30 g de glucose
80 g de pignons de pin

Meringue italienne :
500 ml de crème fleurette
50 g de glucose
50 g de sucre
100 g de miel de bruyère
5 blancs d'œufs

La région des Landes offre au visiteur de vastes plaines et des forêts gorgées de richesses naturelles, parmi lesquelles une abondante floraison de variétés de bruyère : érica et calluna. Cette forte présence explique la production massive de miel de bruyère, dont l'Ouest et le Sud-Ouest se sont fait une spécialité. On choisit ici le miel de bruyère calluna en raison de sa couleur foncée, de son parfum très prononcé et de sa saveur corsée. Malheureusement, la bruyère calluna ne pousse qu'au printemps, alors que l'érica fleurit en automne et produit un miel d'un tempérament plus léger, plus clair et moins odorant. À défaut de miel de calluna, vous pourrez utiliser du miel de châtaignier, qui reste le plus adapté des miels de montagne.

La préparation de la meringue italienne est un peu délicate, car la cuisson du miel et du sucre réclame une température précise de 120 °C, qu'il vous faudra mesurer au thermomètre avant l'incorporation dans les blancs d'œufs.

La cuisson de la nougatine aux pignons n'est pas facile : trop blond, le caramel peut manquer de goût, mais trop coloré, il pourrait être amer. Toutefois, c'est du montage final que dépend votre succès, car vous devrez assembler convenablement la crème fleurette et la meringue italienne. Toutes deux doivent être bien froides. Ces opérations peuvent d'ailleurs s'effectuer la veille.

Le coulis de fraises se prépare à cru, car une cuisson, même courte, gâterait le goût des fruits. Quelques minutes de réchauffement s'avèrent cependant nécessaires si vous avez choisi d'autres fruits rouges, comme les groseilles ou les framboises.

1. Pour la nougatine, faire fondre 100 g de sucre et 30 g de glucose dans un poêlon en cuivre. Porter à consistance de caramel blond. Ajouter les pignons et les faire colorer 1 à 2 minutes dans le caramel tout en remuant. Huiler une plaque de cuisson, puis verser la pâte. Laisser refroidir.

2. Pour la meringue, fouetter la crème fleurette jusqu'à consistance de chantilly et la réserver au frais. Dans un poêlon en cuivre, porter à 120 °C le glucose, le sucre et le miel de bruyère. Quand la température est obtenue, faire couler ce mélange sur les blancs montés tout en continuant de battre jusqu'à complet refroidissement.

de bruyère calluna

3. Faire macérer les fruits confits 10 minutes dans le Grand Marnier. Concasser, puis hacher la nougatine. Mélanger la crème fleurette refroidie et la meringue montée au miel. Chemiser un moule à cake à l'aide de papier sulfurisé. Mixer, puis mélanger les fraises avec le jus de citron, passer à l'étamine et réserver au froid.

4. Incorporer les fruits macérés et la nougatine au mélange de meringue et de crème fleurette. Verser le tout dans le moule à cake et laisser refroidir 12 heures au congélateur. Au moment de servir, couper en tranches d'1 cm d'épaisseur. Dresser harmonieusement sur l'assiette et entourer de coulis de fraises.

Aumônières d'oranges,

Préparation	*30 minutes*
Cuisson	*10 minutes*
Repos	*1 heure*
Difficulté	★ ★ ★

Pour 4 personnes

Soufflé glacé :
100 ml de sirop à 30 °C
8 jaunes d'œufs
100 ml de Grand Marnier
500 ml de crème fleurette

Meringue italienne :
6 blancs d'œufs (280 g)

250 g de sucre
100 ml d'eau

Pâte à crêpes :
125 g de farine
35 g de sucre
2 œufs
1 pincée de sel
250 ml de lait
35 g de beurre
Grand Marnier

Décoration :
gousses de vanille, zestes d'orange
confits, coulis d'orange, oranges

Le Grand Marnier apporte depuis de nombreuses décennies son concours aux pâtissiers professionnels et régale les gourmets. Cette délicieuse liqueur, inventée par Louis-Alexandre Marnier-Lapostolle, contribua largement à l'apprentissage de multiples générations de cuisiniers. Sa qualité est aujourd'hui maintenue par Nicole Seitz, qui sait avec passion perpétuer et dynamiser toute une gamme de produits d'exception. C'est à cette présence tutélaire, irremplaçable et discrète, que notre chef entend rendre hommage avec ces aumônières, dont il fait le symbole des grandes occasions toujours anoblies par le Grand Marnier.

La confection du soufflé glacé peut présenter quelques difficultés pour le novice. On veillera surtout à manipuler avec d'infinies précautions les masses molles (œufs en neige, meringue, crème fouettée) au moment de les réunir dans un même récipient.

Les oranges devront présenter des quartiers généreux et charnus, de préférence sans pépins. Votre choix se portera donc sur la navel, reconnaissable à son « nombril », petite excroissance de l'écorce fendue en large au sommet du fruit (d'ailleurs, *navel* signifie « nombril » en anglais). Ferme au toucher, bien pleine en main, cette orange peu juteuse se pèle facilement et le parfum qu'elle exhale est exquis. Elle connaît au moins deux variantes : l'une précoce, la « naveline », et l'autre tardive, la « navel late ». Il faut apprécier l'écorce particulièrement fine de ces deux variétés originaires d'Espagne.

1. Verser le sirop bouillant sur les jaunes en fouettant. Porter à 80 °C, fouetter le mélange jusqu'à complet refroidissement et ajouter le Grand Marnier. Monter la crème fleurette. Réaliser une meringue italienne avec les blancs, le sucre et l'eau : chauffer le sucre à 121 °C et verser sur les blancs montés en neige. Battre jusqu'à complet refroidissement.

2. Pour la pâte à crêpes, mélanger la farine, le sucre, les œufs, le sel et le lait dans un récipient. Incorporer le beurre fondu et le Grand Marnier. Laisser reposer. Confectionner les crêpes.

soufflé glacé au Grand Marnier

3. Mélanger la meringue avec l'appareil à soufflé et incorporer la crème fleurette fouettée. Ajouter de petits morceaux d'orange, verser le mélange dans de petits moules, puis congeler. Prévoir pour la décoration des zestes d'orange confits coupés en lamelles et des quartiers d'oranges.

4. Former une aumônière avec chaque crêpe et la remplir de soufflé glacé. Fermer avec une gousse de vanille fendue. Décorer l'assiette de quartiers d'oranges et de coulis. Saupoudrer l'aumônière de sucre. Faire flamber au dernier moment quelques quartiers d'oranges et garnir de zestes d'orange confits.

Tarte fine aux pommes

Préparation	1 heure
Cuisson	20 minutes
Difficulté	★ ★

Pour 4 personnes

2 pommes vertes
beurre en morceaux
sucre

Pâte feuilletée (voir p. 312) :
500 g de farine
15 g de sel
250 ml d'eau
500 g de beurre

Sorbet à l'estragon :
750 ml de lait
100 g de sucre
60 g de glucose
100 g d'estragon

Sans la chute accidentelle d'un brin d'estragon dans des pommes en cuisson, notre chef n'aurait sans doute jamais eu l'idée d'une telle association. Après quelques autres chutes (tout à fait volontaires, cette fois) et quelques précisions supplémentaires dans les dosages, il nous faut bien reconnaître qu'il a découvert ainsi un dessert subtil et d'une délicieuse légèreté.

Les pommes les plus aptes à ce traitement, selon Jean Crotet, sont les reines des reinettes – ces petits fruits jaunes à taches rouges dont la chair ferme et croquante est à la fois douce et parfumée – et les granny smith, dont on connaît bien la robe vert vif et la chair blanche acidulée. Vous choisirez les unes ou les autres selon votre goût, mais il faudra les détailler en tranches très fines, aussi fines que le fond de tarte où vous les disposerez. De la sorte, vous obtiendrez un contraste saisissant entre les pommes moelleuses et la pâte croustillante. Si vous préférez l'usage d'autres variétés de pommes, assurez-vous préalablement de leur tenue à la cuisson.

Il est assez inhabituel de faire entrer l'estragon dans un sorbet : il est recommandé de n'utiliser que des feuilles fraîches, au fort goût d'anis, dont vous apprécierez la saveur légèrement douceâtre après leur infusion dans le lait sucré. Bien sûr, il est préférable de préparer le sorbet quelques heures à l'avance et de le consommer avec la tarte chaude dès que celle-ci sort du four.

Ce plat doux et revigorant vous rappellera sans doute le vieux proverbe anglais selon lequel « une pomme chaque jour éloigne le docteur ».

1. Laisser reposer 1 heure la pâte faite de la farine, du sel et de l'eau, puis suivre la recette de base (voir p. 312) et tourer à 6 tours. L'étaler sur 2 mm d'épaisseur, la piquer et découper un cercle de 20 cm de diamètre. Poser sur une plaque de cuisson.

2. Éplucher et émincer finement les deux pommes vertes.

et son sorbet à l'estragon

3. Disposer les pommes sur le fond de tarte. Ajouter quelques morceaux de beurre frais et de sucre qui caramélisera à la cuisson. Mettre au four à 180 °C pendant 15 minutes environ.

4. Pour le sorbet, porter à ébullition tous les ingrédients et ajouter 100 g d'estragon préalablement lavé et haché. Laisser infuser 1 heure. Passer au chinois et placer dans la sorbetière.

Croustillants de semoule

Préparation	*1 heure*
Cuisson	*10 minutes*
Difficulté	✳ ✳

Pour 4 personnes

Farce à la semoule :
125 ml de lait
125 ml de crème fleurette
25 g de sucre
65 g de semoule
1/2 banane
1/4 d'ananas
20 g de beurre
1 cuil. à soupe de miel d'acacia

Macédoine de fruits :
1 kiwi

1/4 de mangue
8 fraises, 2 oranges, 1 pomme

Coulis :
100 g de sucre
400 g de purée de mangue

Pâte à ravioles (20 abaisses) :
25 g de farine
2 jaunes d'œufs, 2 œufs
1 cuil. à soupe d'huile d'olive
1/2 cuil. à café de sel

Décoration :
sucre glace
feuilles de menthe

Si les fameux remparts de Carcassonne ne lui faisaient un peu d'ombre, l'illustre Prosper Montagné serait aussi célébré dans les guides que sa ville natale. Ce gastronome exceptionnel, à qui l'on doit le système de restauration des armées pendant la guerre de 1914-1918, a laissé son nom à un prix qui honore chaque année d'éminents professionnels. On ne peut que le souhaiter au jeune et déjà très étoilé Michel Del Burgo, qui maintient avec fierté l'art culinaire du Languedoc.

Ses croustillants sont traités à la façon des ravioles, avec un appareil de garniture composé de semoule de blé dur très fine. La pâte elle-même se prépare à l'avance, la veille par exemple, et se conserve au frais enveloppée de film alimentaire. Notre chef recommande en outre d'ajouter une petite cuillerée de vinaigre blanc, qui proscrit toute oxydation et retarde le dessèchement de la pâte. Le goût de la pâte reste délicatement sucré grâce à l'arôme discret du miel d'acacia, voire de toutes fleurs.

La macédoine de fruits qui accompagne les croustillants peut sérieusement varier dans sa composition. Michel Del Burgo recommande avant tout les mangues du Brésil, avec lesquelles vous ne ferez aucune faute.

Il plane sur ce dessert comme l'ombre des Croisés qui au retour de Jérusalem fréquentèrent cette cité fortifiée. Jean-Michel Signoles, propriétaire de la Barbacane (ainsi nommée en souvenir de ses jeux d'enfant sur les remparts), est un héritier passionné de cette longue tradition et s'affiche aujourd'hui comme l'un des meilleurs défenseurs de la ville.

1. Pour la farce à la semoule, faire bouillir le lait, la crème fleurette et le sucre. Hors du feu, ajouter la semoule et laisser refroidir. Préparer tous les fruits pour la macédoine, les couper en petits cubes et les mélanger.

2. Couper également en petits morceaux la banane et l'ananas. Les faire sauter au beurre avec un peu de miel et les incorporer dans l'appareil à base de semoule. Réserver.

de la Barbacane

3. Pour le coulis de mangue, faire un caramel à sec avec le sucre. À l'obtention d'un caramel blond, déglacer avec la purée de mangue. Laisser refroidir. Préparer la pâte à ravioles en mélangeant tous les ingrédients et laisser reposer 3 à 4 heures.

4. Découper en cercles de 10 cm une fine couche de pâte à ravioles. Y déposer 1 cuil. à café de farce à la semoule et mouiller le tout. Replier en chausson et faire frire. Dresser la macédoine de fruits au centre de l'assiette et ajouter le coulis de mangue. Saupoudrer les ravioles de sucre glace et les poser autour de l'assiette. Décorer de feuilles de menthe.

Soupe de pêches de

Préparation   *30 minutes*
Repos   *3 à 4 heures*
Difficulté   ✶

Pour 4 personnes

4 belles pêches

Marinade :
1 l de vin rouge
300 ml de coulis de framboises
60 g de sucre
jus de citron

Glace à la verveine :
250 ml de crème fleurette
250 ml de lait
6 jaunes d'œufs (120 g)
200 g de sucre
50 g de verveine fraîche
zestes de 2 citrons verts non traités

Décoration :
100 g de framboises ou de fraises des bois
quelques amandes fraîches

Louis XIV éprouvait pour les pêches une passion royale et ses vergers en regorgeaient puisque l'on y dénombrait quelque 30 variétés différentes. Le culte des pêches est encore très vivace de nos jours, et l'on déguste avec un plaisir intact la chair tendre et juteuse de ces fruits d'été. La région du Languedoc-Roussillon compte parmi les principaux producteurs de pêches de l'hexagone et les puristes reconnaissent la qualité de cette provenance.

Notre chef a fait le choix de la pêche jaune, dont la chair est plus ferme et plus onctueuse que la blanche. Il suggère avant tout la pêche de vigne, malheureusement peu produite et limitée dans la saison, mais que l'on rencontre volontiers dans la région de Carcassonne. La profusion des vignobles tout autour de la cité médiévale dispense Michel Del Burgo du souci de se procurer du vin de qualité : il en coule à sa porte, pour ainsi dire, et sa région même lui fournit tous les éléments de sa recette.

Il faut un peu de soin pour la marinade, car on ne peut accepter, même pour un coulis, des framboises abîmées. Si vous n'en trouvez pas de fraîches qui vous conviennent, procurez-vous de la pulpe de fruits, qui vous réservera bien des heureuses surprises.

Il en est presque de même pour la verveine : fraîche de préférence, sinon séchée (on en trouve en pharmacie, au rayon des tisanes). Elle permet de préparer une crème fleurette glacée d'une finesse étonnante, avec laquelle ne sauraient rivaliser que des glaces au thym ou au romarin. Et dans le chapitre des substitutions, pourquoi ne pas employer dans cette recette, de superbes poires fondantes et parfumées, ou même des prunes rouges ?

1. Mélanger à froid dans un récipient le vin, le coulis de framboises, le sucre et le jus de citron pour y faire mariner les pêches. Pour la glace à la verveine, préparer une crème anglaise avec la crème, le lait, les œufs et le sucre (voir p. 312). Faire infuser la verveine. Confire les deux zestes de citrons verts et les tailler en petits dés. Incorporer le tout dans la crème anglaise et verser dans la sorbetière.

2. Nettoyer et éplucher les pêches, les couper en quartiers (environ huit morceaux par pêche), puis les disposer à plat sur une plaque en inox.

Carcassonne au vin rouge

3. Verser la marinade sur les pêches et laisser mariner 2 heures environ. Éplucher les amandes fraîches et les émincer.

4. Égoutter les quartiers de pêches, les dresser en éventail dans l'assiette et déposer une boule de glace à la verveine au centre. Verser tout autour un peu de marinade, puis décorer de quelques fraises des bois ou de framboises et d'amandes émondées. Servir frais.

Gratin de poires

Préparation   30 minutes
Cuisson   10 minutes
Repos   20 minutes
Difficulté   *

Pour 4 personnes

Poires au vin :
750 ml de vin d'Anjou rouge
quelques zestes d'orange et de citron
1 bâton de cannelle
6 poires
200 g de sucre

Gratin :
50 g de sucre
3 jaunes d'œufs
20 g d'extrait de réglisse
250 ml de crème fleurette

Glace à la réglisse :
250 ml de lait
3 jaunes d'œufs
50 g de sucre
20 g de poudre de réglisse

On entend par gratin, de nos jours, une préparation dont le moelleux s'abrite sous une croûte et qui par contraste fait apprécier les délicates saveurs de fruits ou de légumes.

Les gratins de fruits sont une excellente conclusion aux repas de famille ou d'amis. On les prépare de préférence dans un plat en terre cuite suffisamment flatteur pour être apporté à table. On peut aussi gratiner des portions individuelles dans de petits ramequins ou des assiettes creuses allant au four. Dans le cas présent, Joseph Delphin recommande de préparer le gratin la veille et de réserver au dernier moment son passage au four : les poires seront mieux imbibées du bouquet du vin d'Anjou.

La conférence est une poire acidulée à chair très fine, disponible à l'automne. Elle rougit fort bien au contact du vin et porte après macération le surnom de « belle angevine ». À cet élément sucré que tonifie l'alcool, vous aurez plaisir à joindre la saveur douce-amère de la réglisse en poudre et en extrait, puissante évocatrice de souvenirs d'enfance.

1. Pour les poires au vin, chauffer jusqu'à ébullition le vin d'Anjou. Flamber le contenu de la casserole. Ajouter quelques écorces d'orange et de citron, ainsi qu'un bâton de cannelle. Éplucher les poires, les couper en deux, les épépiner et les plonger dans le vin avec le sucre. Laisser pocher 10 à 12 minutes. Faire refroidir les poires dans leur préparation.

2. Pour préparer le gratin, faire cuire le sucre avec une petite cuillerée à soupe d'eau. Dès la première ébullition, introduire trois jaunes d'œufs et remuer énergiquement jusqu'à refroidissement complet. Ajouter l'extrait de réglisse et la crème fleurette préalablement montée.

à la réglisse

3. Pour la glace à la réglisse, porter à ébullition 250 ml de lait. Dans un récipient, battre trois jaunes d'œufs avec le sucre et ajouter la réglisse en poudre. Bien mélanger le tout et verser dans le lait bouillant. Faire frémir à nouveau sans bouillir, tout en remuant. Passer le tout au chinois, puis placer dans la sorbetière 15 minutes environ.

4. Émincer finement les poires. Disposer harmonieusement des lamelles de poires sur l'assiette tout en appuyant légèrement pour qu'elles se détachent les unes des autres. Compter une poire et demie par assiette. Napper les poires de la préparation à gratin et passer quelques minutes au four. Déposer une boule de glace au moment de servir.

Ravioli de crêpes,

Préparation	45 minutes
Cuisson	25 minutes
Difficulté	☆

Pour 4 personnes

Pâte à crêpes (voir p. 312) :
125 g de farine
55 g de sucre
280 ml de lait
4 œufs
15 g de beurre
1 pincée de sel
30 ml d'eau

Sauce à l'orange :
500 ml d'eau

200 g de sucre
30 ml de jus d'orange
20 ml de Grand Marnier

Zestes d'oranges confits :
3 oranges non traitées
sirop de sucre à 30 °C
beurre

Crème chiboust :
60 ml de jus de citron
40 ml de crème double
3 œufs
20 g de sucre
15 g de poudre à flan
1 feuille de gélatine

On ne sait pas qui était Suzette, mais on lui connaît plusieurs pères : le grand cuisinier Escoffier, mais aussi bien d'autres parmi lesquels Charpentier, qui prétendit l'avoir inventée à Monte-Carlo en l'honneur de la compagne du futur Édouard VII qui portait ce prénom. La prestigieuse carrière de Charpentier, qui servit la reine Victoria et les Rockefeller, ferait croire à cette histoire si l'on pouvait raisonnablement imaginer qu'un futur roi d'Angleterre eût jamais l'idée de fréquenter une jeune femme prénommée Suzette.

C'est un clin d'œil et un souvenir d'enfance que nous propose ici Philippe Dorange, en adaptant la crêpe Suzette à la manière de ses parents restaurateurs tout en lui conservant ses éléments de base. Pour correspondre à son parfum de mandarine, voici le Grand Marnier, cette liqueur d'orange à base de cognac, à

laquelle on doit tout de même recourir avec parcimonie, car son arôme pourrait effacer le goût de la crêpe, si l'on commettait le moindre excès.

Pour améliorer la saveur de cette pâte à crêpes et même la renforcer, vous pourrez lui adjoindre du lait concentré qui la rendra plus lisse. Un délai est à prévoir entre la confection de la pâte et celle des crêpes proprement dites, pour le repos et l'interpénétration de ses ingrédients.

La crème chiboust rappelle l'artisan parisien du XIXᵉ siècle qui inventa le saint-honoré, du nom du saint patron des pâtissiers. Sa préparation demande un peu de soin, notamment pour incorporer le beurre à la spatule en bois sans faire tomber les œufs. Une demi-heure au réfrigérateur devrait ensuite lui donner sans problème la consistance voulue.

1. Préparer la pâte à crêpes. Confectionner de petites crêpes dans des poêles à blinis. À l'aide d'un emporte-pièce, les ramener à 8 cm de diamètre.

2. Pour la sauce à l'orange, faire un caramel (eau + sucre) et déglacer avec le jus d'orange. Y ajouter le Grand Marnier et laisser cuire à la nappe. Pour les zestes confits, prélever les zestes des trois oranges, les tailler en julienne et les confire dans un sirop à 30 °C. Ajouter le beurre. Pour la crème chiboust, mélanger le jus de citron à celui des trois oranges, ajouter la crème double et porter à ébullition.

beurre Suzette

3. Séparer les blancs des jaunes d'œufs. Travailler les jaunes avec le sucre, ajouter la poudre à flan et faire cuire comme une crème pâtissière (voir p. 312). Hors du feu, ajouter la feuille de gélatine ramollie à l'eau froide et laisser tiédir. Monter les blancs et les incorporer à la crème pâtissière.

4. Garnir à moitié les crêpes de crème chiboust et les replier. Dresser sur une assiette creuse et passer 5 minutes au four à 180 °C. Verser à la sortie la sauce à l'orange autour des crêpes. Ajouter en décor quelques zestes d'oranges confits.

Tartelette de

Préparation	*30 minutes*
Cuisson	*15 minutes*
Difficulté	✶ ✶

Pour 4 personnes

40 g de fraises, de framboises, de mûres,
    de cerises, de pêches, de pommes,
    d'abricots, de poires
100 g de beurre
40 g de sucre
40 ml de jus de citron
40 g de pâte feuilletée précuite
8 feuilles de menthe

Coulis de fruits rouges :
30 g de fraises, de framboises
10 g de groseilles

Sirop :
40 g de sucre
60 ml d'eau
gousses de vanille

Lorsqu'on a passé son enfance en Provence, on connaît sur le bout des doigts les saveurs des fruits de saison, leurs couleurs infiniment variées et les combinaisons. Pour d'évidentes raisons de fraîcheur, la plupart des opérations de cette recette ne peuvent être effectuées qu'au dernier moment. Avec un minimum de rigueur et d'organisation, vous présenterez un véritable délice : le croustillant du feuilleté viendra contredire et compléter la moelleuse douceur des fruits, qu'un passage à la poêle aura fait légèrement fondre en libérant leur parfum.

Vous devrez disposer d'un feuilleté plat, qui ne doit pas offrir l'apparence d'un mille-feuille : quand on le dispose sur les fruits, il doit s'y comporter comme ces curieux couvre-chefs qu'affectionnent en Angleterre les professeurs d'université. Par souci de raffinement, notre chef vous propose de le couvrir de sucre glace et de le passer sous le gril chaud, ce qui lui donnera le poli d'un miroir et permettra même aux fruits de s'y refléter. Selon les saisons, vous ne ferez pas entrer les mêmes fruits dans cette préparation. Si vous utilisez des fruits rouges, il faut les manipuler avec tous les égards que requiert leur fragilité : avant de les caraméliser, ajoutez une noix de beurre ou un léger filet de vinaigre qui leur évitera de tourner de l'œil à la chaleur. Pour le coulis, vous aurez soin de l'assortir au contenu des assiettes. Vous parviendrez sans doute à faire entendre aux amateurs de régimes qu'ils peuvent sans déroger faire honneur à ce dessert, qui ne comporte pratiquement que des vitamines.

1. Pour le coulis, écraser les fruits rouges et les passer au mixeur. Filtrer cette pulpe de fruits au tamis et la mélanger au sirop.

2. Laver et couper tous les fruits entiers avec la peau. Les poêler avec le beurre et le sucre caramélisé, puis les retirer.

fruits poêlés

3. Déglacer la poêle avec un peu d'eau, le jus de citron et le coulis de fruits rouges. Réserver les fruits poêlés, ainsi que le déglaçage. Détailler à l'emporte-pièce des disques de 7,5 cm de diamètre dans le feuilleté cuit.

4. Disposer au fond de l'assiette les fruits poêlés mélangés au coulis, poser par-dessus le disque de feuilleté glacé et décorer de quelques feuilles de menthe et de gousses de vanille.

Éventail de mangue,

Préparation · 30 minutes
Cuisson · 10 minutes
Difficulté · ✳

Pour 4 personnes

2 belles mangues mûres
sucre glace
10 fruits de la Passion
200 ml de coulis de fruits de la Passion
pâte feuilletée précuite et coupée
    en tranches
4 feuilles de menthe

Glace à la vanille (200 ml) :
200 ml de lait
1 gousse de vanille
50 g de sucre
2 jaunes d'œufs
400 ml de crème fraîche

Avec cette recette, Claude Dupont amène notre imagination dans le jardin des Délices. Le fruit du manguier serait originaire des Indes, mais on le rencontre en Afrique et même en Amérique. Les fruits de la Passion sont plus fréquents en Amérique latine (Brésil et Venezuela) et dans le Sud des États-Unis (Hawaï et Floride).

L'alliance de la mangue et du fruit de la Passion n'est pas dictée par le hasard : elle présente toutes les qualités d'équilibre entre deux fruits dont les saveurs se complètent sans se masquer. Il faut pourtant veiller à ce que chaque partenaire donne le meilleur de lui-même. Ainsi, la mangue, quelle que soit la couleur de sa peau, doit être juste mûre sans être trop souple au toucher. Vous la choisirez lisse et bien lourde, sans taches noires qui trahiraient un fruit trop avancé à chair filandreuse. La mangue présente un noyau central plat difficile à détacher.

Finalement, on ne dispose guère que des deux tiers du fruit pour constituer les éventails.

Le fruit de la Passion se présente fripé ; c'est une vocation que peut expliquer la texture même de sa peau brune, tirant sur le violet. Vous apprécierez sa pulpe acidulée dans un coulis où passera la totalité de ses fines graines noires.

Ce dessert et particulièrement riche en vitamines et ne devrait sûrement pas faire reculer les adeptes des régimes amaigrissants et amateurs de diététique. Vous pourrez enfin vous livrer sur le titre de notre recette à quelques exercices de lexicologie grâce aux différents noms que portent respectivement la mangue : mango, pêche des Tropiques… et le fruit de la Passion : maracuja, barbadine…

1. Extraire le noyau des mangues et les peler. Pour la glace à la vanille, verser le lait dans une casserole avec la gousse de vanille et porter à ébullition. Retirer du feu. Dans un récipient, mélanger sucre et jaunes d'œufs à la spatule. Verser le lait sur le mélange. Laisser refroidir. Incorporer la crème fraîche et battre vigoureusement. Placer au froid.

2. Détailler chaque demi-mangue en fines tranches afin d'obtenir quatre éventails. Saupoudrer les éventails de sucre glace et faire tiédir légèrement sous le gril chaud.

glace à la vanille

3. Couper en deux les fruits de la Passion et en retirer toute la pulpe. Passer le tout au mixeur et terminer en filtrant le jus obtenu au chinois. Sucrer.

4. Disposer dans chaque assiette un éventail de mangue. Napper de coulis de fruits de la Passion. Sur une croûte de pâte fine, disposer deux quenelles de glace à la vanille. Décorer d'une feuille de menthe saupoudrée de sucre glace.

Gratin de framboises

Préparation   *30 minutes*
Cuisson   *15 minutes*
Difficulté   ✳ ✳

Pour 4 personnes

500 g de framboises
feuilles de menthe

Sabayon :
4 jaunes d'œufs
100 g de sucre
1 verre de vin blanc
1 petit verre de liqueur de framboises

Glace à la vanille (500 ml) :
500 ml de lait
1 gousse de vanille
5 jaunes d'œufs
125 g de sucre
100 ml de crème fraîche

La glace au lait n'est pas seulement la gourmandise que l'on apprécie dès l'enfance : c'est aussi un aliment d'une grande valeur nutritionnelle, comme la plupart des produits laitiers. Les qualités de l'œuf et de la crème y sont doublées d'un apport exceptionnel en protéines, lipides et calcium, ce qui suffit à donner bonne conscience aux amateurs d'entremets glacés. Pour l'histoire, c'est la gourmande reine Marie de Médicis qui en introduisit l'usage à la cour de son époux, le jovial Henri IV (lequel raillait son embonpoint, la qualifiant de « tour de la Bastille en jupons »).

Les framboises ont toujours joui d'une cote enviable. La mythologie nous enseigne que Zeus lui-même aimait à les grappiller sur leurs arbustes épineux. C'est d'ailleurs parce que sa nourrice s'y était frottée de trop près, et même écorchée, que les fruits se teignirent à jamais de son sang. Certaines framboises ont coupé court à cette malédiction, puisqu'elles sont jaunes. C'est dire que ce fruit subtil et moelleux s'est fait des admirateurs depuis la plus haute Antiquité. Les framboises fraîches sont malheureusement très fragiles et s'abîment vite si l'on n'a pas pris, par exemple, la précaution de les congeler. Ce dernier procédé permet une commercialisation accrue de la framboise, même hors saison, ce qui réjouit certainement les gourmands.

Ce dessert est tout de même acrobatique : alors que la base en est glacée, la préparation se termine par un passage sous le gril qui doit glacer le sabayon, mais aussi le réchauffer légèrement. Il faut surveiller cette phase avec beaucoup de soin et au dernier moment, sous peine de compromettre tout l'effet du chaud-froid.

1. Pour la glace à la vanille, verser le lait dans une casserole avec la gousse de vanille fendue et les graines. Porter à ébullition et retirer du feu. Travailler à la spatule dans une terrine les jaunes d'œufs et le sucre jusqu'à l'obtention d'une crème onctueuse. Retirer la gousse de vanille du lait et verser peu à peu le lait chaud sur le mélange. Remuer sur feu doux.

2. Laisser refroidir le mélange, incorporer la crème fraîche et placer en sorbetière au froid. Disposer la glace non prise au fond des ramequins et laisser durcir au congélateur pendant au moins 1 heure. Y déposer les framboises préalablement nettoyées.

au sabayon léger

3. Dans un récipient, verser les jaunes d'œufs, le sucre, le vin blanc et quelques gouttes de liqueur de framboises. Bien mélanger le tout. Monter au fouet pour réaliser le sabayon.

4. Verser le sabayon chaud sur les framboises et glacer sous le gril chaud 20 secondes environ. Servir aussitôt. Décorer avec une feuille de menthe.

Kouglof glacé

Préparation · 15 minutes
Repos · 12 heures
Difficulté · ★ ★

Pour 4 personnes

20 g de raisins secs
50 ml de rhum
3 jaunes d'œufs
70 g de sucre
1/2 zeste d'orange râpé
40 ml de Grand Marnier
25 ml de crème fleurette
20 g de chocolat

Décoration :
fruits frais de saison
feuilles de menthe

Il existe presque autant de versions du kouglof que d'orthographes régionales : kugelhopf, kougelhof, guggelhopf, etc. Les Alsaciens, passés maîtres en la matière, l'exécutent en version pâte levée, avec raisins secs et amandes, et toujours dans ce moule traditionnel à cannelures qu'un large pic de céramique orne en son milieu. Lothar Eiermann, Souabe d'origine, a retenu la variante locale à deux couleurs, noire et blanche, qu'il nous propose comme dessert. D'autres kouglofs se sont succédé à son menu, certains même salés et garnis de foie gras, saumon, etc.

Pour cette variété glacée qui bien entendu se conserve sans problème au congélateur, il importe tout d'abord de veiller à ne pas dépasser la bonne dose de sucre. Dans la mesure où les raisins secs en contiennent un peu, vous devrez peut-être diminuer sa proportion. D'autre part, limitez la quantité de jaunes d'œufs, qui sont eux aussi chargés de glucides. La première opération – battre les jaunes et le sucre – doit aboutir à un mélange très homogène et mousseux qui garantit la légèreté du résultat final. Bien sûr, vous devrez tout préparer à l'avance, puisque le temps de prise au congélateur est de 12 heures au moins.

Il n'est pas impossible qu'après ce délai votre appareil reste mou et que la glace n'ait pas suffisamment pris pour autoriser le démoulage. Ce sera notamment le cas si par malheur – et malgré les recommandations de notre chef – vous avez abusé du sucre. Tant pis pour vous si cela vous arrive, vous étiez prévenu…

Vous servirez cet excellent dessert très frais avec crème, raisins secs, tuiles ou autres petits gâteaux secs selon votre goût.

1. Mettre à tremper les raisins secs dans le rhum une demi-journée à l'avance. Battre ensuite les jaunes d'œufs avec le sucre, incorporer les raisins égouttés, le zeste d'orange et le Grand Marnier.

2. Cuire la crème fleurette avec le chocolat et laisser refroidir. Mélanger ensuite un tiers de la préparation aux œufs avec la sauce au chocolat.

à la souabe

3. Verser dans un moule à kouglof en alternant la préparation blanche, puis la noire et à nouveau la blanche.

4. Marbrer avec une fourchette et placer au congélateur 12 heures. Cet entremets peut être accompagné de fruits frais de saison et de quelques feuilles de menthe.

Tartelettes au fromage

Préparation	15 minutes
Cuisson	5 minutes
Repos	8 heures
Difficulté	✶ ✶

Pour 4 personnes

Tartelettes au fromage blanc :
3 jaunes d'œufs
50 g de sucre
200 g de fromage blanc (20 % de
    matières grasses)
100 ml de crème aigre
190 ml de crème fouettée
40 ml de sirop de sucre
3 feuilles de gélatine

Croquants au miel de sapin :
7 g de poudre d'amandes
10 g de farine
30 g de sucre
12 g de beurre fondu
15 g de miel de sapin

Sauce à la pêche :
400 g de pêches
150 ml d'eau
jus d'1/2 citron
50 ml de vin blanc doux
90 g de sucre
1/2 gousse de vanille

Décoration :
fruits rouges (groseilles, framboises,
    fraises, mûres)
feuilles de menthe

Non content d'accommoder la volaille, les poissons et le gibier, Lothar Eiermann regorge encore de talents pour les desserts qui remportent dans cette rubrique un succès comparable à celui de ses autres plats. La quantité de calories de chaque dessert est un critère important pour ses clients et, dans toutes ses recherches, la diététique est un point essentiel.

C'est le cas de cette tartelette au fromage blanc dont la légèreté ne saurait faire courir de risques à personne. Aérien, délicat, mousseux, immaculé, il manque des qualificatifs lorsqu'il faut décrire ce dessert si bien équilibré et léger. Le fromage blanc qui donne à la préparation sa consistance doit comporter 20 % de matières grasses, pas davantage, et son onctuosité oppose au croustillant des croquants au miel un contraste bienvenu.

Ce dessert fait honneur aux pêches, dont le nom latin *persica darna* nous rappelle que c'est Alexandre le Grand qui les importa de Perse en Europe.

Une dernière touche décorative à base de fruits rouges flattera les yeux des convives au moment de servir. Lothar Eiermann a plaisir à les faire figurer dans ce plat, car ils évoquent d'innombrables souvenirs d'enfance – innocents larcins dans le jardin paternel, poursuites échevelées qui s'ensuivaient et « tutti quanti ».

1. Pour les tartelettes au fromage blanc, mélanger les jaunes d'œufs et le sucre jusqu'au ruban. Incorporer ensuite les autres ingrédients délicatement. Verser dans de petits moules et mettre au froid 7 à 8 heures.

2. Pour la pâte à croquants, pétrir ensemble tous les ingrédients et laisser reposer.

blanc, sauce à la pêche

3. Étaler finement la pâte. Former des abaisses de 4 cm de diamètre sur une épaisseur de 3 mm. Cuire à 200 °C sur une plaque. Après cuisson, découper des cercles de 7 cm de diamètre. Pour la sauce à la pêche, laver et dénoyauter les pêches, les couper en morceaux, puis les cuire avec tous les ingrédients. Retirer la vanille. Après refroidissement, réduire en purée et passer au chinois.

4. Démouler au centre de l'assiette une tartelette au fromage blanc. Poser dessus un croquant au miel, verser un peu de sauce à la pêche et décorer de quelques fruits rouges et feuilles de menthe.

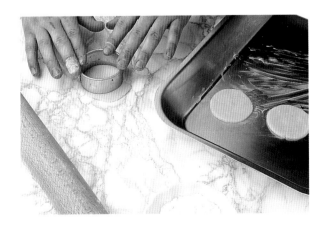

Gratin de fruits

Préparation : 20 minutes
Cuisson : 3 minutes
Difficulté : ✷ ✷

Pour 4 personnes

2 kiwis
2 mangues
12 fraises

Crème d'amandes :
250 g de poudre d'amandes
250 g de sucre
250 g de beurre
3 œufs
100 ml de rhum

Glace au lait d'amandes :
500 ml de lait
12 jaunes d'œufs
300 g de sucre
500 ml de lait d'amandes (orgeat)
250 ml de crème fleurette

Crème pâtissière (voir p. 312) :
500 ml de lait
6 jaunes d'œufs
125 g de sucre
50 g de farine
1 gousse de vanille

Est-il bien raisonnable que le kiwi, la mangue et la fraise partagent le même lit de crème d'amandes ? Il sera difficile aux gourmands de ne pas succomber aux charmes de ce quatuor de choc, une fois présenté dans leur assiette.

Autrefois fruit exotique, le kiwi est bien français et prolifère dans les campagnes du Lot-et-Garonne, qui nous en livrent en saison des camions entiers. Mais l'essentiel de la consommation française est encore de provenance étrangère (ne serait-ce que pour des raisons de climat), de Nouvelle-Zélande principalement, mais aussi d'Italie, premier producteur européen de kiwis. On peut déguster le kiwi à tous les repas et sa richesse en vitamine C s'accompagne d'une teneur en calories des plus mesurées – même la conservation de ce fruit léger, frais et tonique est aisée.

Charnue et juteuse, la mangue fut introduite par les Portugais en Europe après l'avoir découverte au Brésil. À la fois sucrée, riche en vitamines A et C, et très fibreuse pour certaines variétés, la mangue figure aussi dans quelques préparations traditionnelles salées : le chutney, le rougail de la Réunion ou certains currys indiens. Comme le kiwi, la mangue contient fort peu de calories et figure en bonne place dans les régimes amaigrissants.

Hormis le goût discret des amandes en poudre, la crème d'amandes reçoit enfin le subtil parfum du sirop d'orgeat.

1. Pour la crème d'amandes, mélanger dans un récipient la poudre d'amandes avec le sucre et le beurre en pommade. Ajouter trois œufs, le rhum et battre fermement au fouet.

2. Pour la glace au lait d'amandes, faire bouillir le lait. L'incorporer délicatement aux jaunes d'œufs et au sucre en ruban, puis ajouter le sirop d'orgeat et la crème fleurette. Placer le tout dans la sorbetière. Peler et couper en fines tranches les kiwis et les mangues. Tailler également les fraises en fines rondelles.

aux amandes

3. Confectionner la crème pâtissière en mélangeant tous les ingrédients et l'incorporer à la préparation de crème d'amandes.

4. Verser au centre de l'assiette la crème d'amandes et y disposer harmonieusement les fruits. Passer quelques minutes sous le gril chaud et servir au dernier moment avec une quenelle de glace au lait d'amandes.

Blanc-manger avec

Préparation   30 minutes
Cuisson   20 minutes
Repos   30 minutes
Difficulté   ★ ★

Pour 4 personnes

150 g de chocolat blanc
feuilles d'or

Mousse d'amandes :
50 g de poudre d'amandes
2 amandes amères moulues
80 g de sucre glace
250 ml de lait
50 g de sucre

3 œufs
extrait d'amandes amères

3 feuilles de gélatine
250 ml de crème fleurette

Biscuit aux amandes :
1 jaune d'œuf
1 œuf
60 g de sucre glace
60 g de poudre d'amandes
50 g de farine
2 blancs d'œufs (100 g)
40 g de sucre

Sirop au kirsch :
40 ml de kirsch
100 ml de sirop à 60 °C
40 ml d'eau de source

Il fallait autrefois que le blanc-manger fût d'une parfaite blancheur. On le confectionnait au lait d'amandes avec une gelée, le cas échéant parfumée. Constant Fonk enrichit cette version moderne d'un décor à la feuille d'or, à la manière des Vénitiens dont les navires rapportaient au xvᵉ siècle les épices et les soieries d'Orient. Mais l'histoire nous apprend que les Néerlandais s'imposèrent sur leurs traces et fondèrent aux siècles suivants l'empire colonial des Pays-Bas. C'est pourquoi la gastronomie hollandaise a pratiqué très tôt les épices et divers condiments.

La poudre d'amandes doit être ici d'une grande finesse, afin de produire un mélange parfait, et une mousse légère et souple. Prenez garde à doser raisonnablement la quantité d'amandes

amères et d'arôme, dont l'excès pourrait compromettre le goût du blanc-manger. Mais ce mélange des deux principales variétés d'amandes est un grand classique culinaire.

Il n'est pas forcément commode de réaliser du premier coup de jolis copeaux de chocolat blanc et la plupart des professionnels reconnaissent que leurs expériences en la matière se sont longtemps soldées par des échecs. Vous ferez donc preuve de persévérance et retiendrez qu'un passage au réfrigérateur, qui durcit la pâte, rend cette tâche un peu plus aisée.

Évitez les contrefaçons et les fantaisies : le sirop au kirsch se prépare exclusivement avec de l'eau-de-vie de cerises véritable, qui exige des qualités que toutes les cerises ne possèdent pas et que la guigne présente à la perfection.

1. Pour la mousse d'amandes, mélanger les amandes en poudre, les amandes amères et le sucre glace. Faire bouillir le lait avec 25 g de sucre. Travailler au fouet les jaunes d'œufs, l'extrait d'amandes et le reste du sucre. Ajouter le lait bouillant. Cuire comme une crème anglaise (voir p. 312) et ajouter la gélatine. Verser sur le mélange d'amandes et de sucre glace. Laisser refroidir. Ajouter la crème fleurette montée.

2. Étaler sur une plaque tiède une fine couche de chocolat blanc fondu. Après durcissement, former des copeaux à l'aide d'une spatule métallique.

copeaux de chocolat blanc

3. Pour le biscuit aux amandes, travailler les œufs avec le sucre glace. Ajouter la poudre d'amandes et la farine. Incorporer délicatement en dernier les blancs d'œufs montés avec les 40 g de sucre. Étaler sur une plaque recouverte de papier sulfurisé et cuire au four à 180 °C pendant une dizaine de minutes.

4. Prendre un cercle de 18 cm de diamètre et 3,5 cm de hauteur ou quatre cercles de 6 cm de diamètre et 4,5 cm de hauteur. Étaler au fond du cercle le biscuit aux amandes imbibé de sirop au kirsch. Garnir de mousse à ras bord et placer au réfrigérateur. Dresser sur une assiette à dessert et garnir de copeaux de chocolat. Décorer avec des feuilles d'or.

Les trois sorbets d'hiver

Préparation	30 minutes
Cuisson	30 minutes
Repos	1 heure
Difficulté	☆ ☆

Pour 4 personnes

Chocolat chaud :
250 ml de lait entier
50 g de cacao en poudre
50 g de chocolat au lait
60 ml de crème fleurette

Sorbet au fromage blanc :
1 citron non traité

250 g de fromage blanc (40 % de matières
    grasses)
250 ml de lait entier
175 g de miel

Glace aux marrons :
2 jaunes d'œufs (40 g)
40 g de sucre
250 ml de lait entier
150 g de purée de marrons vanillée

Sorbet au chocolat :
180 g de pâte de cacao
200 g de miel d'acacia
300 ml d'eau minérale

Serait-il contradictoire de proposer des sorbets en hiver ? Notre chef ne le croit pas et présente à l'appui de sa thèse un dessert d'abord conçu sous la forme d'une glace sans sucre. « Plaire » ou « satisfaire », telle est la devise de ce gastronome exigeant qui, tel un premier violon juste avant le concert, prend soin d'accorder parfaitement les instruments de son petit quatuor gourmand.

Le sorbet au chocolat, comme on peut le voir, repose sur la seule qualité de la pâte de cacao, exclusivement obtenue par le broyage de fèves de cacao torréfiées. Les 50 % de pâte de cacao que comporte le sorbet offrent une qualité qui comblera les palais les plus exigeants. Ce sera de plus un bel hommage aux navigateurs hollandais qui répandirent dans toute l'Europe le goût du cacao venu d'Amérique.

On veillera sur l'arôme et la consistance du chocolat chaud, dont la température et la fluidité doivent offrir avec le sorbet de même parfum à la fois contraste et harmonie, surtout quand ces deux éléments viendront se confondre en bouche.

Le sorbet au fromage blanc comporte un peu de matières grasses, ce qui en fait un mets plus apprécié pendant l'hiver. Mais il faut dire à sa décharge qu'on l'additionne de miel au lieu de sucre, ce qui doit logiquement l'alléger tout en le parfumant.
Enfin, ne serait-ce que par sa richesse en fibres et vitamine B, la glace aux marrons joue dans ce dessert un rôle équilibrant. On accompagne obligatoirement de sucre ce fruit dont il faut peut-être rappeler qu'il est frais et non sec comme la noix ou la noisette, par exemple.

1. Pour le sorbet au chocolat, faire fondre la pâte de cacao, puis confectionner un sirop à froid avec le miel et l'eau minérale. Mélanger le tout vigoureusement et conserver à -12 °C.

2. Pour le sorbet au fromage blanc, blanchir la peau râpée du citron. Dans un récipient, mélanger tous les ingrédients. Mixer et conserver à -8 °C.

et le chocolat chaud

3. Pour la glace aux marrons, blanchir les jaunes d'œufs avec le sucre. Faire bouillir le lait, verser sur les jaunes et pocher comme une crème anglaise (voir p. 312). Ajouter la purée de marrons vanillée. Laisser refroidir, mixer et conserver à -8 °C.

4. Pour le chocolat chaud, porter à ébullition le lait dans une casserole. Ajouter le cacao en poudre, le chocolat au lait et, en dernier lieu, la crème fleurette. Dresser les sorbets dans trois seaux à champagne miniatures et déposer à côté une petite tasse de chocolat chaud.

Fondant « chocolat-café »

Préparation	*2 heures*
Cuisson	*20 minutes*
Difficulté	★ ★ ★

Pour 4 personnes

100 g de cerneaux de noix
50 g de cacao en poudre
200 ml de crème fleurette

Biscuit au chocolat :
6 œufs
150 g de sucre
30 g de cacao
100 g de farine

Ganache :
175 g de chocolat noir
200 ml de crème fleurette
35 g de beurre

Crème pâtissière au café
(voir p. 312) :
café soluble
200 ml de crème fouettée

Crème anglaise au café
(voir p. 312) :
500 ml de lait
40 g de grains de café
6 jaunes d'œufs
100 g de sucre

Les avis sont partagés sur l'introduction en France du cacao d'Amérique. Selon certains, la reine Anne d'Autriche, fille du roi d'Espagne, l'aurait fait connaître à la cour vers 1615. Pour d'autres, c'est Alphonse de Richelieu, archevêque de Lyon et frère du ministre, qui aurait employé les fèves de cacao après 1661 pour « modérer sa rate », d'après les conseils d'un moine espagnol. Décrié ensuite par les théologiens, parfois accusé de tous les maux, le chocolat est aujourd'hui reconnu comme une gourmandise de choix et fait l'objet d'un véritable culte.

Ce fondant qui mêle chocolat et café ne saurait se concevoir sans des produits d'excellente qualité. Vous choisirez donc du chocolat noir amer comportant au moins 60 à 70 % de cacao pur. Le café le mieux adapté est sans doute celui de Colombie, à la fois suave et plus acidulé, notamment dans sa variété supremo. On l'utilise sous forme de café soluble, car il se dissout beaucoup mieux et son extrait sec ne modifie pas la consistance des crèmes. Si vous souhaitez par ailleurs alléger la crème pâtissière, vous pouvez y incorporer une chantilly.

Avec les noix du Périgord, dont la renommée franchit largement nos frontières, vous apporterez à ce fondant le contraste d'un savoureux croquant. Une fois écalées, les noix sont coupées en cerneaux et réservées au frais. Préférez la noix grandjean, dont les cerneaux sont faciles à extraire, ou la corne, plus petite et plus parfumée.

Cet exceptionnel fondant fait les beaux jours du Drouant qui reçoit depuis 1914 les membres de l'académie Goncourt – dont certains, il faut le dire, sont très friands de chocolat…

1. Pour le biscuit au chocolat, travailler les œufs et le sucre avec un batteur pendant 7 à 8 minutes au bain-marie afin d'obtenir le ruban. Incorporer le cacao et la farine avec une écumoire. Coucher sur une plaque garnie de papier sulfurisé beurré et cuire au four 8 à 10 minutes à 180 °C.

2. Pour la ganache, hacher le chocolat noir, verser la crème fleurette bouillante et remuer à l'aide d'une spatule. Ajouter le beurre en pommade et laisser épaissir en remuant de temps en temps.

aux noix du Périgord

3. Préparer une crème pâtissière et ajouter le café soluble en fin de cuisson. Laisser refroidir et ajouter 200 ml de crème fouettée bien ferme. Pour la crème anglaise au café, faire bouillir le lait avec les grains de café écrasés et laisser infuser 10 minutes. Procéder ensuite comme pour une crème anglaise classique.

4. Passer au chinois et garder au frais. Découper le biscuit à l'aide de quatre cercles de 7 cm de diamètre et 4 cm de haut. Masquer les bords avec la ganache et garnir de crème pâtissière au café en alternant les couches avec les cerneaux de noix. Terminer avec une couche de biscuit. Napper d'un glaçage au chocolat (cacao + crème) et servir avec la crème anglaise sur une assiette.

Glace au miel et

Préparation   45 minutes
Cuisson   10 minutes
Difficulté   ✷

Pour 4 personnes

Glace au miel :
1 l de lait entier
250 g de miel d'acacia
12 jaunes d'œufs
40 ml de Suze

Tulipes :
3 blancs d'œufs
150 g de sucre glace
120 g de farine
70 g de beurre
50 g de pistaches mondées
50 g d'amandes
50 g de noisettes entières

Décoration :
miel d'acacia
feuilles de menthe

La finesse du miel en faisait dans l'Antiquité la nourriture des dieux et les abeilles du mont Hymette en préparaient de somptueuses variétés. On prétendait qu'elles s'étaient posées sur les lèvres du grand Platon et que celui-ci leur devait la douceur de ses propos. Durant le Moyen Âge, le miel conserva les attributs d'une denrée précieuse et ses vertus médicinales furent largement exploitées. Aujourd'hui très répandu en pâtisserie, le miel est l'un des principaux composants des glaces raffinées.

Il entre ici dans un étonnant contraste que provoque l'adjonction de la Suze, célèbre liqueur à base de gentiane dont l'amertume séduit depuis 1899. C'est à cette date en effet que Fernand Moureaux mit en œuvre un procédé de double distillation de la grande gentiane à fleurs jaunes, connue sous le nom de « reine d'or des neiges » et macérée pour l'occasion dans l'alcool pur. Cette association très originale nécessite un miel léger et franc, bien équilibré, liquide et savoureux : toutes ces conditions sont remplies par le miel d'acacia, que vous choisirez de préférence à d'autres plus typés, comme le miel de lavande ou de sapin. Pour bénéficier d'un miel qui conserve tout son arôme, préférez le conditionnement en pots de verre à tout autre, moins hermétique.

La réalisation de cette recette ne présente pas de difficulté particulière, si ce n'est la confection classique de la crème anglaise, qui ne doit bouillir en aucun cas. Le moulage des tulipes entre deux assiettes creuses est parfois délicat, mais on prend vite le tour de main. Veillez surtout à ne pas en confectionner trop, car les tulipes ne se conservent pas plus de

1. Pour la glace, faire bouillir le lait avec le miel. Verser un tiers du lait sur les jaunes en remuant énergiquement à l'aide d'un fouet, puis verser le lait restant. Faire cuire à 87 °C pendant 3 minutes environ. Laisser reposer pendant 12 heures, puis mixer tout en incorporant la Suze.

2. Pour la pâte des tulipes, mélanger les blancs d'œufs, le sucre glace, la farine et le beurre bouillant dans un saladier. Réserver au frais pendant 1 heure.

à la gentiane

3. Étaler à la spatule sur une plaque antiadhésive six disques de pâte de 15 cm de diamètre. Parsemer de pistaches, d'amandes et de noisettes concassées. Mettre au four à 80 °C jusqu'à coloration blonde.

4. Aussitôt après la sortie du four, placer chaque disque sur une assiette creuse et poser par-dessus une autre assiette pour lui donner la forme d'une coupe. Disposer ces tulipes dans les assiettes. Ajouter en étoiles trois quenelles de glace à l'aide d'une cuillère à soupe chaude. Arroser de miel, décorer d'une feuille de menthe

Fondant de réglisse

Préparation	*35 minutes*
Cuisson	*3 heures*
Repos	*2 heures*
Difficulté	☆

Pour 4 personnes

Fondant de réglisse :
6 jaunes d'œufs
50 g de sucre
300 ml de crème fleurette
25 g de gelée bavaroise
30 g de poudre de réglisse (en pharmacie)
150 g de crème fouettée

Caramel :
250 g de sucre en morceaux

Garniture :
3 pommes (boskoop ou golden delicious)
30 g de sucre
20 g de beurre
15 ml de calvados

Décoration :
2 bâtons de réglisse
1 cuil. à café de café soluble
poudre de réglisse

Les pommes caramélisées et le bois de réglisse ont conservé le charme de l'enfance, et cette recette inspire à son auteur une délicate nostalgie des retours d'école – des petits bâtons qu'il mâchonnait alors et de l'âpre saveur qu'ils répandaient en bouche des heures durant.

C'est en poudre cependant qu'on utilise la réglisse en cuisine, ne serait-ce que pour satisfaire aux impératifs du dosage : l'infusion d'un bâton ne permet pas de maîtriser l'intensité de la saveur – et l'excès de réglisse est fortement déconseillé, car son goût pourrait avoir un effet dévastateur.

Vous devrez en effet respecter exactement les proportions de ce fondant, sous peine de le rendre caoutchouteux par trop de consistance. Et, de préférence, vous choisirez un moule de dimensions modestes, qui préservera la tenue de l'ensemble et

permettra de démouler sans problème.
Beaucoup de pommes vous prêteraient volontiers leur concours dans la préparation de ce dessert, mais vous vous en tiendrez à la golden ou à la belle de boskoop, dont la fermeté résiste mieux à la cuisson. La pomme est depuis bien des lustres le fruit le plus consommé dans toute l'Europe et même le fruit par excellence, puisque *pomum* en latin signifie tout simplement… le fruit.
La présence du caramel que sa couleur apparente à la réglisse et des autres éléments de la recette apporte à l'amateur une riche palette de saveurs et de sensations, où se conjuguent l'amertume du café, l'âpreté de la réglisse et la capiteuse douceur du caramel. Vraiment, il faudrait bien de la vertu pour réserver un pareil dessert aux seuls enfants !

1. Fouetter et blanchir les jaunes d'œufs avec le sucre, puis réserver. Mélanger la crème fleurette, la gelée et la poudre de réglisse, puis laisser chauffer 3 minutes.

2. Faire un caramel sec avec le sucre. Déglacer ce caramel avec la crème à la réglisse tiède. Verser cet appareil sur les jaunes d'œufs blanchis en remuant vivement et incorporer la crème fouettée.

aux pommes caramélisées

3. Éplucher et couper les pommes en grosses rondelles. Les caraméliser à la poêle avec le sucre et le beurre, puis les flamber au calvados.

4. Remplir de petits moules en alternant le fondant de réglisse et les pommes. Laisser au réfrigérateur 2 heures avant de démouler. Démouler dans chaque assiette, puis décorer avec quelques fragments de caramel et un demi-bâton de réglisse. Saupoudrer de café soluble et de poudre de réglisse.

Préparation	*40 minutes*
Cuisson	*15 minutes*
Repos	*2 heures*
Difficulté	★

Pour 4 personnes

150 g de chocolat amer
10 g de beurre
60 g de sucre
20 ml d'eau
10 g de gelée bavaroise
5 œufs
200 ml de crème fraîche
12 cerises amarena

Garniture :
2 bananes
20 g de beurre
20 ml de rhum

Décoration :
40 g de cacao en poudre
jus des cerises amarena
4 mandarines confites
8 feuilles de menthe

La restauration du Grand Louvre et de ses abords a remis en vogue la pyramide. Dans cette recette, notre chef a voulu décliner selon les règles d'une géométrie personnelle et colorée les éléments d'un traditionnel dessert au chocolat, enrichi pour l'occasion de rhum, de bananes et de cerises amarena.

Au moment crucial du choix du chocolat, Philippe Groult nous communique sa préférence pour les produits d'Amérique centrale, dont la teneur en cacao voisine les 70 %. Il avoue même une petite faiblesse pour le Venezuela, dont l'arôme est à la fois subtil et rond.

Le cacaoyer (ou cacaotier) est justement originaire d'Amérique ; ses fruits de forme ovale sont appelés des cabosses et contiennent des graines qualifiées de fèves, d'où l'on extrait le cacao. Il s'agit d'un aliment fragile, de conservation délicate, et qui redoute la lumière et l'humidité.

Il faut également prendre garde à ne pas laisser refroidir le chocolat fondu au cours de la préparation : un chocolat figé que l'on réchauffe pour le rendre à nouveau liquide devient franchement indigeste. Retenez enfin l'usage de la gelée bavaroise, à base d'algues marines séchées et sucrées, qui, contrairement à la gélatine que l'on utilise fréquemment en pareil cas, ne laisse aucun arrière-goût.

La pyramide, accompagnée ici de sphères de diverses tailles (mandarine et cerises), traduit en trois dimensions la subtile fusion des saveurs acides et sucrées qui confèrent à ce dessert un caractère troublant.

1. Faire fondre le chocolat au bain-marie avec le beurre. Cuire le sucre et l'eau pendant 2 minutes, puis ajouter la gelée. Monter les œufs et y incorporer le sucre cuit. Fouetter vivement la crème fraîche comme une chantilly. Mélanger le chocolat fondu aux œufs, puis à la crème fouettée additionnée de cerises coupées en deux (en réserver quelques-unes entières pour la décoration).

2. Peler les bananes, les couper en deux dans le sens de la longueur, puis en largeur (réserver quelques rondelles pour la décoration). Faire mousser le beurre dans une poêle, y cuire les bananes 1 minute, puis les flamber au rhum.

chocolat amer

3. Remplir des moules en forme de pyramides avec la préparation au chocolat et terminer en formant un socle avec les bananes refroidies. Laisser au réfrigérateur 2 heures avant de démouler.

4. Poser une pyramide dans chaque assiette après les avoir saupoudrées de cacao. Décorer d'un cordon de jus de cerises, d'une mandarine confite surmontée de feuilles de menthe, de quelques cerises entières et de rondelles de banane.

Pêche

Préparation   1 heure
Cuisson   20 minutes
Repos   2 heures
Difficulté   ★ ★ ★

Pour 4 personnes

1 l d'eau
500 g de sucre
2 gousses de vanille
4 pêches

Glace à la pistache :
500 ml de lait
500 ml de crème fleurette

1 gousse de vanille
250 g de sucre
10 jaunes d'œufs
quelques gouttes d'extrait
    d'amandes amères
150 g de pistaches

Sabayon au champagne :
8 jaunes d'œufs
150 g de sucre
400 ml de champagne
100 ml de crème fleurette

Décoration :
crème Chantilly

La pêche est le fruit même de l'été, du mois de juin au mois de septembre : sa chair fondante et juteuse peut s'accommoder de mille manières, à commencer tout simplement par une dégustation à cru, avec ou sans la peau duveteuse qui n'est pas son moindre charme. Venues de Chine où elles étaient symbole d'immortalité, les pêches ont gagné l'Occident *via* la Perse, ce qui leur a valu le nom latin de *persicum* ou *persica*.

Jaunes ou blanches (la chair de ces dernières est chargée d'un parfum très prisé), les pêches doivent être épluchées au dernier moment, car elles pourraient s'oxyder en surface. On doit éviter de les manipuler trop brutalement, le moindre contact un peu vif provoquant une meurtrissure.

Le sabayon suppose une préparation très attentive : vous ne devez sous aucun prétexte cesser de le fouetter, que ce soit lors de la cuisson ou pendant le refroidissement sur la glace. Il faut obtenir une consistance épaisse, bien que cette crème montée au champagne soit en fin de compte d'une extrême légèreté.
Notre chef conseille enfin d'accompagner ce dessert d'une glace où se fondent bien des parfums : vanille, amande amère et pistache. L'extrait d'amandes amères est généralement très concentré, si bien que quelques gouttes suffiront. Quant à la pistache, sa forte teneur en matières grasses et en sucre vous apportera quelque fraîcheur. Pour en tirer le meilleur parti, choisissez comme Marc Haeberlin des pistaches méditerranéennes. Servez très frais, avec un verre de champagne demi-sec ou de gewurztraminer.

1. Pour la glace, faire bouillir le lait et la crème fleurette avec la vanille et la moitié du sucre. Battre les jaunes avec le sucre restant et y verser le lait bouillant. Remettre sur feu doux et cuire tout en remuant. Retirer du feu et ajouter quelques gouttes d'extrait d'amandes amères. Verser dans la sorbetière ; ajouter les pistaches mondées et pilées au dernier moment.

2. Faire bouillir l'eau et le sucre avec deux gousses de vanille. Laver les pêches et les déposer dans ce sirop avec la peau. Les laisser pocher 15 à 20 minutes à feu doux. Sonder les pêches avec la pointe d'un couteau pour vérifier la cuisson. Laisser refroidir le sirop.

Haeberlin

3. Pour le sabayon, battre les jaunes d'œufs avec le sucre jusqu'à ce que le mélange blanchisse. Ajouter les 400 ml de champagne et la crème fleurette. Mettre au bain-marie sur feu doux et fouetter jusqu'à ce que le mélange épaississe. Retirer le sabayon du feu.

4. Déposer le récipient chaud sur un saladier contenant de la glace et fouetter jusqu'à refroidissement. Peler les pêches une fois froides. Dans une grande assiette creuse, disposer une pêche ainsi qu'une boule de glace à la pistache. Napper de sabayon au champagne et décorer avec un peu de crème Chantilly.

Cannelloni fourrés de

Préparation	20 minutes
Cuisson	30 minutes
Repos	14 heures
Difficulté	☆

Pour 4 personnes

Mousse aux noix et noisettes :
5 jaunes d'œufs
125 g de sucre
100 g de chocolat noir
50 g de beurre
1 feuille de gélatine
350 ml de crème double
2 blancs d'œufs
20 g de noix et 20 g de noisettes hachées

Coulis au café vert :
500 ml de lait
50 g de café vert
4 jaunes d'œufs
100 g de sucre

Pâte à crêpes au chocolat :
40 g de cacao en poudre
250 ml de lait
2 œufs
100 g de farine
1 pincée de sel
1 pincée de sucre

Décoration :
copeaux de chocolat blanc et noir

Il n'est pas fréquent de préparer des crêpes à partir d'une pâte au cacao, mais le plus étonnant reste à venir. Servies ici sous forme de cannelloni (ces pâtes italiennes rectangulaires que l'on enroule autour d'une garniture), farcies d'une onctueuse mousse au chocolat, elles s'accompagnent d'un surprenant coulis au café vert dont l'originalité garantit le succès de cette recette aussi simple que délicieuse. Il vous faudra juste un peu de vigilance et le sens de l'organisation.

Ne préparez la mousse qu'avec un chocolat de bonne qualité, contenant une forte proportion de cacao. Les affaires de goût ne se discutant pas, vous pouvez remplacer le chocolat noir par du chocolat au lait, voire du chocolat blanc, pourvu que vous utilisiez des tablettes bien luisantes, présentant à la cassure une arête très nette. Le chocolat doit fondre sur la langue et se transformer à la chaleur en crème très épaisse.

Si vous éprouvez une soudaine et dévorante passion pour le chocolat, vous pouvez rejoindre le très exigeant et très fermé Club des croqueurs de chocolat (C. C. C.), dont les solennelles séances de dégustation doivent être un excellent remède au stress. Dire qu'il n'y a pas si longtemps, on accusait encore à tort le cacao de tant de vilains maux…

Le café vert est composé de grains décortiqués et triés mais non encore torréfiés qui dégagent un arôme d'une rare puissance. Il n'est pas facile de s'en procurer dans le commerce, mais il donnera au coulis le caractère inoubliable d'un mets que seuls connaissent des initiés, ce que sont certainement vos invités. Après infusion, les grains de café vert peuvent être récupérés pour un emploi ultérieur, moyennant lavage et congélation.

1. Pour la mousse, faire le ruban au bain-marie avec trois jaunes d'œufs et le sucre. Faire fondre le chocolat avec le beurre au bain-marie. Ajouter deux jaunes d'œufs et la gélatine. Mélanger le ruban avec la pâte au chocolat. Incorporer la crème battue et les blancs en neige. Réserver une nuit au frais. Ajouter 30 g de noix et de noisettes hachées.

2. Pour le coulis, faire infuser 20 minutes le café vert dans le lait. Former un ruban avec les jaunes d'œufs et le sucre, puis incorporer le lait bouillant. Cuire à feu doux le mélange à la nappe jusqu'à ce que la sauce épaississe. Passer au chinois, puis réserver au frais 1 heure.

mousse au chocolat et noix

3. Confectionner la pâte à crêpes avec tous les ingrédients. Laisser reposer. Dans une poêle bien chaude, verser la pâte à crêpes à l'aide d'une louche. Cuire chaque crêpe 2 minutes de chaque côté et les déposer sur une assiette. Réserver au frais 1 heure.

4. Garnir les crêpes de mousse au chocolat avec le reste du mélange de noix et de noisettes hachées. Enrouler les crêpes sur elles-mêmes. Réserver au frais 3 à 4 heures avant de consommer. Disposer deux cannelloni en forme de V sur chaque assiette. Verser le coulis au café vert au milieu. Saupoudrer de copeaux de chocolat blanc et noir.

Galette feuilletée aux

Préparation	20 minutes
Cuisson	20 minutes
Difficulté	✳

Pour 4 personnes

500 g de pâte feuilletée (voir p. 312)
4 pommes golden
250 g de sucre
20 g de beurre

Crème anglaise :
500 ml de lait
1 pincée de cannelle des Indes
250 g de sucre

1 pincée de sel
8 jaunes d'œufs

Caramel (200 ml) :
200 g de sucre
150 ml d'eau

Décoration :
4 fraises

La pomme est tout simplement le plus ancien des fruits. Peut-on vraiment reprocher à Adam et Ève de n'avoir su résister à la tentation de la croquer? Partout en Europe, les pommiers fleurissent à foison et les innombrables variétés créées au cours des siècles connaissent un succès que rien n'a démenti jusqu'à nos jours.

La golden est apparue aux États-Unis vers 1912 : c'est elle que Michel Haquin préfère pour cette recette. Cela n'est pas étonnant, puisque la Belgique est le premier producteur européen de la golden delicious, la « Rolls » des goldens. C'est une variété que l'on trouve en permanence sur les marchés, riche en vitamine C, en fer et en potassium, et sa tenue dans la cuisson n'encourt aucun reproche.

La galette feuilletée prendra toute son ampleur avec une pâte à six tours au lieu des quatre dont on peut se contenter d'ordinaire. Pour les profanes, cela signifie que la pâte préparée et reposée sera six fois de suite pliée et abaissée à nouveau, de préférence sur une table froide. L'idéal est de savoir patienter 2 heures avant chaque tour, mais l'on peut bien évidemment faire tout cela la veille.

La crème anglaise d'accompagnement mérite de recevoir des arômes consistants : la cannelle, bien sûr, mais aussi un bâtonnet de vanille, par exemple, ou encore les parures des pommes (qui dans ce cas rendront nécessaire un passage au chinois fin). N'oubliez pas qu'il existe deux principales provenances de cannelle et que notre chef recommande plutôt celle du Sri Lanka – mais rien ne vous empêche de préférer la chinoise. Dans tous les cas, limitez-vous à une pincée de poudre, car un excès de cannelle devient vite écœurant.

1. Confectionner quatre abaisses de pâte feuilletée à six tours. Découper les abaisses en disques de 18 cm de diamètre. Éplucher et couper les goldens en lamelles, puis les placer sur les abaisses. Saupoudrer de sucre et ajouter un peu de beurre.

2. Replier le bord de la galette. Pour la crème anglaise, porter à ébullition le lait additionné de cannelle. Travailler le sucre, le sel et les jaunes d'œufs. Lorsque ce mélange forme un ruban, l'allonger avec le lait chaud. Cuire à la nappe sans bouillir.

goldens caramélisées

3. Pour le caramel, faire fondre 200 g de sucre dans 150 ml d'eau. Faire cuire les galettes 15 minutes à feu doux (140 à 160 °C). Après cuisson, enduire la pâte d'un peu de caramel pour en accentuer le brillant.

4. Passer la crème à la passoire fine et conserver au chaud. Couvrir le fond de l'assiette avec un peu de crème anglaise. Disposer la galette au milieu et saupoudrer de sucre. Dresser une petite fraise émincée au centre de la galette. Servir bien chaud.

Gaufrettes au pralin

Préparation   *1 heure*
Cuisson   *20 minutes*
Difficulté   ✳ ✳

Pour 4 personnes

30 petites fraises

Gaufrettes au pralin :
250 g de sucre
10 ml d'eau
50 g d'amandes effilées

Amandes caramélisées :
huile d'olive
50 g de sucre glace

15 amandes entières mondées
sucre pour saupoudrer

Crème d'amandes :
190 g de crème fouettée
2 gouttes d'huile d'amandes
sucre

Coulis de fraises :
250 g de fraises
100 g de sucre

Cette gourmandise croustillante, agréable à l'œil et relativement simple d'exécution, ne demande qu'un peu de patience, et surtout de jolies petites fraises bien mûres. Il est important que ces dernières soient de petite taille. On dit que les fraises étaient si appréciées au XVIIIᵉ siècle qu'elles servaient même à agrémenter les bains – ce qui n'est pas étonnant, si l'on pense que le mot « fraise » vient directement du latin *fragrare*, qui signifie « sentir bon ».

La fraise fraîche doit être rouge et brillante, ferme au toucher, pourvue d'un pédoncule bien adhérent. Prenez garde à n'ôter ce dernier qu'après avoir rincé les fruits, pour éviter qu'ils ne se gorgent d'eau.

La cuisson des gaufrettes est achevée lorsqu'on les voit commencer à vibrer dans le four. À vrai dire, il est possible de préparer le pralin pour les gaufrettes dès la veille et de le placer au congélateur pendant la nuit. Cette précaution vous permettra de vaquer plus sérieusement à vos derniers préparatifs, et peut-être même de vous documenter sur la vie et les exploits du maréchal Plessis-Praslin (1598-1675), vigoureux défenseur du pouvoir royal pendant la Fronde et vainqueur de Turenne à Rethel (1650). C'est dans ses cuisines que fut, dit-on, inventé le praliné.
Bien évidemment, les mêmes gaufrettes peuvent connaître un éventail considérable de saveurs : fraise et amande, bien sûr, mais aussi framboise et noisette, orange et pistache, etc.

1. Pour les gaufrettes au pralin, faire chauffer le sucre et l'eau jusqu'à l'obtention d'une couleur dorée, puis laisser durcir. Quand le caramel a pris, le réduire en poudre fine au robot avec les amandes effilées. Placer au congélateur dans un récipient fermé jusqu'à utilisation.

2. Pour les amandes caramélisées, verser l'huile d'olive dans une poêle chaude et saupoudrer de sucre glace. Quand le mélange est bien doré, faire sauter les amandes jusqu'à ce qu'elles soient enrobées de caramel, puis les rouler dans le sucre. Pour la crème d'amandes, mélanger l'huile d'amandes à la crème fouettée et ajouter du sucre à volonté. Réserver.

avec fraises et amandes

3. Confectionner des moules creux d'environ 10 cm de circonférence, les déposer sur une plaque antiadhésive et saupoudrer la poudre de pralin à l'intérieur. Enlever les moules et cuire au four pendant 2 minutes. Une fois tièdes, retirer les gaufrettes et les laisser reposer sur une assiette. Il faut trois gaufrettes par personne.

4. Pour le coulis de fraises, faire bouillir environ 8 minutes les fraises et le sucre avec une goutte d'eau, puis passer au chinois. Napper l'assiette de coulis de fraises, puis superposer les gaufrettes, la crème d'amandes appliquée à la poche à douille et les fraises sur deux couches. Garnir d'amandes caramélisées.

Soufflé chaud à la banane,

Préparation   1 heure 15 minutes
Cuisson   10 minutes
Difficulté   ☆ ☆

Pour 6 personnes

Sauce caramel au beurre :
120 g de cassonade foncée et fine
240 ml de golden syrup
60 g de beurre
120 ml de crème fouettée

Glace au miel :
60 g de miel, 5 jaunes d'œufs
130 ml de crème fraîche
290 ml de lait

30 g de sucre, 60 g de miel
1 gousse de vanille fendue et vidée de ses
     graines

Décoration :
un peu d'huile
100 g de sucre glace
2 bananes

Tulipes (voir p. 312) :
125 g de beurre
225 g de sucre glace
140 g de farine, 5 blancs d'œufs

Soufflé à la banane :
225 g de bananes
jus d'1 citron
20 g de Maïzena
4 blancs d'œufs
50 g de sucre

L'influence du prospère empire des Indes (1858-1947) est encore largement présente dans la gastronomie britannique et dans l'emploi très judicieux que font les chefs anglais de certains produits exotiques. Riches d'un savoir-faire inégalé, on les voit marier avec brio les matières et les sauces, les épices et les mets, et nous présenter pour finir des plats déconcertants de finesse et d'équilibre.

La préparation du soufflé est généralement plus facile que sa cuisson, bien qu'il doive combiner la banane et le miel. Deux séries de bananes seront employées, l'une pour le décor, l'autre pour l'arôme. Pour la décoration, il faudra les couper en rondelles avant de les faire revenir à la poêle. Les bananes pour le soufflé seront réduites en bouillie après un rapide passage à l'eau bouillante, puis travaillées en mousse.

Lorsque vous choisirez les bananes, faites un effort pour leur dissimuler ce qui les attend, car elles pourraient noircir de terreur. Quand elle a convenablement mûri, la cavendish – la plus célèbre des variétés de bananes – est parfaitement appropriée pour ce dessert.

Il reste à célébrer les multiples vertus du miel, dont la glace élaborée qui accompagne le soufflé doit exalter les saveurs. Zeus lui-même n'a-t-il pas dans son enfance été nourri au miel ? Avec la sauce caramel, dont il faudra scrupuleusement contrôler le goût, vous apporterez à vos convives la bonne proportion de sucre et de vitamines dont l'organisme a besoin.

1. Pour la sauce caramel au beurre, faire fondre dans une casserole le sucre, le golden syrup et le beurre. Ajouter la crème et porter à ébullition. Laisser frémir jusqu'à l'obtention d'une couleur dorée. Laisser refroidir. Confectionner la glace au miel en mélangeant tous les ingrédients. Mixer dans la sorbetière.

2. Pour la décoration, verser l'huile et le sucre dans une poêle. Ajouter deux bananes coupées en rondelles et les faire sauter jusqu'à ce qu'elles dorent. Réserver. Pour la pâte à tulipes, faire fondre le beurre et le mélanger au sucre glace. Ajouter en alternance farine et blancs d'œufs. Placer au froid 30 minutes. Étaler et faire cuire 10 minutes à 160 °C. Donner aux gâteaux la forme d'une

glace au miel

3. Pour le soufflé, couper les bananes, les mettre dans une casserole avec de l'eau et du jus de citron, puis laisser cuire à feu doux. Verser dans une passoire. Garder un tiers de la purée pour la partager entre six moules à soufflé. À part, mélanger la Maïzena et de l'eau avec les deux tiers restants de la purée.

4. Fouetter les blancs, le sucre et le jus de citron restant en meringue. En mélanger un tiers à la purée de bananes, puis incorporer le reste. Beurrer et sucrer les moules. Les remplir de l'appareil, puis les passer au four moyennement chaud 8 à 10 minutes. Dresser le soufflé. Servir la glace dans une tulipe et décorer avec trois rondelles de banane et la sauce caramel.

Mûres jaunes aux

Préparation   30 minutes
Cuisson   4 minutes
Difficulté   ★

Pour 4 personnes
100 g de beurre
100 g de sucre
150 ml de crème Chantilly

Pâte à blinis :
150 g de farine
250 ml de lait

25 g de levure
2 jaunes d'œufs
sel
3 blancs d'œufs (100 g)

Coulis de mûres :
500 g de mûres jaunes (on pourra aussi utiliser des mûres rouges avec un peu moins de sucre)
200 g de sucre
100 ml de lakka (alcool de mûres jaunes)
jus d'un citron

Les bois des pays voisins du cercle polaire arctique sont peuplés de créatures magiques, lutins et trolls, héros d'innombrables légendes. Il en faut bien davantage pour dissuader les Lapons de s'y promener et d'y faire la cueillette de champignons en automne, et de divers fruits sauvages en été. À côté des multiples fruits rouges traditionnels, figure là-bas une variété plus étonnante, la mûre jaune ou framboise de l'Arctique, dont le goût amer et très acide exclut toute consommation sans sucre. C'est pourquoi cette recette prévoit un assaisonnement en douceur et même une crème Chantilly dont l'onctuosité pourra nuancer le caractère sauvage de ce fruit.

La présentation en mille-feuille ne crée guère de difficulté. Pour la réalisation des blinis, notre chef suggère la farine de froment, qui rend le blini plus goûteux et plus moelleux. Il existe d'autres variétés de blinis à base de panachés de farines. Ils sont ici caramélisés, c'est-à-dire vivement colorés dans le beurre et dans le sucre, mais on doit limiter cette coloration pour éviter que l'ensemble ne carbonise.

Hormis les mûres employées au naturel dans la garniture des blinis, vous aurez à confectionner un coulis. Vous pourrez personnaliser ce sirop par l'adjonction d'une forte infusion de romarin, susceptible de relever le goût des fruits sans en dénaturer le caractère. Vous noterez également la présence de la lakka, liqueur typique de mûres jaunes très appréciée durant les hivers lapons.

Cette préparation délicate s'accompagnera volontiers d'un thé brûlant, d'un café noir ou d'un petit verre d'Aquavit.

1. Confectionner la pâte à blinis en mélangeant tous les ingrédients. Bien remuer et ajouter en dernier lieu les blancs d'œufs montés en neige. Faire cuire trois blinis par personne.

2. Pour le coulis de mûres, mixer 100 g de mûres et la moitié du sucre. Ajouter la liqueur de lakka et le jus de citron pour en faire un coulis. Passer le tout au chinois.

blinis caramélisés

3. À la poêle, glacer très rapidement les blinis dans le beurre sucré de manière à leur donner une couleur légèrement dorée. Réserver au chaud. Préparer la crème Chantilly avec le reste du sucre.

4. Dresser les blinis en mille-feuille sur une assiette tiède. Commencer par un blini, ajouter une cuillerée de crème Chantilly, quelques mûres, puis répéter l'opération et terminer par un blini. Déposer un ruban de coulis de mûres sur le côté.

Soupe de rhubarbe

Préparation	*20 minutes*
Cuisson	*20 minutes*
Difficulté	✶

Pour 4 personnes

1 kg de rhubarbe fraîche
150 g de sucre
300 ml d'eau
250 g de fraises
2 gousses de vanille
1 cuil. à soupe de Maïzena

Glace à la vanille (voir p. 312) :
500 ml de lait
6 jaunes d'œufs
100 g de sucre
2 gousses de vanille

Décoration :
100 g de fraises des bois

Ce dessert combine avec bonheur tradition, fraîcheur et légèreté, et fait intervenir un produit quelque peu incertain : la rhubarbe. Plante potagère à feuilles décoratives, plutôt classée parmi les légumes, la rhubarbe présente une tige fibreuse et colorée qui entre dans la préparation de multiples desserts, tartes et compotes. Mais la rhubarbe s'est d'abord imposée comme plante médicinale au pouvoir astringent.

Le principal défaut que présente la rhubarbe est son acidité, qu'il faut neutraliser en la faisant macérer quelques heures dans le sucre, ou à défaut par un blanchiment rapide à l'eau bouillante. Dans tous les cas, vous aurez pris soin de choisir des tiges bien colorées, fermes au toucher, épaisses et cassantes,

très odorantes une fois coupées en tronçons. La cuisson, pour laquelle la rhubarbe rejoint la fraise, demande environ 30 minutes à feu doux.

La fraise des bois se signale ordinairement par une très faible longévité, qu'il est à peu près impossible de compenser. Notre chef disposerait, dit-il, d'une variété qui se conserve plus d'une journée après la cueillette ; souhaitons qu'on la découvre en France…

Pour Eyvind Hellstrøm, cette soupe de rhubarbe se suffit à elle-même et ne doit pas recevoir d'épices complémentaires, comme la cannelle ou le gingembre dont la gratifient les Anglais. On peut la servir toute l'année, froide en été, chaude

1. Couper grossièrement 800 g de rhubarbe. La cuire avec le sucre, l'eau et les fraises 30 minutes environ. Passer au chinois.

2. Porter à nouveau à ébullition, écumer, ajouter les gousses de vanille, réduire un peu et lier avec la Maïzena.

façon « Bagatelle »

3. Couper en brunoise les 200 g de rhubarbe restants. Préparer de manière traditionnelle la glace à la vanille.

4. Faire sauter la rhubarbe à la poêle avec un peu de sucre et l'incorporer à la soupe de rhubarbe. Napper le fond d'une assiette avec la soupe de rhubarbe, déposer au milieu une quenelle de glace à la vanille et disposer tout autour les fraises des bois. Servir chaud ou froid, suivant la saison.

Gélatine d'oranges aux

Préparation	15 minutes
Cuisson	30 minutes
Repos	1 heure
Difficulté	✶

Pour 4 personnes

3 citrons non traités
550 g de sucre
jus de 2 oranges pressées
2 feuilles de gélatine

Ce dessert très simple et très léger, profondément marqué par le soleil méditerranéen, conclut majestueusement un repas de qualité. On peut le réaliser sans peine toute l'année, il se conserve très facilement et séduit les convives par sa fraîcheur et sa finesse, qu'accompagne une exceptionnelle teneur en vitamine C. N'oubliez pas cependant que l'orange est aussi très riche en calcium et en magnésium, et que ses bienfaits sont innombrables pour l'équilibre du corps. L'Italie fut d'ailleurs le premier asile européen de ce fruit venu d'Extrême-Orient, et plus particulièrement la Ligurie.

Vous confectionnerez le jus d'orange de manière très classique, à partir de fruits d'excellente qualité, si possible très juteux : la navel – ainsi baptisée par nos voisins d'outre-Manche parce qu'elle possède un nombril –, la valencia ou la sanguine à pulpe rouge possèdent toutes les qualités requises pour faire de ce

dessert un total succès. Il est pourtant recommandé de les presser au dernier moment pour conserver au fruit toutes ses propriétés gustatives et afin d'éviter l'oxydation au contact de l'air.

L'Italie cultive aussi le citron depuis le milieu du Moyen Âge. Puisqu'il vous faut seulement récupérer leur zeste, vous les choisirez suffisamment gros, bien durs et non traités. À toutes fins utiles, il n'est sûrement pas mauvais de leur faire subir au préalable un bain d'eau chaude et un brossage énergique.

Cette gelée d'agrumes que vous découperez selon votre fantaisie pour lui donner un tour décoratif est parfaitement digeste et s'accompagne volontiers d'un verre de Grand Marnier, dont la couleur ambrée complètera admirablement votre dessert.

1. Faire blanchir les zestes de citrons dans 500 ml d'eau froide. Recommencer cette opération cinq ou six fois. Mettre à cuire 1 heure à feu très doux avec 500 g de sucre et 500 ml d'eau.

2. Pendant ce temps, faire réduire doucement le jus d'orange avec 50 g de sucre et 150 ml d'eau pendant 30 minutes.

zestes de citrons confits

3. Après avoir fait ramollir à l'eau froide les feuilles de gélatine, les incorporer à la préparation au jus d'orange. Verser dans un bac et mettre au froid.

4. Couper la gélatine d'oranges à froid avec un ou plusieurs emporte-pièces différents. Dresser sur les assiettes et servir parsemé de zestes de citrons confits.

Pasticcio d'aubergine

Préparation	*45 minutes*
Cuisson	*30 minutes*
Difficulté	★ ★

Pour 4 personnes

150 g de ricotta
50 g de sucre
250 g de chocolat de couverture noir
60 g de fruits confits
1 aubergine
200 ml de marsala

Génoise :

4 œufs
125 g de sucre
125 g de farine

S'il est encore des sceptiques qui hésitent à voir un fruit dans l'aubergine, nul doute que ce dessert insolite saura les convertir. Notre chef Alfonso Iaccarino l'associe avec du chocolat et des fruits confits. Il faut préciser qu'en Italie, cette solanacée dont la superbe robe violette attire les regards est principalement produite dans la région de Naples et en Sicile, pays natal de notre chef.

À l'aube du Moyen Âge, l'aubergine fut importée de l'Inde dans le bassin méditerranéen. Depuis, sa culture n'a jamais cessé, ni les innombrables recettes dont elle tient la vedette. Dans le cas présent, il vous faut de jeunes fruits de taille moyenne, peu chargés en graines. Découpez de longues lanières en respectant la peau et faites-les cuire à la vapeur pour en conserver le goût et la couleur.

La surprise continue avec le contre-emploi de la ricotta, un fromage blanc de brebis traditionnel produit en Toscane et en Sardaigne, et que l'on mêle ici aux fruits confits. Il s'agit en réalité d'une pratique napolitaine et d'autres desserts se composent de ces mêmes ingrédients. Le tout se dissimule sous un nappage de chocolat aromatisé au marsala, ce vin doux sicilien que l'on utilise aussi bien dans les plats épicés que sucrés. À défaut, vous pourrez le remplacer par un honnête porto.
Cette recette est adaptée d'un plat traditionnel d'aubergines gratinées, la parmigiana de melanzana, que l'on prépare le 15 août pour la fête de la Madone.

1. *Mélanger la ricotta et le sucre. Ajouter 200 g de chocolat haché et les fruits confits. Peler et couper l'aubergine en lanières, puis la faire cuire 5 minutes à la vapeur.*

2. *Une fois les lanières d'aubergine bien souples, foncer chaque moule à bombe avec deux lanières entrelacées.*

au chocolat

3. Pour la génoise, casser les œufs dans un saladier et ajouter le sucre. Monter le tout au bain-marie jusqu'à l'obtention d'un ruban. Incorporer délicatement la farine tamisée tout en aérant la préparation. Verser dans un moule et cuire 30 minutes à 180 °C. Ajouter dans les moules, sur les lanières d'aubergine, des morceaux de génoise de 3 x 3 cm.

4. Garnir les moules avec la ricotta et refermer avec des lanières d'aubergine. Faire chauffer le reste de chocolat avec un peu de marsala et napper le dessert. Décorer de fruits confits.

Charlotte au moka, noix

Préparation	2 heures
Cuisson	20 minutes
Repos	30 minutes
Difficulté	★ ★ ★

Pour 4 personnes

Biscuit :
3 œufs, 25 ml d'eau
130 g de sucre, 130 g de farine
3 g de levure chimique
15 g de cacao en poudre
liqueur de café

Crème de moka :
70 g de crème pâtissière (voir p. 312)
2 g de gélatine, café expresso (très fort)
200 ml de crème fraîche

Fruits secs caramélisés :
amandes, noisettes, pistaches, sucre

Sauce au chocolat au lait :
125 ml de crème fouettée, 20 ml d'eau
250 g de chocolat au lait haché

Sauce au chocolat amer :
125 ml de crème fouettée
20 ml d'eau
250 g de chocolat noir haché

Glace à la vanille :
500 ml de lait
1 gousse de vanille
8 jaunes d'œufs, 220 g de sucre

Glace à la menthe :
glace à la vanille
200 ml de liqueur de menthe
chocolat liquide

C'est la reine Charlotte, épouse du roi d'Angleterre George III, qui donna son prénom à ce délicieux dessert. La charlotte connut ensuite de nombreuses variations selon les époques et les pays, et la charlotte à la russe est encore de nos jours l'une des plus appréciées. Il est recommandé de la préparer à l'avance et de la réserver au frais : son maintien n'en sera que meilleur et les biscuits qui l'entourent se seront mieux imbibés de la saveur de la garniture. Leur capacité d'absorption étant très forte, il faut couvrir la charlotte pour couper court aux odeurs parasites.

Le moka est une variété de café dont l'arôme est très doux et la décoction très onctueuse. C'est naturellement celui que vous choisirez pour l'expresso qui doit fournir la base de la crème de moka et que notre chef se plaît à souligner de liqueur de café

(kahlua). Les premières apparitions des grains de café se situeraient au VIᵉ siècle au Yémen et c'est l'un des ports de ce pays, Moca, qui aurait baptisé cette variété.

Le café s'accommode volontiers de chocolat et notre chef a réalisé pour cette recette une alliance des plus inventives. À la fois présent dans le biscuit et dans les deux sauces, le chocolat se décline en saveurs nuancées et complémentaires. Veillez à conserver ces deux sauces à la même consistance et surtout à les chauffer sans les cuire, de crainte qu'elles ne perdent leur brillant. Versez-les dans les assiettes juste avant de servir, car elles pourraient durcir et compromettre la qualité de la présentation.

Cet excellent dessert sera d'autant plus irrésistible accompagné

1. Mélanger les ingrédients du biscuit, excepté le cacao et la liqueur, jusqu'à ce que le mélange devienne blanc et volumineux. Le diviser en deux et ajouter à l'une des parts le cacao. Déposer une feuille de papier sulfurisé sur une plaque de four. À l'aide d'une poche à douille, confectionner des bandes de pâte en alternant les couleurs. Cuire au four à 220 °C.

2. Couvrir de biscuit les bords et le fond de petits moules. Imbiber le biscuit de liqueur de café. Pour la crème de moka, lisser la crème pâtissière. Ramollir la gélatine à l'eau froide, la diluer dans l'expresso et ajouter le tout à la crème pâtissière. Fouetter la crème fraîche et la mélanger doucement à l'appareil.

caramélisées et ses glaces

3. Caraméliser les fruits secs avec le sucre et les déposer sur une plaque huilée. Pour la sauce au chocolat au lait, faire cuire la crème et l'eau, ajouter le chocolat et mélanger jusqu'à ce que la sauce devienne lisse. Faire de même pour la sauce au chocolat noir. Remplir les moules de crème de moka et lisser la surface. Réserver au froid.

4. Préparer et mixer la glace à la vanille. Pour la glace à la menthe, incorporer 200 ml de liqueur de menthe à de la glace à la vanille. À la fin du turbinage, verser un filet de chocolat liquide. Verser les deux sauces au chocolat sur l'assiette et placer la charlotte au milieu. Ajouter les glaces et les fruits secs caramélisés.

Feuilleté à la glace

Préparation	*30 minutes*
Cuisson	*35 minutes*
Refroidissement	*10 minutes*
Difficulté	✶

Pour 4 personnes

300 g de fraises
50 ml de crème fraîche
60 g de sucre
zestes d'orange
100 g de beurre

8 feuilles de won-ton
huile pour la friture
sucre glace
cannelle en poudre

Glace au riz :
1 l de lait
zestes de citron et d'orange
2 gousses de vanille
120 g de riz
200 g de sucre
10 g de fruits confits

L'univers gastronomique de la fraise est presque infini. Très appréciée des Romains qui la nommaient « fraga » (l'odorante), la fraise a finalement pris ce nom par attraction de l'ancien français « frambaise », devenu framboise. Nul ne sera donc choqué de voir les framboises remplacer au besoin les fraises dans ce feuilleté. Prenez garde à la fragilité de ces fruits qu'il ne faut jamais tremper dans l'eau ni exposer à des températures élevées. Le coulis lui-même doit être chauffé – certainement pas cuit – pour donner tout son contraste à ce savoureux chaud-froid.

Le riz à l'impératrice était le dessert préféré de l'impératrice Eugénie, épouse de Napoléon III. C'est une sorte de compromis entre le riz au lait et le pudding, garni d'un « salpicon » de fruits confits et moulé en dôme. Pour plus de légèreté, on en fait ici une glace qui conserve dans une juste proportion les principaux ingrédients, riz et fruits confits. Ce traitement du riz en dessert est une excellente occasion de rendre hommage à cette céréale universellement cultivée et reconnue (plus de 8 000 variétés sont répertoriées), mais dont le trop large succès détourne parfois les amateurs : il est vrai que l'on commet bien des crimes en matière de riz au lait et il faut se féliciter que des chefs aussi exigeants qu'André Jaeger perpétuent avec vigueur la grande tradition de cet entremets.
Version asiatique de la pâte filo, le won-ton est un composé de farine et d'œufs mélangés à de l'huile. La friture le rend croustillant et l'on peut en faire une enveloppe très maniable pour présenter la glace au riz.

1. Pour la glace au riz, porter à ébullition le lait avec les zestes de citron et d'orange et les gousses de vanille. Ajouter le riz et laisser cuire 20 minutes à feu doux. Incorporer le sucre. Après cuisson, passer au chinois. Ajouter au liquide obtenu 3 cuil. à soupe de riz cuit, ainsi que les fruits confits. Réserver au congélateur 10 minutes.

2. Laver et nettoyer les fraises. Couper 100 g de fraises en quartiers et passer le reste au mixeur. Dans une casserole, faire chauffer la crème fraîche. Ajouter le sucre et les zestes d'orange.

au riz à l'impératrice

3. Incorporer le coulis de fraises au mélange de crème fraîche et de sucre et laisser légèrement chauffer sans cuire. Retirer du feu et incorporer les dés de beurre. Couper les feuilles de won-ton en disques et les faire frire à l'huile bouillante.

4. Saupoudrer les disques de won-ton de sucre glace et d'un peu de cannelle. Dresser dans une assiette creuse en disposant d'abord la sauce, puis les quartiers de fraises et enfin une boule de glace entre deux disques de pâte.

Glace aux pruneaux et

Préparation	15 minutes
Cuisson	10 minutes
Difficulté	✳ ✳

Pour 4 personnes

300 g de pruneaux
600 ml de vin rouge
200 g de confiture de framboises
1 bâton de cannelle
1 orange non traitée
1 citron non traité

Glace aux pruneaux :
12 jaunes d'œufs
200 g de sucre

500 ml de lait
500 ml de crème fleurette
100 g de purée de pruneaux
50 ml de cognac

Sabayon :
2 jaunes d'œufs
50 ml de vin blanc
40 g de sucre
50 ml de Grand Marnier

Il faut maintenant se pencher sur les desserts que propose la carte du restaurant Paul Bocuse, dans le saint des saints que l'on appelle ici « Délices et gourmandises ». Gâteaux, biscuits, crèmes, glaces et sorbets, tous rivalisent de saveurs multiples et complexes, de parfums et de couleurs. Cette création de Roger Jaloux, en particulier, ne saurait manquer d'émouvoir vos papilles.

Le choix des pruneaux relève de critères précis : goûteux et pas trop ramollis, les fruits doivent être couverts de pruine, c'est-à-dire d'une petite couche de poudre cireuse. La pulpe résiste au toucher, malgré son évidente souplesse. Bien qu'il existe de nombreuses variétés de prunes (reines-claudes, quetsches, etc.), seule la prune d'ente sert à préparer le pruneau, car sa peau résiste sans craquer à la pression du jus bouillant. Les prunes d'ente que l'on cultive aujourd'hui dans le Sud-Ouest de la France seraient les descendantes des prunes de Damas, rapportées des Croisades par les Templiers et longtemps soupçonnées d'être les fruits du diable. Mais comment résister, au marché de Villeneuve-sur-Lot, à ces pruneaux cuits au feu de bois dont le moelleux parfum se nuance encore du goût de la fumée ?

Trêve de poésie, il est temps de vous occuper du sabayon, dans un récipient d'une méticuleuse propreté. Rien ne doit vous troubler pendant sa confection, dont le rythme est à pratiquer avec constance (en dessinant au fouet des 8 dans l'appareil). Le Grand Marnier sera incorporé au dernier moment pour conserver intact le bouquet de cette liqueur de haute origine. Pour jouir à la mesure de cet exceptionnel dessert, ayez soin de savourer dans la même bouchée le sabayon, la glace et les pruneaux.

1. Mettre à tremper les pruneaux dans le vin rouge avec la confiture de framboises, le bâton de cannelle, les zestes d'orange et de citron. Pour la glace aux pruneaux, blanchir les jaunes d'œufs avec le sucre, puis mouiller avec le lait et la crème chaude. Refaire napper le tout et rafraîchir. Ajouter la purée de pruneaux, le cognac et mixer.

2. Faire cuire les pruneaux mis à tremper la veille avec le vin rouge, la cannelle et la confiture de framboises.

sabayon au Grand Marnier

3. Lorsque les pruneaux sont bien tendres, ajouter dans la cuisson l'orange et le citron coupés en fines tranches. Laisser refroidir.

4. Monter au bain-marie le sabayon avec les jaunes d'œufs, le vin blanc et le sucre. Au dernier moment, ajouter le Grand Marnier. Dans une assiette, dresser quatre ou cinq pruneaux avec un peu de jus de leur cuisson. Placer une boule de glace au milieu et la recouvrir de sabayon.

Mille-feuille craquant

Préparation	*20 minutes*
Cuisson	*8 minutes*
Difficulté	✳ ✳

Pour 4 personnes

8 feuilles de pâte filo
100 g de beurre clarifié
200 g de sucre glace
200 g de crème pâtissière (voir p. 312)
1 citron non traité
150 ml de crème fouettée

2 barquettes de framboises
1 barquette de mûres ou de myrtilles
2 fruits de la Passion
quelques fruits rouges (cassis, groseilles)
100 g de sucre

On n'a pas toujours soigné l'esthétique des gâteaux : longtemps les pâtissiers se sont contentés de simples galettes de farine et d'eau enrichies de miel, de graines ou d'épices – voire de recettes à base de pâte à pain améliorée. C'est au XIXᵉ siècle qu'est apparu un certain goût pour l'extérieur des gâteaux, par exemple le mille-feuille individuel, devenu depuis un grand classique, qui intercale une garniture de crème pâtissière entre de fines abaisses feuilletées.

Notre chef adapte ici la recette traditionnelle à la pâte filo, extrêmement fine, si fine qu'elle risque de se dessécher à température ambiante et de brûler à la cuisson. Il faut donc apporter à ce mille-feuille une attention soutenue, ne serait-ce qu'en raison de la fragilité de ses composants.

Car les fruits rouges ont aussi leurs problèmes de conservation. Les groseilles, par exemple, qui sont plus courantes au mois de juillet : il faut les traiter avec soin pour éviter de les écraser et les consommer le plus rapidement possible. Quant à la framboise, dont il existe même des variétés jaunes, c'est de toute évidence un fruit d'été. Il est conseillé de ne pas la rincer, car elle perdrait dans l'eau la plus grande part de son arôme, et surtout de la préparer au plus vite.

Dans cette préparation où dominent les fruits rouges, la pulpe jaune et translucide du fruit de la Passion jouera les contrastes. Ce n'est pas seulement une question de couleur : son caractère acidulé tranche sur la douceur des fruits rouges, au point qu'il faut en user avec modération.

1. Étaler sur le marbre deux feuilles de pâte filo. Les badigeonner au pinceau de beurre clarifié. Saupoudrer de sucre glace, puis recouvrir d'une nouvelle feuille de pâte filo, de beurre clarifié et de sucre glace.

2. Couper huit cercles de pâte filo badigeonnée de sucre et les enfourner pendant 5 minutes à 180 °C. Une fois glacés, les sortir et les laisser refroidir sur le marbre. Mélanger délicatement la crème pâtissière avec les zestes du citron.

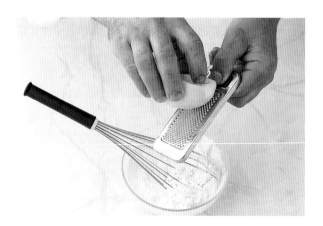

aux framboises

3. Mélanger la crème pâtissière citronnée et la crème fouettée. Déposer au centre de chaque assiette une cuillerée de crème et quelques fruits saupoudrés de sucre.

4. Déposer sur les fruits un disque de pâte filo glacé, de la crème et une autre couche de fruits. Terminer par un disque de pâte filo. Verser tout autour un coulis de framboises, ainsi que le jus et les graines des fruits de la Passion. Terminer de décorer avec les fruits rouges saupoudrés de sucre glace.

Pommes et raisins

Préparation 1 heure
Cuisson 25 minutes
Difficulté ✶

Pour 4 personnes

500 g de pommes granny smith
40 g de sucre
50 g de raisins de Smyrne
5 g de cannelle en poudre
jus d'1/2 citron
4 pruneaux au vin rouge
quelques grosses fraises
100 g de gelée de groseilles

Streusel :
25 g de farine
25 g de sucre
40 g de beurre
25 g de poudre d'amandes
3 g de cannelle en poudre

Biscuit :
4 blancs d'œufs (125 g)
140 g de sucre
20 g de farine
90 g de poudre d'amandes

Crème anglaise (250 ml) :
voir p. 312

Du verbe allemand « streuen », répandre, le streusel est une préparation que l'on parsème sur les tartes aux pommes et qui consiste en une pâte sucrée classique enrichie de poudre d'amandes et de cannelle. Il vaut mieux la réaliser la veille avec un beurre ramolli et la faire cuire le jour même avant d'en décorer la compote de pommes.

Toute l'humanité a été marquée par la pomme et ses innombrables variétés. Elle est aujourd'hui le fruit le plus répandu d'Europe et connaît encore de nouvelles variétés. La granny smith, dont Émile Jung vous recommande l'usage, est arrivée en France dans les années cinquante, en provenance d'Australie. À la fois juteuse et acidulée, sa chair se comporte bien à la cuisson, ce qui permet d'en conserver des morceaux croquants dans la compote. C'est une pomme tardive, dont la récolte a lieu d'octobre à novembre. Elle se signale par sa belle robe d'un vert brillant, qui ne doit comporter aucun défaut.

La gelée de groseilles est meilleure si vous la préparez vous-même. Émile Jung est coutumier du fait et vous conseille de délicieux mélanges comme celui des groseilles roses et des groseilles rouges. Le trempage des fraises et des pruneaux sera nettement plus savoureux si vous avez préalablement fait macérer ces fruits dans le vin rouge.

Il faut quand même un peu d'unité dans les mouvements de cette « sonate à Streusel », si les mélomanes nous permettent ce calembour… Aussi, tenez-vous en aux variantes à base de poires, d'ananas ou de pêches que notre chef vous propose.

1. Réaliser la pâte à streusel la veille avec farine, sucre, beurre, poudre d'amandes et cannelle. Former une boule. Réserver au frais. Préparer également le biscuit : battre les blancs d'œufs en neige, puis incorporer le sucre, la farine et les amandes. Mettre au four à 170 °C pendant 15 minutes. Réserver.

2. Éplucher et vider les pommes, puis les couper en cubes de 2 cm. Cuire à feu doux avec le sucre, les raisins, la cannelle et le jus de citron pendant 10 minutes environ. En fin de cuisson, conserver les morceaux de pommes.

en streusel

3. *Cuire le streusel sur une plaque 5 minutes au four à 170 °C. Laisser refroidir, puis émietter. Tremper les pruneaux et les fraises dans la gelée de groseilles.*

4. *Garnir quatre cercles de 7,5 cm de diamètre et 4 cm de haut avec un fond de biscuit, puis compléter avec la compote de pommes. Parsemer le dessus de streusel. Faire tiédir à four doux, puis saupoudrer de sucre glace avant de servir. Démouler au centre d'une assiette, servir avec la crème anglaise et décorer avec les pruneaux et les fraises.*

Préparation   *45 minutes*
Repos   *2 heures*
Difficulté   ★ ★

Pour 4 personnes

3 jaunes d'œufs
50 g de sucre
250 ml de crème fleurette
50 g de printes hachés (sorte de pain
   d'épices)
50 ml de rhum
caramel (sucre, glucose, eau)

Oranges parfumées aux épices :
3 grosses oranges
10 ml de jus d'orange
50 g de sucre
1 clou de girofle
cannelle
vanille
anis étoilé
cardamome

« Le bon printe de Noël se prépare à Pâques », déclare d'emblée notre chef, qui adapte avec jubilation cette antique tradition gourmande. Il s'agit d'une variante du spéculoos belge, ce petit biscuit à la cannelle et aux clous de girofle.

Ce parfait très consistant et les quartiers d'oranges qui l'accompagnent présentent une véritable symphonie d'épices et de saveurs surprenantes. Il vous est recommandé de procéder avec soin à la sélection des ingrédients.

L'anis étoilé n'a pas de rapport avec l'anis en grains qui entre dans la confection de nombreux desserts et gâteaux secs. Le fruit de ce petit arbuste originaire du Viêt-nam contient une forte essence aromatique qui se dégage en infusion et qui possède de remarquables vertus digestives.

La cardamome est l'appellation courante de plusieurs plantes indiennes dont les fruits, et surtout les graines brunes, présentent un goût poivré très particulier. Les Indiens en font le condiment de base de multiples plats de riz, mais elle n'entre en Europe que dans certaines pâtisseries, notamment le pain d'épices. Sa forte saveur impose un dosage modéré.

La cannelle, qui est l'écorce séchée d'un arbuste proche du laurier, se trouve en poudre ou en bâtonnets. Là encore, un dosage soigneux reste indispensable, un excès de cannelle pouvant rendre le dessert indigeste, voire écœurant.

Même si vous ne parvenez pas à respecter la présentation sportive que propose notre chef, vous aurez au moins la satisfaction de servir un dessert original et très savoureux.

1. Monter au bain-marie les jaunes d'œufs avec le sucre. Laisser refroidir en continuant à fouetter, puis mélanger à la crème fleurette montée en chantilly. Ajouter les printes hachés, le rhum et mettre en terrine au congélateur.

2. Pour les oranges parfumées aux épices, éplucher à vif les oranges et lever les quartiers. Conserver le jus d'orange. Faire un caramel à sec avec le sucre, puis déglacer avec le jus d'orange. Ajouter les épices et les quartiers d'oranges. Porter à ébullition et laisser refroidir dans une casserole couverte.

aux printes

3. Verser dans un poêlon le sucre, le glucose, l'eau et faire un caramel brun. Huiler l'extérieur d'une louche et, à l'aide d'une fourchette, faire couler le sucre en croisant les filets. Laisser refroidir et démouler.

4. Démouler le parfait et le couper en portions. Disposer au centre de l'assiette une tranche de parfait, la recouvrir d'un dôme de caramel et disposer tout autour les quartiers d'oranges aux épices.

Préparation	2 heures 30 minutes
Cuisson	5 minutes
Difficulté	★ ★ ★

Pour 4 personnes

Parfait :
120 g de sucre
jus d'un ananas
5 jaunes d'œufs
500 ml de crème fouettée
30 ml de Grand Marnier jaune

Glace :
1 ananas
10 morceaux de sucre

3 jaunes d'œufs
250 ml de crème fleurette
un peu de Grand Marnier

Ananas confit :
1 ananas, 50 g de sucre
un peu de maïzena

Crêpes : voir p. 312

Sabayon :
jus d'1/2 ananas
1 œuf
1 jaune d'œuf
50 ml de vin blanc
10 g de sucre

« On n'est jamais trop vieux pour apprendre, nous a confié notre chef en préparant cette recette. Je suis toujours à l'écoute d'idées nouvelles, surtout quand elles sont formulées par les membres les plus jeunes de mon équipe. » Cette recette, qui décline l'ananas sous diverses formes, est une excellente application de ce principe.

C'est à Paris que Dieter Kaufmann a sélectionné le petit ananas de la Réunion, un fruit délicat et juteux dont la texture se prête facilement aux traitements distincts du parfait, de la glace et du confit. Mais il ne dédaigne pas les fruits d'autres provenances, notamment de Martinique et d'Australie, dont il faut souligner les vertus digestives.

Pour aromatiser le parfait, vous choisirez le Grand Marnier jaune de préférence au « cordon rouge », sa fabrication à partir d'écorces d'oranges macérées dans l'eau-de-vie et non dans le cognac le rendant moins capiteux et donc plus adapté. D'autre part, le confit – où le sucre diminue l'acidité naturelle de l'ananas – gagne à être préparé à l'avance, puisque les goûts du parfait et de la glace peuvent ainsi se confondre à loisir.

Pour apprécier toutes ces saveurs, le sabayon devra être très léger et son goût plutôt neutre. C'est surtout sa consistance qui apporte à cette recette un complément de garniture. Ici préparé au vin blanc, il accepte d'être combiné à la bière. Lors d'un repas historique à la bière offert aux membres du guide Gault & Millau en tournée en Allemagne, Dieter Kaufmann leur avait ainsi proposé un « soufflé à la bière aux prunes épicées et sabayon » dont ils ont gardé un souvenir très vif.

1. Pour le parfait, caraméliser légèrement le sucre, y ajouter le jus d'ananas et laisser réduire aux deux tiers. Battre en mousse les jaunes d'œufs et le sucre au bain-marie. Ôter du bain-marie et fouetter jusqu'à refroidissement. Ajouter le jus réduit et mélanger délicatement la crème fouettée. Parfumer au Grand Marnier jaune et placer au froid dans une terrine pendant 3 heures.

2. Pour la glace, détailler l'ananas en petits dés. Récupérer le jus, le chauffer doucement et y faire fondre le sucre. Battre les jaunes d'œufs dans ce jus tant qu'il est chaud. Ajouter la crème légèrement chauffée et battre jusqu'à l'obtention d'une « rose ». Ajouter les dés d'ananas et parfumer au Grand Marnier. Faire prendre la glace en sorbetière.

d'ananas

3. Pour le confit, partager l'ananas en quartiers et en réserver la moitié (les plus beaux) au frais. Couper les quartiers restants en deux et les caraméliser au sucre. Si nécessaire, les lier avec un peu de maïzena. Confectionner une pâte à crêpes fluide et faire cuire de petites crêpes.

4. Juste avant de servir, préparer un sabayon classique en mélangeant tous les ingrédients. Dresser harmonieusement les différentes préparations sur une grande assiette. Le sabayon peut être servi à part.

Gâteau au fromage

Préparation	1 heure
Cuisson	1 heure 15 minutes
Difficulté	★ ★ ★

Pour 4 personnes

3 l de lait entier
50 g de farine
1/2 cuil. à soupe de présure de fromage
1 cuil. à soupe d'eau
50 g d'amandes mondées
2 œufs
200 ml de crème fraîche
50 g de sucre

Accompagnement :
confiture de mûres jaunes
crème Chantilly

Bien que la moitié du territoire suédois soit couverte de vastes et glaciales forêts de pins et sapins, cette apparente rudesse n'est pas incompatible avec une certaine douceur. Nous n'en voulons pour preuve que le nombre de gâteaux et de gourmandises que l'on y pratique, et dont la variété révèle une tenace créativité gourmande. Le Småland où naquit notre chef, au sud du pays, ne fait pas exception et décline à sa façon les gâteaux nationaux typiques, par exemple le gâteau aux pommes (svensk äppelkaka), que l'on garnissait autrefois d'une amande à l'instar de la galette des rois : celui qui en héritait était censé se marier prochainement.

Ce gâteau au fromage frais relève des mêmes traditions : il était servi au cours de fêtes qui duraient plusieurs jours et chaque participant le goûtait à son tour pour apprécier sa perfection. Initialement préparé avec du vieux lait de vache (et même du vieux lait caillé), il gagne tout de même à bénéficier d'un lait frais additionné de présure de fromage.

Les amandes entières sont hachées avant de rejoindre la préparation, et vous remercierez le ciel de vous en procurer à moindre frais : les amandes douces sont en effet si peu connues en Suède que notre chef doit s'approvisionner... en Grèce ! En revanche, il nous fait découvrir une spécialité locale, la mûre jaune, dont la confiture est particulièrement savoureuse mais peu répandue à l'exportation, ce qui vous conduira sans doute à lui substituer l'airelle, la cerise ou la

1. Mélanger un peu de lait avec la farine. Chauffer le reste du lait à 35 °C. Mélanger la présure avec l'eau et verser hors du feu les deux mélanges dans le lait tiède tout en fouettant régulièrement. Couvrir et laisser reposer 30 à 40 minutes.

2. Couper la pâte au couteau plusieurs fois pour que la masse rende l'eau. La passer au chinois et la laisser égoutter. Hacher grossièrement les amandes.

frais de Småland

3. Fouetter les œufs, la crème et le sucre, puis ajouter les amandes. Incorporer le tout à la masse de fromage.

4. Beurrer un moule, y verser la préparation et mettre au four pendant 1 heure environ. Couvrir le moule en début de cuisson pour éviter une trop forte coloration. Ne surtout pas toucher au moule pendant la cuisson. Servir tiède avec la confiture de mûres jaunes et la crème Chantilly.

Poires aux airelles

Préparation   1 heure
Cuisson   40 minutes
Difficulté   ✷ ✷

Pour 4 personnes

500 g d'airelles rouges
100 ml d'eau
200 g de sucre
1 bâton de cannelle
5 poires (avec leur queue)

Sauce vanille :
200 ml de lait
100 ml de crème fleurette
1 gousse de vanille
1 jaune d'œuf
2 cuil. à soupe de sucre

Örjan Klein, qui nous fait découvrir la gastronomie suédoise, est l'un des principaux acteurs de l'art culinaire de son pays, fortement attaché aux traditions et aux produits du terroir. En voici à nouveau la preuve, puisque nous pourrons avec ce dessert conjuguer deux souvenirs qui lui sont chers : les vergers de poires de sa maison de campagne, à Nølgarder, et les airelles rouges de sa région natale, le Småländ. Cette gourmandise était jadis offerte le dimanche et bien des occasions de la déguster se sont présentées à lui dans son enfance.

Pour le choix des poires, portez-vous vers des fruits savoureux dont la chair présente une bonne résistance à la cuisson. Vous trouverez facilement des variétés adéquates parmi les nombreuses qu'offrent encore nos marchés. Il suffit de les éplucher avant de les plonger dans la compote d'airelles, dont le goût plus acidulé les imprégnera en profondeur.

Ces petites baies sauvages accompagnent ordinairement le gibier – en Suède, le renne et l'élan – et figurent dans de multiples recettes. On appréciera leur étonnante capacité de conservation sans adjuvant, et dans le cas présent l'originalité de leur fine alliance avec la vanille, qui les adoucit sans leur nuire. Rappelons qu'en Suède les airelles poussent partout, ce qui peut expliquer leur popularité. Il sera difficile de les remplacer dans cette recette, sauf peut-être par un sirop de vin rouge habilement parfumé de cannelle.

1. Réserver quelques airelles rouges pour le décor. Écraser les autres avec un robot. Faire cuire 15 minutes cette purée avec l'eau, le sucre et la cannelle.

2. Éplucher les poires tout en conservant la queue et les faire cuire dans la purée d'airelles 20 minutes environ.

rouges, sauce vanille

3. Retirer les poires après cuisson et les déposer dans un récipient creux. Passer la purée au tamis et la verser sur les poires. Laisser mariner plusieurs jours dans un endroit frais.

4. Pour la sauce vanille, mélanger le lait et la crème fleurette, puis faire bouillir avec la gousse de vanille fendue. Blanchir les jaunes d'œufs et le sucre au fouet, puis incorporer le lait vanillé tout en remuant énergiquement. Filtrer au chinois et laisser refroidir. Napper le fond de l'assiette de sauce, déposer une poire et garnir d'airelles.

Croquettes de bananes

Préparation	*45 minutes*
Cuisson	*5 minutes*
Difficulté	★ ★

Pour 4 personnes

5 bananes
150 g de cassonade
1 pincée de cannelle en poudre
1 pincée de gingembre en poudre
100 g de beurre
5 feuilles de brick

Sorbet :
thé de première cueillette
500 ml d'eau
150 g de sucre
25 g de glucose
45 g de gingembre confit au sucre
125 ml de lait

Même si la banane provient surtout des Antilles et d'Amérique du Sud, c'est bien d'Asie qu'elle est originaire. Il en existe environ 350 variétés, mais la plus répandue est sans conteste la cavendish, à peau lisse et jaune, parfois tigrée. Les Européens persistent à n'y voir qu'un fruit, alors que bien des gastronomes d'autres régions et continents l'accueillent volontiers dans des préparations salées.

La banane est savoureuse quand elle est parfaitement jaune, claire ou foncée, mais les bananes mûres noircissent très vite et se gâtent sans attendre. C'est pourquoi les négociants les font voyager vertes et achèvent leur évolution dans des mûrisseries qui nous délivrent des fruits d'une qualité pas toujours égale. L'intérêt de cette recette est précisément de préserver en grande partie les qualités de la banane. Quasiment toute la recette peut être préparée à l'avance ; il faut simplement faire frire les fruits au dernier moment.

Le thé darjeeling est en principe un thé de première cueillette. Ne le faites pas infuser trop longtemps pour le sorbet : cinq à huit petites cuillerées de thé, maintenues 5 minutes dans un litre d'eau, devraient suffire à constituer une boisson convenablement aromatisée.

Les solutions alternatives pour notre recette sont nombreuses : de telles croquettes pourraient être préparées avec des pommes ou des poires. Le sorbet lui-même accepterait le citron, la mangue ou les fruits de la Passion.
Mais le sorbet de thé au gingembre tel que le pratique notre chef est un plaisir unique et délectable avec petit verre de genièvre.

1. Pour le sorbet, faire infuser le thé 5 minutes dans l'eau. Ajouter le sucre, le glucose et laisser refroidir. Hacher le gingembre confit très finement et le mélanger au thé. Incorporer le lait et mixer le tout dans la sorbetière.

2. Peler les bananes et les couper en morceaux de 5 cm. Mélanger la cassonade, la canelle et le gingembre. Rouler les morceaux de bananes dans ce mélange.

caramélisées

3. Beurrer les feuilles de brick et les couper en deux.

4. Envelopper les bananes dans les feuilles de brick et passer au four 5 minutes à 200 °C. Servir deux croquettes de bananes avec une quenelle de sorbet au thé.

Passion à la coque et

Préparation   20 minutes
Cuisson   20 minutes
Repos   20 minutes
Difficulté   *

Pour 4 personnes

12 fruits de la Passion
100 g de sucre
250 ml de crème fleurette
80 g de sucre glace

Mouillettes au chocolat :
150 g de chocolat de couverture amer

La parenté de l'œuf et du fruit de la Passion, si elle n'est qu'imaginaire, a du moins inspiré à notre chef cette heureuse formulation et ce dessert très rafraîchissant. Dans une coque brune et fripée, ce curieux fruit que l'on appelle aussi maracuja abrite une chair d'apparence gélatineuse, au goût très acidulé, et d'une étonnante richesse en vitamines A et C. Il pousse sur des arbrisseaux tropicaux, pour la plupart originaires d'Amérique et d'Afrique.

Son nom connaît de multiples interprétations : on retiendra que la structure de la fleur de passiflore évoquait aux missionnaires espagnols les instruments traditionnels de la passion du Christ. Les tranches sont comparées à la couronne d'épines, les styles aux trois clous du crucifié, et les étamines aux marteaux qui les enfoncèrent dans le bois de la croix. Il en existe plusieurs variétés, dont la plus grosse n'est pas la plus savoureuse, comme la *passiflora edulis* qui peut peser jusqu'à 500 g.

On appréciera particulièrement, autant pour leur croquant que pour leur aspect décoratif, les petits grains noirs dont la pulpe est parsemée. Ils seront mélangés à la crème pour atténuer sans le masquer leur goût très prononcé. La pectine abondamment contenue dans les fruits donnera d'ailleurs à cette crème une fort belle tenue.

C'est avec des brindilles d'un chocolat amer très riche en cacao qu'Étienne Krebs vous conseille de goûter cette crème. Il est recommandé de travailler délicatement le chocolat à la spatule pour obtenir des mouillettes suffisamment fines.

1. Décaloter six coques de fruits de la Passion et les vider avec précaution. Couper en deux et vider également le reste des fruits. Garder pour la décoration les fruits évidés et 10 cuil. à soupe de pulpe. Faire réduire le jus avec le reste de pulpe et 100 g de sucre jusqu'à ce que le mélange soit onctueux. Laisser refroidir 10 minutes.

2. Monter la crème fleurette bien ferme avec le sucre glace, ajouter le jus réduit des fruits de la Passion et remplir une poche à douille.

mouillettes au chocolat

3. Farcir les coques évidées de crème de fruits de la Passion. Masquer ensuite la crème avec la pulpe restante.

4. Pour les mouillettes, faire fondre 150 g de chocolat amer à 30 °C environ, puis l'étendre à la spatule sur un marbre, sur 1 à 2 mm d'épaisseur. Laisser durcir et, avec la spatule, tirer sur le chocolat pour en faire des petits rouleaux. Les remettre à durcir au frais 10 minutes et les servir avec les coques de fruits de la Passion.

Pommes au sureau, parfait

Préparation	*45 minutes*
Cuisson	*10 minutes*
Repos	*12 heures*
Difficulté	✷ ✷

Pour 4 personnes

4 pommes (gala ou goldens)
40 g de sucre
jus d'un citron
chocolat fondu

Sirop :
500 ml d'eau
250 g de sucre
100 g de coulis de sureau

Parfait glacé :
2 œufs
3 jaunes d'œufs
100 g de sucre
300 ml de crème fleurette
50 ml de sirop de bourgeon de pin

La pomme est en Suisse l'objet d'un véritable culte depuis qu'elle a permis à Guillaume Tell de prouver son adresse à l'arbalète, sur l'ordre du tyrannique Gessler. Le héros aurait alors percé une pomme sur la tête de son propre fils. Bien que norvégienne ou danoise, cette légende transmise au XIIIᵉ siècle par Saxo Grammaticus a pris valeur de symbole de l'indépendance helvétique.

Fidèle à cette tradition, Étienne Krebs vous propose une manière originale d'accommoder les pommes, puisqu'il s'agit de les farcir… d'une purée de pommes. La variété la mieux adaptée est sans doute la gala, croquante et sucrée, à choisir ferme et bien juteuse. Vous pouvez encore opter pour la golden qui résiste bien à la cuisson. Pour ménager toutes les garanties de réussite, laissez, en vidant les fruits, des parois d'un demi-centimètre d'épaisseur et découpez délicatement le dessus de la pomme qui doit servir à la décoration.

Cette recette présente aussi l'intérêt d'employer du sureau et du bourgeon de pin, deux ingrédients dont le goût sauvage enrichira le sage parfum de la pomme. Les petites baies de sureau, mûres en été, sont broyées pour servir de base au coulis, que l'on peut diluer dans un sirop nature. Pour obtenir un meilleur amalgame des différents éléments, il est souhaitable de conserver les pommes une semaine au réfrigérateur avant de les servir.

Une alternative possible serait de marier la poire et les baies de cassis avec un même succès, à condition de conserver le délicat sirop de bourgeon de pin.

1. Préparer le sirop et le réserver. Éplucher les pommes, les décaloter et les vider complètement pour pouvoir les farcir. Conserver les couvercles.

2. Faire pocher les pommes dans le sirop 4 à 5 minutes à feu doux. Couper la cuisson avec un peu d'eau froide et laisser mariner toute une nuit pour que les fruits prennent bien la couleur du sureau.

glacé au bourgeon de pin

3. Pour le parfait, monter au bain-marie deux œufs et trois jaunes d'œufs avec le sucre jusqu'à ce que le mélange blanchisse. Continuer jusqu'à refroidissement. Ajouter ensuite la crème battue et le sirop de bourgeon de pin. Goûter et rajouter un peu de sirop si nécessaire. Placer au congélateur pendant 12 heures.

4. Confectionner une compote avec l'intérieur des pommes, le sucre et le jus de citron. Une fois refroidie, y verser le mélange de crème fouettée et de sirop de bourgeon de pin. Farcir les pommes égouttées avec cette préparation. Faire réduire le sirop jusqu'à consistance d'une gelée. Avec un cornet, dessiner sur l'assiette une pomme au chocolat fondu. Remplir l'intérieur de sirop et poser par-dessus une pomme farcie et une noix de parfait.

Gratin de pamplemousses

Préparation   *30 minutes*
Cuisson   *5 minutes*
Difficulté   ★

Pour 4 personnes

2 pamplemousses
quelques pralines roses

Sabayon :
125 g de jaunes d'œufs
125 ml de sirop à 30° Beaumé
50 ml de jus de pamplemousse
125 ml de crème fouettée

Le brillant chef guerrier que fut le maréchal César du Plessis-Praslin ne se doutait pas que trois siècles après sa mort son nom resterait dans le langage courant, attaché à d'exquises confiseries. Ce n'est du reste pas lui, mais l'un de ses cuisiniers qui inventa au XVIIᵉ siècle le principe de caraméliser les amandes enrobées de sucre : les pralines.

Il en existe plusieurs versions, aromatisées ou colorées : c'est le cas des pralines roses, appréciées par exemple en Auvergne et dans le Bourbonnais, où elles parfument et colorent les brioches. Les fêtes foraines en font aussi grand usage, en remplaçant parfois l'amande par la cacahuète, plus économique mais beaucoup moins goûteuse.

Contrastant par sa fondante amertume, le pamplemousse offre une pulpe jaune, rose ou rouge vif, vous préférerez peut-être un pamplemousse rose, ne serait-ce que pour harmoniser les couleurs. C'est un dérivé de l'orange douce, baptisé « pompelmoes » en néerlandais ou « orange de Barbade », et très riche en vitamines A et C. Il vaut mieux le préparer au dernier moment pour conserver sa fraîcheur, surtout celle des quartiers à disposer dans l'assiette. Il en est de même pour le jus que l'on incorpore au sabayon, dont il faut préserver la teneur en vitamines.

Le sabayon, seul point délicat de ces préparatifs, cuit à 70 °C, pas davantage. On commence la cuisson à feu doux, de préférence au bain-marie, pour augmenter la température une fois que la crème a épaissi. Mais c'est au mélange refroidi que l'on ajoute la crème fouettée qui pourrait tomber à la chaleur.

Un sorbet de fruits de la Passion ou même de pamplemousse accompagnera brillamment ce dessert, pourvu que ce dernier soit d'une autre variété que le pamplemousse du gratin.

1. Pour le sabayon, mélanger les jaunes d'œufs avec le sirop. Incorporer le jus de pamplemousse et cuire le tout à la nappe. Laisser refroidir.

2. Éplucher les pamplemousses et les peler à vif. Retirer les pépins. Parer les quartiers pour éliminer toutes les petites peaux restantes qui risquent d'apporter de l'amertume.

aux pralines roses

3. Monter la crème fleurette pour obtenir une crème fouettée. Incorporer cette dernière au sabayon refroidi tout en remuant délicatement.

4. Napper le fond de l'assiette du sabayon. Disposer les quartiers de pamplemousses en rosace. Parsemer les pralines concassées entre les quartiers de pamplemousses, puis passer quelques minutes sous le gril chaud. Servir avec un sorbet aux fruits de la Passion.

Griottines au chocolat,

Préparation	20 minutes
Cuisson	10 minutes
Repos	30 minutes
Difficulté	★

Pour 4 personnes

10 feuilles de pâte filo
beurre clarifié
40 griottines
sucre glace

Ganache :
100 ml de crème fleurette
100 g de chocolat de couverture
20 g de beurre

20 g de glucose
1 œuf

Marmelade d'oranges :
500 g d'oranges
Grand Marnier

Sirop à 15° Beaumé :
500 ml d'eau
700 g de sucre

Il n'est pas forcément paradoxal d'imaginer un dessert léger mais qui contenterait les gourmands qui doivent surveiller leur ligne. Les fruits de caractère que sont la cerise et l'orange, l'une enrobée d'une légère pâte filo, l'autre en marmelade, devraient pouvoir confirmer cette hypothèse.

La griotte à chair ferme et sucrée se trouve à maturité de mi-mai à début juillet. Elle sert principalement aux conserves, au sirop ou à l'eau-de-vie, mais on peut aussi la consommer telle quelle, à cette réserve près qu'elle se conserve très difficilement au-delà de quelques jours. C'est pour vous permettre de freiner votre gourmandise naturelle – peut-on s'arrêter devant un saladier plein de cerises ? – que Jacques Lameloise a concocté ces petites papillotes où les griottes sont strictement comptées, parées de ganache et couvertes d'un habit croustillant. En principe, l'équilibre des saveurs doit être respecté entre le fruit et le chocolat, ce qui ne facilite guère la force de leurs tempéraments respectifs.

La ganache au chocolat doit avoir une consistance épaisse. Il vaut mieux la préparer la veille, car elle sera plus homogène et plus maniable. D'ailleurs, rien n'explique pourquoi ce savoureux mélange de chocolat et de crème porte le nom que l'on réserve aux vieillards stupides des vaudevilles, alors qu'à l'origine la ganache est tout simplement la partie postérieure de la machoire du cheval. Le vocabulaire de pâtisserie a parfois des énigmes…

L'orange en marmelade remporte toujours un vif succès lorsqu'on la sert avec le chocolat. Choisissez de préférence des oranges à peau fine, dont le Grand Marnier, résultant justement de la macération d'écorces d'oranges dans le cognac, saura sublimer le goût. Servez ce dessert à température ambiante.

1. Pour la ganache, faire bouillir la crème et y verser le chocolat. Ajouter le beurre, le glucose, puis l'œuf. Mélanger délicatement le tout à chaud.

2. Couper les oranges en tranches et les faire cuire 10 minutes dans un sirop à 15° Beaumé. Égoutter, mixer, puis détendre avec le jus des oranges parfumé au Grand Marnier.

oranges au Grand Marnier

3. Découper les feuilles de pâte filo en bandes de 4 cm de large. Badigeonner ensuite chaque feuille à l'aide d'un pinceau imbibé de beurre clarifié. La pâte pourra ainsi s'imprégner de matière grasse.

4. Déposer une cuillerée de ganache sur les bandes de pâte filo et placer dessus deux griottines. Fermer comme un papier bonbon et déposer le tout sur une plaque. Faire cuire 5 minutes environ au four à 200 °C. Saupoudrer de sucre glace. Servir avec une glace au chocolat et la marmelade d'oranges.

« Rödgröd »

Préparation   *30 minutes*
Cuisson   *25 minutes*
Difficulté   *

Pour 4 personnes

750 ml d'eau
750 g de baies (600 g de groseilles
75 g de framboises et 75 g de cassis)
1 gousse de vanille
180 g de sucre
50 g de Maïzena
50 g d'amandes effilées

Décoration :
crème fouettée
amandes mondées, hachées

Erwin Lauterbach nous confie qu'il a préparé spécialement ce dessert pour compléter sa contribution à « Eurodélices ». C'est donc une exclusivité que cette escapade gourmande, à vrai dire plus familiale que gastronomique. Il s'agit en fait d'un souvenir d'enfance : c'était la douceur préférée de notre chef, que sa grand-mère lui servait avant de l'envoyer dormir. Cette forte connotation personnelle se base de surcroît sur des livres de cuisine anciens dont les éminentes recommandations méritent le plus grand respect.

Les fruits rouges doivent être choisis très mûrs et très frais, avec un tri méthodique pour éliminer d'éventuels grains gâtés ou framboises abîmées. Si les groseilles méritent à elles seules de constituer la moitié de l'effectif, tout autre fruit rouge de

belle tournure pourra les accompagner dans ce mélange typiquement estival.

Afin de parfumer davantage encore ce dessert déjà très riche en saveurs, notre chef a choisi d'ajouter de la vanille et des amandes effilées, mais il reconnaît volontiers que cette précaution n'est pas indispensable, surtout si vous avez la chance de disposer de fruits assez goûteux. En revanche, toutes les traditions danoises rendent indispensable d'accompagner le rödgröd de crème fouettée.

Si vous intégrez quelques cerises bien noires à ce dessert, ce sera l'occasion de découvrir le Cherry Heering, cette excellente liqueur danoise dont on accompagne les crêpes et qui pourrait arroser délicatement le rödgröd.

1. Verser l'eau et les baies dans une casserole et porter à ébullition. Filtrer ce jus au chinois dans une autre casserole, porter à nouveau à ébullition et laisser frémir doucement.

2. Égrainer la gousse de vanille, puis ajouter les graines et la gousse fendue au mélange précédent. Sucrer à volonté.

aux amandes

3. Verser 200 ml de jus refroidi dans une casserole, puis ajouter la Maïzena. Bien mélanger au jus restant, porter à ébullition et incorporer les amandes effilées.

4. Faire refroidir rapidement la préparation dans un récipient plongé dans de l'eau froide en ayant pris soin de le couvrir. Verser le dessert refroidi dans une coupe et parsemer d'amandes hachées. Le rödgröd se sert avec de la crème fouettée.

Soufflé glacé aux figues

Préparation 20 minutes
Cuisson 10 minutes
Repos 6 heures
Difficulté ✶ ✶

Pour 4 personnes

8 figues séchées
100 ml d'armagnac
30 g de chocolat de couverture
75 g de sucre
150 ml d'eau

5 jaunes d'œufs
250 ml de crème fraîche

Tuiles : voir p. 312

Crème anglaise (voir p. 312) :
8 jaunes d'œufs
750 ml de lait
1 gousse de vanille
250 g de sucre glace
5 gouttes d'extrait de café

Les mille usages de la figue étaient déjà connus dans l'Antiquité. Elle apparaît souvent dans les classiques et l'on sait par exemple que les Romains l'utilisaient pour gaver les oies. Fraîche ou séchée, la figue est l'un des principaux fruits du bassin méditerranéen.

Les figues séchées se trouvent en toute saison, mais leur période optimale s'étend de septembre à novembre. On les prépare avec des fruits très mûrs et de belle taille, ce qui explique leur qualité. Elles reprendront vigueur et volume dans la marinade à l'armagnac, dont la forte présence évoque la Gascogne, ses cultures généreuses et l'inégalable appétit des célèbres Cadets. On pourrait d'ailleurs concevoir une variante où les figues céderaient leur place à des pruneaux… d'Agen, bien sûr.

L'appareil à bombe suppose quelque délicatesse au moment de traiter les jaunes d'œufs : toute chaleur excessive les fera durcir de manière irrémédiable. Notre chef vous recommande de les remuer rapidement tout en versant le sirop bouillant, de préférence hors du feu.

Pour obtenir un parfum assez typé, utilisez un chocolat de couverture comportant une bonne proportion de cacao (70 %, par exemple) et suivez à la lettre les instructions.

Les tuiles prendront forme à condition de les placer en gouttière dès leur sortie du four : comme elles sont très fines, elles refroidissent très vite et tout retard porterait préjudice au résultat final.

1. Tailler les figues en huit de manière à former de petits cubes. Les faire mariner 2 à 3 heures dans l'armagnac. Faire fondre le chocolat au bain-marie. Confectionner la pâte à tuiles en mélangeant la farine avec le beurre fondu et le blanc d'œuf. Incorporer les amandes en dernier.

2. Faire chauffer le sucre avec 150 ml d'eau. Verser ce sirop sur les jaunes d'œufs tout en mélangeant rapidement. Monter tout doucement au coin du feu. Réserver. Après 30 minutes de repos, étaler la pâte à tuiles sur une plaque beurrée et farinée. Laisser cuire 2 à 4 minutes au four à 200 °C. À la sortie du four, laisser reposer les tuiles dans une gouttière. Laisser refroidir complètement.

et armagnac

3. Mélanger la préparation tiède à base de jaune d'œuf avec les figues et le chocolat fondu. Laisser refroidir et incorporer la crème fraîche fouettée.

4. Répartir la préparation dans de petits moules et faire prendre au congélateur pendant 5 à 6 heures. Préparer la crème anglaise. Démouler les soufflés sur chaque assiette. Décorer de crème anglaise et de quelques gouttes d'extrait de café, puis dresser harmonieusement deux à trois tuiles par assiette.

Œufs à la neige

Préparation   *30 minutes*
Cuisson   *10 minutes*
Difficulté   ✳ ✳

Pour 4 personnes

1 l de lait entier
240 g de sucre
2 gousses de vanille
8 œufs
1 cuil. à café de Maïzena

Que serait la cuisine familiale sans une grand-mère ? Intarissable de conseils, puits de science culinaire et experte toutes catégories, la grand-mère laisse souvent un souvenir nuancé de plaisirs intenses et gourmands, de confidences et de tendresse.

Léa Linster ne fut pas en reste et cet hommage à sa propre grand-mère est un remarquable mélange d'émotions et de savoir-faire.

Traditionnellement, avant de commencer, sa mère-grand dérobait à son boulanger de mari le matériel adéquat : un récipient de cuivre pour monter les blancs, à l'aide d'un batteur primitif constitué d'un manche en bois et d'un ressort conique. D'ailleurs, la meilleure façon de monter les blancs est à la force du poignet. Évidemment, ces blancs proviendront d'œufs d'une grande fraîcheur et vous devrez les travailler en neige très ferme, afin que la cuisson ne risque pas de les déformer.

Vous avez sans doute remarqué que les îles flottantes médiocres présentent une regrettable élasticité : c'est d'une part l'effet du travail au batteur électrique, d'autre part l'indice qu'elles ont attendu de cuire trop longtemps. Il faut donc monter les blancs au dernier moment et les pocher sitôt qu'ils ont atteint leur consistance.

Pour garantir l'onctuosité de la crème anglaise, il est indiqué de lui adjoindre une cuillerée de Maïzena. Si cependant l'ensemble vous paraît trop épais en fin de cuisson, versez-le rapidement dans un mixeur avec un peu de crème froide ; vous lui donnerez ainsi la fluidité requise. Et pour être fidèle à la tradition, utilisez uniquement de la vanille authentique et non de l'arôme artificiel.

1. Verser le lait dans un récipient en cuivre avec 100 g de sucre et la gousse de vanille fendue. Porter à ébullition. Séparer les blancs des jaunes d'œufs. Monter les blancs en neige bien ferme avec 50 g de sucre.

2. Former les blancs en quenelles à l'aide de deux cuillères à soupe. Les pocher dans le lait 3 minutes de chaque côté en prenant soin de ne pas les faire bouillir. Égoutter.

de ma grand-mère

3. Travailler les jaunes d'œufs avec le restant de sucre, puis ajouter 1 cuil. à café de Maïzena. Passer le lait au chinois, verser sur les jaunes et cuire comme une crème anglaise (voir p. 312). Laisser refroidir.

4. Verser une louche de crème anglaise dans une coupelle et poser par-dessus deux quenelles de blancs d'œufs. Servir frais.

Tarte à la

Préparation — *1 heure 30 minutes*
Cuisson — *30 minutes*
Difficulté — ★ ★

Pour 8 personnes

1 l de lait
100 g de semoule de blé dur (graine fine)
1 gousse de vanille
100 g de sucre
30 g de lait concentré sucré
2 cuil. à soupe de crème fleurette

1 cuil. à soupe de crème double
3 œufs

Pâte levée :
30 g de levure
500 g de farine
3 œufs
200 g de beurre
80 g de sucre
10 g de sel

La profusion des salons de thé, à Luxembourg même et dans tout le grand-duché, explique certainement la multiplicité des recettes de tartes et de gâteaux que connaît la gastronomie locale. La tarte à la semoule de Léa Linster, prévue en double pour les grandes tablées dominicales, est assurément l'une des plus simples et des plus légères, en même temps qu'elle constitue pour notre chef une difficile reconquête de son patrimoine familial : son père avait disparu trop tôt pour transmettre ses secrets culinaires et sa mère ne se rappelait plus les proportions, si bien qu'il lui a fallu réinventer seule ce dessert qu'elle adorait dans son enfance.

Si vous suivez convenablement les consignes, votre succès est assuré. Il faut partir d'une semoule de blé dur à graine fine, qui vous garantit que la tarte ne sera pas trop consistante et bien digeste. Pour obtenir comme on le souhaite un dessert mousseux et crémeux, il faut légèrement fouetter la crème fleurette avant son incorporation au mélange, ainsi que les œufs dont la consistance optimale se rapprochera d'une mousse moyenne.

De multiples variantes sont bien sûr envisageables, ne serait-ce qu'en parfumant la préparation des arômes de votre choix : vanille, cannelle ou caramel seront ainsi les bienvenus, ou même des raisins secs préalablement macérés dans quelque liqueur ou alcool.

Selon les circonstances, la tarte à la semoule peut être servie tiède ou froide, en dessert classique, ou en accompagnement d'un thé ou d'une tasse de café. S'il en reste, les morceaux feront bonne figure sur le plateau d'un petit déjeuner, mais n'y comptez pas trop.

1. Pour la pâte levée, faire un levain avec la levure délayée dans un peu d'eau et un quart de la farine. Laisser gonfler. Ajouter les œufs, le beurre en pommade, le sucre, le sel et le restant de farine. Bien travailler et laisser reposer 1 heure à température ambiante. Faire bouillir le lait, ajouter la semoule, la vanille, le sucre et cuire 4 à 5 minutes.

2. Ajouter à la semoule le lait concentré sucré, la crème fleurette battue, la crème double et les œufs battus. Verser dans un récipient en inox et laisser tiédir.

semoule

3. Étaler la pâte sur une épaisseur de 0,5 cm et foncer un moule de 20 cm de diamètre préalablement beurré. Laisser reposer 15 minutes.

4. Garnir le fond de la tarte avec l'appareil à base de semoule et cuire environ 30 minutes au four à 170 °C. Sortir du four et laisser refroidir. Couper en parts et déguster en dessert ou avec un thé, un chocolat chaud ou un café.

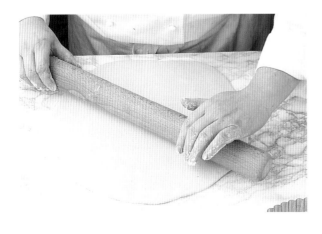

Tarte tiède

Préparation | 1 heure
Cuisson | 45 minutes
Difficulté | ✶ ✶

Pour 8 personnes

Pâte sucrée :
150 g de beurre
100 g de sucre glace
30 g de poudre d'amandes
1/2 cuil. à café de vanille liquide
2 œufs
250 g de farine

Glace à la vanille et au gingembre :
1 l de lait

1 gousse de vanille
25 g de gingembre frais finement râpé
12 jaunes d'œufs, 150 g de sucre

Sauce caramel :
100 g de sucre, 100 ml d'eau
150 g de crème fleurette

Farce :
300 g de crème de marrons
50 g de beurre
60 g de sucre
100 ml de rhum
5 jaunes d'œufs
150 g de sucre
2 œufs

En cuisine, on entend par marron non pas le marron d'Inde, fruit du marronnier que l'on rencontre souvent sur les voies publiques, mais une variété améliorée et domestiquée de châtaignes dont la bogue ne comporte qu'un seul fruit très charnu. Les châtaigniers sauvages donnent en effet des fruits de taille variable, souvent géminés, dont l'usage est plus délicat.

L'importance du châtaignier fut essentielle au cours des siècles dans des régions pauvres en blé comme la Sardaigne, la Corse ou le Massif Central, où les paysans le surnommaient « arbre à pain ». Les fortes qualités nutritionnelles de la châtaigne, en particulier dans les desserts, ont été très tôt reconnues : le phosphore et la vitamine B qu'elle contient tonifient le système nerveux. Il faut pourtant 8 ans de croissance à cet arbre pour donner des fruits d'un calibre suffisant.

La confection de la pâte à tarte ne présente pas de difficulté. Il peut être intéressant de la préparer la veille et de la laisser reposer au froid. Vous la sortirez une demi-heure avant de la mettre à plat, le plus finement possible. La manipulation du sabayon, très fragile, demande un peu plus de délicatesse, surtout pour l'incorporer à la crème de marrons tout en lui conservant sa consistance mousseuse.

Si vous souhaitez présenter une variante originale de cette tarte, vous pouvez la réaliser dans les mêmes conditions avec une purée de lentilles vertes du Puy qui surprendra certainement vos convives.

1. Pour la pâte sucrée, travailler le beurre en pommade avec le sucre glace. Ajouter la poudre d'amandes, la vanille, les œufs et la farine. Laisser reposer au frais 1 heure. Foncer le moule et cuire la pâte à blanc au four à 200 °C. Pour la glace, faire bouillir le lait avec la vanille et le gingembre. Laisser infuser.

2. Blanchir les jaunes d'œufs avec le sucre. Verser le lait vanillé sur cette préparation et faire cuire le tout. Passer au chinois. Mélanger vivement, puis verser dans la sorbetière. Pour la sauce caramel, faire caraméliser 100 g de sucre avec 100 ml d'eau, puis incorporer la crème. Réserver.

aux châtaignes

3. Pour la farce, faire ramollir la crème de marrons avec le beurre, 60 g de sucre et le rhum. Confectionner un sabayon à froid avec les jaunes d'œufs, l'œuf entier et 150 g de sucre. Lorsque cette préparation prend une consistance plus épaisse, l'amalgamer délicatement au mélange à base de marrons.

4. Verser la farce sur le fond de tarte précuit. Faire cuire environ 15 minutes dans un four préchauffé à 200 °C. Surveiller attentivement la cuisson, car la tarte doit rester bien moelleuse. Servir la tarte froide ou tiède accompagnée de glace à la vanille. Présenter la sauce caramel à part.

Préparation   15 minutes
Cuisson   45 minutes
Difficulté   ✴ ✴

Pour 6 personnes

4 œufs
175 g de sucre
1 zeste de citron vert
100 g de farine
30 g de fécule
25 g de beurre

25 g de sucre
sel
vinaigre

Ce biscuit, certainement l'un des plus beaux fleurons de la gastronomie savoyarde, aurait été créé en 1348 par Maistre Chiquart, maître queux du comte Amédée VI de Savoie. Guy Martin, fier de ses origines savoyardes, le prépare uniquement dans le moule en fonte véritable que lui ont offert à son départ du château de Divonne-les-Bains des amis restaurateurs d'Albertville. Ces deux éléments se conjuguent pour faire du biscuit de Savoie du Grand Véfour une exceptionnelle pâtisserie, marquée d'enthousiasme et de passion.

Sa préparation est assez facile et son moelleux se conserve plusieurs jours durant. Vous le consommerez en tranches fines. Les masses légères doivent être travaillées avec délicatesse : les

blancs montés en neige ne peuvent être mélangés que du bas vers le haut, de préférence avec une spatule en métal. Vous pouvez, selon votre goût, verser dans la pâte une épice en poudre, par exemple du gingembre ou de la muscade, pourvu que ce soit avec discrétion.

Il ne faut pas confondre ce biscuit avec le gâteau de Savoie ! Guy Martin rappelle qu'une cuisson homogène du biscuit ne peut s'obtenir qu'en opérant au cours de la cuisson des rotations régulières du moule dans le four. Son démoulage sur une grille permet de laisser échapper la vapeur d'eau, mais le conserver dans le four le dessécherait. Il ne peut se déguster qu'après quelques heures de repos.

1. Séparer les jaunes des blancs d'œufs et fouetter fortement les quatre jaunes avec 100 g de sucre pour bien blanchir l'appareil.

2. Râper le zeste du citron et l'incorporer aux jaunes d'œufs avec 50 g de farine et 15 g de fécule. Beurrer et sucrer un moule à biscuit de Savoie ou à génoise.

Savoie

3. Dans un récipient en cuivre passé au sel et au vinaigre, puis rincé à l'eau claire, monter les quatre blancs d'œufs en neige et incorporer les 75 g de sucre restants.

4. Incorporer la moitié des blancs, puis la farine et la fécule restantes au mélange de jaunes d'œufs et de farine. Incorporer ensuite le reste des blancs. Verser le mélange dans le moule et cuire au four 45 minutes à 180 °C. À la sortie du four, démouler le biscuit avec beaucoup de précautions.

Préparation   20 minutes
Cuisson   10 minutes
Difficulté   ★

Pour 8 personnes

500 g de framboises

Fromage blanc :
300 g de fromage blanc
95 g de sucre
2 feuilles de gélatine
130 ml de crème fouettée

Pâte sablée :
60 g de farine
50 g de beurre demi-sel
20 g de jaune d'œuf
40 g de sucre
2 g de sel
5 g de levure chimique
15 g de poudre d'amandes
sucre glace

Coulis de framboises :
500 ml de mousse de framboises
125 ml de sirop à 30 °Beaumé

L'harmonie du fromage blanc et de la plupart des fruits rouges, riches en vitamine C, donne des desserts légers et faciles à élaborer, que l'on peut préparer en toute saison et dont le goût séduira tous les convives.

Le fromage blanc, par sa teneur en matières grasses, se révèle un compagnon idéal pour les fruits dont il adoucit l'acidité. Le servir avec un gâteau sec – ici un sablé préparé avec du beurre demi-sel – crée un délicieux contraste entre la texture onctueuse du fromage et le croquant du gâteau. Tous ces éléments contribuent au parfait équilibre de ce dessert.

Le coulis de fruits rouges, où peuvent figurer des cassis, des mûres, des groseilles, des framboises, etc., doit être passé au tamis pour en éliminer toutes les petites graines. On pourrait le cas échéant préparer ce même dessert avec des figues ou des coings, qu'accompagnerait avec bonheur un coulis de pommes.

Chacun de nous retrouvera, au moment de déguster ce dessert très évocateur, des souvenirs d'enfance qui se rattachent à d'émouvantes occasions gourmandes. Guy Martin n'échappe pas à cette règle et se rappelle le délicieux moment où le sucre glace poudrait sa chemise…

1. Mélanger le fromage blanc avec le sucre et bien fouetter. Ajouter la gélatine fondue, puis incorporer la crème fouettée.

2. Chemiser des moules avec la préparation au fromage blanc, déposer trois framboises dans chaque moule et recouvrir de préparation au fromage blanc. Réserver au frais.

fromage blanc

3. Pour la pâte sablée, malaxer la farine et le beurre, puis les incorporer au mélange de jaune d'œuf, de sucre, de sel, de levure et de poudre d'amandes. Étaler la pâte et la découper à l'emporte-pièce en forme de lunette. Cuire au four à 180 °C pendant 10 minutes. Saupoudrer de sucre glace. Pour le coulis de framboises, mélanger la mousse avec le sirop à 30 °Beaumé.

4. Disposer les framboises en forme de grappe et napper de coulis le fond de l'assiette. Avec un peu de fromage blanc détendu, dessiner quelques arabesques. Disposer le fromage blanc démoulé sur le coulis. Présenter à part la lunette avec un peu de coulis.

Noyer mère

Préparation   45 minutes
Cuisson   45 minutes
Difficulté   ✱

Pour 6 personnes

6 œufs, blancs et jaunes séparés
250 g de sucre
250 g de noix concassées
1 cuil. à café de chapelure

Crème aux œufs :
10 jaunes d'œufs
100 g de sucre
100 ml d'eau
1 bâton de cannelle

Praliné aux noix :
100 g de sucre
jus de citron
40 g de noix

Crème Chantilly :
500 ml de crème fleurette
80 g de sucre

Pour conjurer sans doute le péché de gourmandise, les douceurs portugaises évoquent la religion, les saints ou la toute-puissance divine – « ventres de nonnes », « lard du ciel », et ici « noyer mère de Dieu » : il en existe plus de 200 variétés sur tout le territoire. Cette tradition n'est guère étonnante pour un pays maillé d'un réseau très serré d'abbayes et de couvents qui, jusqu'aux XVIIe et XVIIIe siècles, jouèrent un rôle essentiel dans le développement de l'agriculture et de l'élevage.

Dans cette recette s'affrontent avec bonheur deux produits très monastiques : l'œuf (dont il existe des milliers d'apprêts, salés et sucrés) et la noix qui prolifère à Cascais, près de Lisbonne. Comme à l'ordinaire, les noix fraîches n'aiment pas dévoiler la consistance exacte de leur fruit et ce n'est qu'après avoir cassé leur écorce que vous pourrez vous assurer qu'elles ne sont pas rances ni trop sèches. Cette précaution est importante, car il suffit d'une noix un peu trop avancée pour gâter l'effet d'ensemble produit par ce dessert.

Vous aurez plaisir à parfumer de cannelle la crème aux œufs qui garnit ce biscuit. On doit bien cet hommage au navigateur portugais Vasco de Gama, hardi découvreur de terres lointaines qui permit l'ouverture de la route des épices et l'apparition en Europe de substances aromatiques ignorées jusque-là.

Il reste encore à décliner bien des articles de l'arsenal gourmand portugais. Tous réclament, en principe, une prière préalable…

1. Pour la crème aux œufs, passer les jaunes d'œufs au chinois. Dans une casserole, préparer un sirop avec le sucre, l'eau et le bâton de cannelle. Laisser refroidir, puis enlever la cannelle. Verser les jaunes d'œufs et remuer rapidement en zigzag sur feu doux avec une spatule en bois pour rendre les œufs bien crémeux. Ne jamais laisser bouillir.

2. Beurrer et tapisser de papier sulfurisé beurré un moule de 22 cm de diamètre sur 6 cm de haut. Fariner. Dans un récipient, blanchir les jaunes d'œufs et le sucre, puis ajouter les noix concassées et la chapelure. Monter les blancs et les incorporer. Garnir le moule et cuire 30 minutes au four à 160 °C.

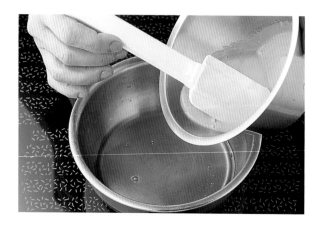

de Dieu

3. Pour le praliné aux noix, chauffer dans une casserole le sucre et quelques gouttes de citron, puis ajouter les noix. Lorsque le caramel tourne au brun, le verser sur une plaque huilée. Laisser refroidir, puis le partager en deux. À l'aide d'un rouleau, écraser une moitié en morceaux. Réduire l'autre moitié en poudre au mixeur.

4. Sortir le biscuit du four, démouler et laisser refroidir sur une grille. Couper en deux le biscuit dans l'épaisseur et le garnir de crème aux œufs dans laquelle on aura ajouté la partie de praliné aux noix finement hachée. Masquer de crème Chantilly et saupoudrer de praliné aux noix concassé.

Charlotte au chocolat

Préparation	2 heures
Cuisson	2 heures
Difficulté	★ ★ ★

Pour 4 personnes

Mousse au chocolat blanc :
3 feuilles de gélatine
100 g de chocolat blanc
1 œuf, 2 jaunes d'œufs
20 ml de rhum blanc
250 ml de crème fleurette

Mousse aux fruits de la Passion :
300 g de pulpe de fruits de la Passion
40 ml de Cointreau

4 feuilles de gélatine
2 blancs d'œufs
150 g de sucre, 330 ml de crème fleurette

Gelée au mascoto :
350 ml de mascoto (vin)
50 g de sucre
3 feuilles de gélatine

Glace au Cointreau :
1 l de lait
1 l de crème fleurette
1 gousse de vanille
30 jaunes d'œufs, 400 g de sucre
300 ml de Cointreau

Décoration :
chocolat noir
1 mini-ananas
menthe

Dieter Müller a largement favorisé la promotion du chocolat blanc en Allemagne, et l'on ne doute pas qu'il parvienne à faire encore de nouveaux adeptes au moyen de ce dessert exotique et coloré, qui marie à la douceur de cette confiserie le goût plus acidulé du fruit de la Passion. Passion en effet de ce chef très inventif pour les produits de qualité, de quelque horizon qu'ils viennent, et pour la découverte constante de nouvelles combinaisons de teintes et de saveurs.

L'alliance du chocolat blanc et de la mousse aux fruits de la Passion (ainsi nommés car les stigmates et les pistils de leur fleur évoquent les instruments de la passion du Christ – couronne d'épines et clous) ne produit pas un effet très coloré – qu'importe ! Voici une fine grille confectionnée dans un chocolat noir qui va souligner comme un galon notre

délicate charlotte. Ce serait un péché que d'omettre le petit ananas, originaire de la Réunion, qui complètera la décoration avec quelques quartiers traités en carpaccio. Son arôme est très concentré, ce qui le fait apprécier des amateurs et contribue efficacement au succès de ce dessert. À défaut, vous pourrez choisir un gros ananas, s'il est lourd et donc suffisamment gorgé de sucre.

Notre chef insiste sur la consistance à respecter pour la mousse au chocolat blanc, absolument sans sucre, qui doit être à peu près liquide avant de passer au froid. Elle produit ainsi une substance souple bien accordée au moelleux de la glace au Cointreau qui l'accompagne et permet d'apprécier à nouveau cette liqueur d'oranges unissant les fruits amers des Antilles à leurs doux homologues de Méditerranée. Ses 40° d'alcool donneront à la charlotte une tonicité bienvenue.

1. Faire fondre au bain-marie le chocolat noir. Tracer au cornet des lignes diagonales sur des bandes de papier sulfurisé. Laisser durcir, puis détacher le papier de la grille de chocolat. Pour la mousse au chocolat, faire ramollir la gélatine à l'eau froide. Faire fondre le chocolat blanc au bain-marie. Ajouter les œufs, la gélatine, le rhum et la crème.

2. Verser 2 cm de mousse au chocolat dans des moules de 8 cm de diamètre. Réserver au frais. Pour la mousse aux fruits de la Passion, réchauffer un peu de pulpe de fruits, puis incorporer le Cointreau et la gélatine ramollie à l'eau. Mélanger le tout au restant de pulpe. Faire une meringue : monter les blancs, verser le sucre cuit et laisser refroidir. Mélanger la meringue avec les fruits et la crème.

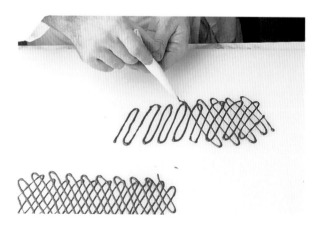

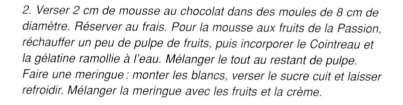

blanc et fruits exotiques

3. Verser 2 cm de mousse de la Passion dans les moules, sur la mousse au chocolat. Placer au frais. Pour la gelée, faire chauffer le mascoto, puis ajouter le sucre et la gélatine ramollie hors du feu. Laisser refroidir. Glacer le dessus des charlottes. Pour la glace au Cointreau, faire bouillir le lait, la crème et la gousse de vanille. Verser sur le mélange de jaunes d'œufs et de sucre, ajouter le Cointreau et cuire en remuant.

4. Laisser refroidir et turbiner (ou mettre dans la sorbetière) la glace. Déposer de fines lamelles d'ananas au fond de l'assiette. Démouler au centre une charlotte et l'entourer d'une grille de chocolat noir. Décorer d'une julienne de feuilles de menthe. Servir à part une quenelle de glace au Cointreau accompagnée d'une baguette de chocolat noir roulé.

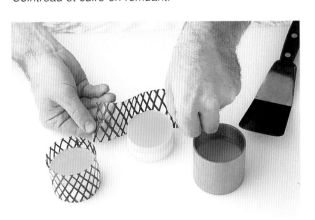

Soufflé à la banane et au

Préparation	2 heures
Cuisson	15 minutes
Difficulté	★ ★

Pour 4 personnes

60 g de beurre
60 g de sucre
2 œufs, blancs et jaunes séparés
2 bananes
jus d'1/2 citron
25 g d'amandes grillées
20 g de chocolat râpé
10 g de Maïzena

Sabayon au cacao :
1 cuil. à soupe de cacao en poudre
3 jaunes d'œufs

40 g de sucre
60 ml de lait
20 ml de crème de cacao

Agrumes :
1 cuil. à café de confiture d'oranges
20 ml de Grand Marnier
3 oranges non traitées
2 pamplemousses
   roses non traités
4 kumquats

Décoration :
cacao en poudre
sucre glace
8 feuilles de basilic

La cuisine est-elle autre chose qu'un jeu de société dont les pions sont des aliments ? Voilà bien ce que semble nous dire Dieter Müller en présentant sur un damier ce soufflé à la banane inspiré d'un flan qu'il découvrit au petit déjeuner lors d'un séjour aux États-Unis.

Ce dessert s'accompagne surtout d'agrumes, à commencer par le citron familier, sympathique et bien ferme dans sa robe jaune. Sa grande sœur l'orange se déclinera sous deux formes, en confiture et zestes confits, et c'est un digne traitement pour ce fruit millénaire qui reste le symbole de la vitamine. Mais faut-il oublier pour autant ce petit cousin exotique que l'on appelle « orange naine » ou kumquat, assez proche du citron vert ? On le coupe en deux pour faire apparaître son intérieur assez pauvre en chair mais riche en pépins, et son goût très

prononcé marque nettement la marinade. Si les autres fruits de la même famille ne figurent pas expressément dans la recette, vous pouvez quand même les y inclure : mandarine, clémentine, cédrat…

Le soufflé lui-même, qui est la pièce maîtresse de notre jeu, se prépare avec une banane de première qualité. Ce fruit des Tropiques, surtout originaire des Antilles et d'Amérique du Sud, est présent toute l'année sur nos marchés, mais avec des qualités diverses : les bananes voyagent avant maturité et terminent leur croissance en Europe dans des mûrisseries, si bien que leur incomparable parfum ne se développe pas toujours avec l'intensité que l'on pourrait souhaiter. Il faut donc les choisir avec attention, pour que la qualité du soufflé ne compromette pas la saveur générale de ce superbe dessert.

1. Travailler le beurre, 20 g de sucre, les jaunes d'œufs et bien mélanger. Éplucher les bananes et les mixer avec le jus d'un demi-citron pour en faire une purée. L'ajouter au mélange précédent avec les amandes grillées finement hachées, le chocolat râpé fin et la Maïzena. Monter les blancs en neige avec les 40 g de sucre restants et les incorporer.

2. Verser tous les ingrédients du sabayon au cacao dans un récipient et le monter au bain-marie. Faire fondre doucement la confiture d'oranges sur le feu, puis ajouter le Grand Marnier.

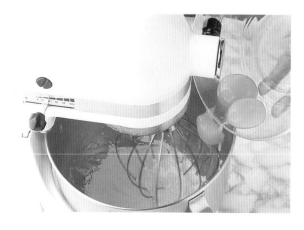

chocolat, sirop de fruits

3. Beurrer quatre moules, les sucrer et les remplir de la préparation de soufflé. Cuire au bain-marie 12 minutes au four à 170 °C. Éplucher oranges et pamplemousses. Récupérer les peaux, les tailler en zestes et les blanchir. Ouvrir les kumquats en deux. Mettre le tout à cuire 3 minutes dans un sirop de sucre.

4. Dessiner au pochoir un damier avec du cacao et du sucre glace. Sur la partie supérieure de l'assiette, disposer harmonieusement un bouquet de fruits frais. Napper de confiture, déposer une feuille de basilic et finir avec le sabayon. Démouler au dernier moment le soufflé sur le damier.

Sorbet de coing au romarin,

Préparation	*40 minutes*
Cuisson	*25 minutes*
Difficulté	✳ ✳

Pour 4 personnes

500 g de coings frais
1 cuil. à café de romarin
sucre
1 citron non traité
300 g de rhubarbe fraîche
200 g de baies de cassis
1 cuil. à café de liqueur de cassis
1 petit verre de liqueur de coing

Tuiles (voir p. 312) :
20 g de farine
2 œufs
100 g de sucre
100 g d'amandes effilées
épices (à volonté)

Cette recette n'aurait pas vu le jour sans l'étonnante fertilité du cognassier que Jean-Louis Neichel a planté dans son jardin. Le curieux petit fruit jaune qu'est le coing (*cydonia vulgaris* pour les savants) réserve ainsi d'excellentes surprises malgré l'ingratitude apparente de sa chair et sa difficile conservation. Le coing ne se laisse pas consommer cru : il faut en faire des confitures, des pâtes ou des sirops. Certaines préparations de coing ont acquis une gloire légitime, tel le cotignac d'Orléans, une confiture de coing et d'orange amère déjà fort prisée de Louis XIV et renommée de par le monde.

Il existe, pour simplifier, trois variétés de coings, dont la plus grosse est celle de vranga (jusqu'à 1 kg par fruit !). Si l'expression « jaune comme un coing » s'emploie souvent sur le mode péjoratif, c'est bien dommage pour ce fruit qui mériterait une considération plus appuyée. Par exemple, certaines communautés juives préparent au Nouvel An des coings cloutés de girofle qui circulent pendant les prières et dont le parfum nuance agréablement l'office.

Vous le cuirez très doucement, bien plus longtemps qu'une pomme, et de préférence à couvert pour éviter l'évaporation du jus de cuisson. Vous confectionnerez ainsi une compote ambrée assez délectable dont vous n'aurez pas grand-peine à faire un sorbet.

La rhubarbe plaît sans doute à notre chef en raison de ses attaches alsaciennes : c'est en effet dans le centre de l'Europe (Allemagne et Suisse) que l'on apprécie le plus ce fruit. Il bénéficie de deux récoltes par an et son excellence en matière digestive est universellement reconnue.

1. Peler les coings et les cuire 15 minutes à feu doux avec 1 cuil. à café de romarin, du sucre et du jus de citron. Remuer le tout dans le jus.

2. Peler et faire cuire la rhubarbe. La couper en petits morceaux avec du sucre pour obtenir la consistance d'une compote. Laisser refroidir.

compote de rhubarbe

3. Faire cuire quelques minutes les baies de cassis avec un peu de sucre. Mixer et passer au chinois. Rajouter quelques gouttes de liqueur de cassis et du jus de citron. Verser le coulis de coing dans la sorbetière avec la liqueur de coing. Rajouter du sirop si besoin et mixer.

4. Étaler la pâte à tuiles en petits ronds saupoudrés d'épices sur une plaque à pâtisserie. Passer au four quelques minutes. Servir dans une assiette creuse avec d'un côté la compote de rhubarbe et le sorbet de coing, et de l'autre le coulis de cassis. Décorer d'un brin de romarin et d'une tuile.

Tarte de figues fraîches,

Préparation	*30 minutes*
Cuisson	*25 minutes*
Difficulté	★

Pour 4 personnes

200 g de pâte feuilletée (voir p. 312)
300 g de figues violettes fraîches
10 g de beurre
50 g d'amandes effilées
200 ml de crème fouettée à la cannelle
50 ml de liqueur de noisettes

Crème pâtissière au kirsch :
1 gousse de vanille
250 ml de lait
50 g de sucre
2 jaunes d'œufs
20 g de Maïzena
50 ml de kirsch

Parmi les innombrables artistes qui ont illustré la Catalogne (Picasso, Pablo Casals, Gaudí), la ville de Figueras s'enorgueillit d'avoir donné le jour à Salvador Dalí et lui consacre son unique musée. Cette gloire essentielle ferait presque oublier l'autre production de Figueras, à savoir tout bonnement les figues ! Jean-Louis Neichel est sans doute amateur d'art, mais il apprécie tout autant les vertus de ces petits fruits grenus et juteux dont la robe élastique abrite une chair savoureuse et colorée.

C'est en raison de la finesse de sa peau que notre chef a choisi pour cette tarte la figue violette, que James de Coquet appelait jadis « le caviar du pauvre ». Avant d'en arriver là, Jean-Louis Neichel a beaucoup travaillé la figue dans des préparations à base de viande. À la faveur de cette expérience, il nous propose de mettre en valeur l'arôme du fruit au moyen de la cannelle,

dont un abus serait préjudiciable au goût de l'ensemble, mais dont on pourra savourer la discrète âpreté dans la crème pâtissière qui recouvre le fond de tarte. Encore plus chic : vous devriez additionner la crème fouettée d'un filet de liqueur de cannelle ou de noisettes.

Les figues doivent être mûres mais encore assez fermes pour former de jolies rondelles à la découpe. Si tel est bien le cas, vous pourrez les faire revenir au beurre noisette avant de les disposer sur la tarte, dont le montage s'effectue complètement à froid.

Ce procédé s'inspire d'une recette de tarte aux pommes d'Alain Chapel ; on l'appliquera volontiers à des tartelettes individuelles. Les formes rondes seront enveloppées de pâte feuilletée et cuites pendant 20 minutes au four à 220 °C.

1. Pour la crème pâtissière, faire infuser la vanille dans le lait, puis faire bouillir. Mélanger les autres ingrédients, excepté le kirsch. Ajouter le lait bouillant, puis remettre sur le feu jusqu'à ébullition en remuant à la spatule. Retirer la gousse de vanille et ajouter le kirsch. Recouvrir le fond de pâte feuilletée cuite de crème pâtissière et laisser refroidir.

2. Laver et couper les figues en rondelles. Conserver à part les rondelles les plus présentables.

crème à la cannelle

3. Faire sauter les figues en plusieurs fois dans une poêle antiadhésive avec une noisette de beurre. Passer sous le gril les amandes effilées.

4. Pour garnir la tarte, disposer les rondelles de figues en rosace sur la crème pâtissière. Saupoudrer d'amandes effilées grillées. Servir avec la crème fouettée à la cannelle et la liqueur de noisettes.

Délice

Préparation   20 minutes
Cuisson   10 minutes
Difficulté   ★

Pour 4 personnes

4 pommes golden
4 noix de beurre
4 cuil. à soupe de sucre
2 cuil. à soupe de rhum brun

Glace à la vanille :
500 ml de lait
6 jaunes d'œufs
125 g de sucre
1 bâton de vanille de Bourbon

La pomme est le fruit par excellence. Adulée par les uns, redoutée par les autres, elle n'a jamais fait défaut à l'homme qui la déguste et l'apprécie depuis la plus haute Antiquité. Même si vous ne connaissez qu'une trentaine de variétés de pommes qui figurent sur nos marchés, il en existe plus d'une centaine, dont quelques-unes ont hélas disparu. Elles portent des noms évocateurs ou bucoliques dont on aurait bien du mal à se lasser : canada, calville, clochard, reinette, etc.

La golden est assez récente, puisqu'on l'a découverte en 1912 aux États-Unis. D'une couleur unie qui va du jaune au vert selon son degré de maturité, elle est disponible toute l'année et présente une chair fine, juteuse et sucrée qui devient fondante à la cuisson. Pour notre recette, il faut des goldens de bon calibre assez mûres et savoureuses. Rappelons que la peau des pommes contient une bonne proportion de vitamine C et qu'il ne faut pas l'enlever systématiquement.

Le caramel à confectionner est un caramel blond, avec une égale proportion de beurre et de sucre, car un caramel brun serait amer. Mais le principal atout de ce dessert, c'est l'harmonie entre les pommes cuites et la vanille, dont l'origine nous ramène aux Aztèques. Les gousses de cette orchidacée tropicale doivent être souples, charnues et très odorantes. La gloire de la vanille a longtemps attiré la convoitise et suscité l'invention de divers substituts. Seule la vanille de l'île de Bourbon est digne de parfumer ce dessert, qu'en un sympathique hommage, Pierre Orsi a baptisé du prénom de son épouse.

1. Éplucher les goldens et en éliminer les pépins et les cartilages. Les couper en segments de 0,5 cm d'épaisseur. Pour la glace, porter le lait à ébullition. Mélanger à part six jaunes d'œufs avec le sucre jusqu'à obtenir un ruban. Gratter la gousse de vanille dans le lait, verser dans le mélange d'œufs et de sucre, puis remuer. Faire cuire 3 minutes à 90 °C. Faire refroidir et laisser reposer.

2. Dans une poêle antiadhésive, faire fondre le beurre et le sucre pour obtenir un caramel blond.

Geneviève

3. Placer les morceaux de pommes dans la poêle et les faire sauter pour avoir une cuisson uniforme.

4. Lorsque les pommes sont tendres, ajouter le rhum, faire flamber et retirer du feu. Déposer au centre de l'assiette une grosse boule de glace à la vanille. Disposer les pommes autour et servir immédiatement.

Framboises et

Préparation — 1 heure
Cuisson — 3 minutes
Difficulté — ✷

Pour 4 personnes

300 g de fraises gariguettes
300 g de framboises
4 cuil. à café de Grand Marnier
50 g de sucre

Glace à la vanille :
500 ml de lait
6 jaunes d'œufs
125 g de sucre
1 bâton de vanille

On pourrait croire que cette recette nous vient de Russie, puisque son titre évoque l'impériale dynastie qui engendra des tsars pendant quatre siècles jusqu'à l'année tragique de 1917. Peine perdue : c'est aux États-Unis que le dessert était en vogue dans les années 1960 et c'est là-bas que notre chef l'a découvert.

La coutume veut d'ailleurs que le maître d'hôtel achève en salle sa préparation. Les fraises et les framboises écrasées sont mélangées à du sucre brun, puis additionnées d'une crème épaisse aromatisée à la vodka (d'où vient peut-être la référence aux Romanov). Comme on le voit, Pierre Orsi fait subir à cette tradition quelques savoureux changements.

Il recommande surtout de choisir d'excellents fruits : la gariguette, par exemple, petite fraise d'un rouge profond qui

apparaît sur les marchés du mois d'avril au mois d'octobre. Lorsque sa taille est trop grosse, elle manque de goût et vous lui préférerez des fruits de calibre moyen, mais savoureux. Il en est de même pour la framboise, odorante et douce, beaucoup plus riche en vitamine et sels minéraux qu'il n'y paraît. Sa véritable saison est terriblement courte, mais il existe aujourd'hui d'excellentes framboises congelées qui vous permettront de préparer ce dessert toute l'année.

On dit que les fruits rouges mettent en joie ceux qui les consomment et chacun sait qu'en France tout finit par des chansons. C'est donc le moment de reprendre en chœur un vieux refrain populaire :

« Ah ! Les fraises et les framboises !
Et le bon vin que nous avons bu… »

1. Équeuter les fraises, les essuyer et les couper en lamelles, puis les déposer dans un saladier froid. Incorporer les framboises. Arroser le tout de Grand Marnier.

2. Incorporer le sucre à la préparation de fruits, bien mélanger le tout pour faire fondre le sucre et mettre au frais.

fraises Romanov

3. Pour la glace à la vanille, porter le lait à ébullition. Pendant ce temps, mélanger six jaunes d'œufs avec le sucre jusqu'à l'obtention d'un ruban. Gratter la gousse de vanille dans le lait, puis verser le tout sur le mélange d'œufs et de sucre en remuant. Verser à nouveau le contenu dans la casserole et faire cuire 3 minutes à 90 °C. Laisser refroidir et mettre à congeler dans la sorbetière.

4. Écraser au mixeur les framboises et les fraises sucrées. Passer au chinois, puis réserver au froid. Déposer une boule de glace à la vanille dans une coupe en cristal très froide. Placer quelques morceaux de fruits tout autour avec un cordon de coulis de fruits rouges.

Fondant de marrons

Préparation	45 minutes
Cuisson	15 minutes
Difficulté	✶

Pour 4 personnes

250 g de purée de marrons au naturel
120 g de sucre glace
250 g de chocolat de couverture noir
70 g de beurre

Sauce noisette
1 portion de crème anglaise, p. 312 :
100 g de noisettes
250 ml de lait
4 jaunes d'œufs
40 g de sucre
50 g de pâte de pralin

Le marron, c'est-à-dire la châtaigne à bogue unique (et non le fruit non comestible du marronnier d'Inde), a longtemps été l'une des seules ressources alimentaires des pays méditerranéens victimes de famines. Réduits en soupe ou en bouillie, les marrons sont emplis de principes énergétiques. Les fruits peuvent être récoltés d'octobre à novembre ; ils doivent présenter une écorce lisse et brillante, parfaitement convexe.

Une fois cette écorce enlevée, il subsiste une peau filandreuse qu'il est plus facile d'éliminer après un rapide passage à l'eau bouillante. La cuisson proprement dite s'effectue dans du lait sans sucre, environ 40 minutes à feu doux. Il est recommandé, si vous souhaitez conserver la purée quelques jours, de prévenir son oxydation par l'addition d'un filet de citron juste avant le mixage – et de la conserver dans un endroit bien frais et peu ventilé. Vous pouvez aussi utiliser de la purée de marrons détaillée dans le commerce, à condition qu'elle ne soit pas déjà sucrée.

Le noisetier, que l'on appelle aussi avelinier ou coudrier, fournit des fruits ovoïdes à coque très résistante. Nos Anciens lui attribuaient des vertus magiques ou médicinales. Aujourd'hui, on apprécie surtout le croquant des noisettes riches en fibres, mais aussi en matières grasses, et dont la fine saveur parfume agréablement la crème anglaise.

Vous gagnerez à préparer la veille ce dessert idéal pour les jours de grand froid.

1. Mélanger la purée de marrons au naturel avec le sucre glace. Faire fondre le chocolat au bain-marie et incorporer le beurre. Décortiquer les noisettes, les hacher finement et les faire infuser dans 250 ml de lait.

2. Mélanger la purée de marrons et le chocolat fondu. Fouetter vigoureusement afin d'incorporer de l'air et de rendre le fondant léger et moelleux.

à la sauce noisette

3. Mouler la préparation dans une terrine rectangulaire et réserver 8 heures au congélateur. Confectionner une crème anglaise classique en travaillant les quatre jaunes d'œufs et le sucre. Ajouter ensuite le lait dans lequel ont infusé les noisettes et laisser épaissir à feu doux sans bouillir.

4. Une fois la crème anglaise cuite, y diluer la pâte de pralin. Au moment de servir, démouler le fondant et le couper comme un cake. Verser la sauce noisette autour.

Terrine d'oranges

Préparation	*1 heure*
Cuisson	*10 minutes*
Repos	*24 heures*
Difficulté	★ ★

Pour 4 personnes

6 kiwis
180 g de sucre
12 oranges
8 feuilles de gélatine
feuilles de menthe

Chargée de mythes et de poésie, la pulpeuse orange gorgée de soleil conserve tout l'enchantement des Noëls d'autrefois, lorsqu'elle était un cadeau luxueux et symbolique. Entouré de papier d'argent, ce fruit juteux et parfumé servait à décorer les tables dans les grandes occasions, comme la nuit de Noël, justement. On dénombre plus de 1 000 variétés d'oranges, classées en trois grandes catégories : les navels, les oranges blondes et les sanguines.

Le repos nécessaire à la terrine justifie qu'on la prépare la veille, de préférence à partir d'oranges sans pépins pour éviter qu'ils ne gênent la découpe finale. C'est en automne et en hiver que les oranges sont les plus goûteuses. À défaut, vous utiliserez des pamplemousses ; mais, malgré son allure encourageante, vous éviterez l'ananas dont le mariage avec la gélatine n'est pas heureux.

La première couche de la terrine doit être de jus d'orange gélifié, afin de maintenir l'ensemble. Ensuite, l'alternance de morceaux d'oranges et de nouvelles couches de jus s'effectue simplement, en laissant à chaque fois dépasser le haut des oranges pour obtenir des quartiers bien imbriqués d'un niveau à l'autre. Les kiwis, dits aussi « groseilles de Chine » bien que leur origine se situe plutôt en Nouvelle-Zélande, n'ont plus rien d'exotique, puisqu'on les récolte dans plusieurs régions de France et qu'ils sont pratiquement disponibles toute l'année.

Les gros kiwis bien juteux sont de loin les plus savoureux et produiront un coulis d'excellente qualité. Leur haute teneur en vitamine C fera de ce dessert un mets d'une rare tonicité.

1. Éplucher les kiwis et les couper en quatre. Passer ensuite le tout au mixeur avec 30 g de sucre.

2. Éplucher dix oranges à vif et les couper en segments. Récupérer le jus et l'ajouter à celui de deux oranges pressées. Faire chauffer ce jus avec le reste du sucre.

au coulis de kiwis

3. Incorporer au jus d'orange la gélatine préalablement trempée dans l'eau froide, puis porter à ébullition.

4. Dans une terrine, alterner les couches de segments d'oranges et le jus qui aura commencé sa prise. Remplir ainsi la terrine en laissant chaque couche de jus prendre 12 minutes au réfrigérateur. Une fois montée, laisser prendre la terrine 24 heures au réfrigérateur. Servir la terrine en tranches avec le coulis de kiwis et décorer avec les feuilles de menthe.

Feuillantine

Préparation........2 heures
Cuisson..........15 minutes
Difficulté.........★ ★

Pour 4 personnes

sucre glace
quelques grammes de quatre-épices (poivre,
    muscade, clous de girofle, gingembre)
250 g de fraises
sirop (sucre + eau)

Pâte feuilletée (voir p. 312) :
500 g de farine
15 g de sel
200 ml d'eau

185 g de beurre fondu (dont 60 g pour le
    tourage)

Crème Chiboust :
1 jaune d'œuf
20 g de sucre
8 g de Maïzena
65 ml de lait
1/2 feuille de gélatine
quelques gouttes de kirsch

Meringue italienne :
1 blanc d'œuf
50 g de sucre

Le mille-feuille a vu le jour au XIXᵉ siècle et compte aujourd'hui encore de nombreux adeptes : comme ses possibilités sont presque infinies, il connaît chaque jour de nouvelles recettes, toutes plus perfectionnées les unes que les autres. Cette feuillantine en est l'exemple, mais vous pouvez encore la faire varier, tant par la garniture que par la forme des feuilletés.

La crème chiboust accompagne en principe le saint-honoré : c'est une crème pâtissière souvent parfumée à la vanille qui comporte des blancs d'œufs montés en neige. Il en résulte une très grande légèreté, surtout lorsque la meringue italienne est bien réussie. Paul Pauvert vous conseille de la parfumer au kirsch, mais nul ne vous interdit de préférer le Grand Marnier.

Il existe environ 100 variétés de fraises, que l'on trouve surtout au printemps et en été, mais qui apparaissent parfois sur nos marchés pendant les autres saisons. Notre chef préfère la gariguette, originaire du Lot-et-Garonne, qui est une fraise primeur où se conjuguent avec équilibre le sucré et l'acide. C'est un fait que l'on adore ce fruit juteux et parfumé, à la fois fondant en profondeur et croquant en surface grâce aux akènes (petits grains durs) dont il est pourvu.

Dans cette préparation, la pâte feuilletée risque de se ramollir au contact des autres éléments et de perdre son croquant. Il est donc extrêmement important de conserver à part tous les éléments de la feuillantine et de procéder au montage au dernier moment.

De fait, la feuillantine ne peut se conserver – si d'aventure l'un de vos convives trouvait le moyen de résister à tant de croustillante douceur. Mais vous pouvez en être sûr, il n'en restera aucune.

1. Préparer la pâte feuilletée et la laisser reposer environ 2 heures. Confectionner ensuite des rouleaux d'1 cm de diamètre et les laisser s'affermir au réfrigérateur. Couper les rouleaux de feuilleté, puis les étaler le plus finement possible sur un mélange de sucre glace et de quatre-épices.

2. Pour la crème chiboust, blanchir le jaune d'œuf et le sucre, ajouter la Maïzena et mélanger. Faire bouillir le lait, puis mélanger le tout avec la feuille de gélatine préalablement trempée dans l'eau froide et quelques gouttes de kirsch. Cuire jusqu'à ébullition. Déposer la pâte feuilletée entre deux feuilles de papier sulfurisé. Cuire au four 5 à 10 minutes à 200 °C.

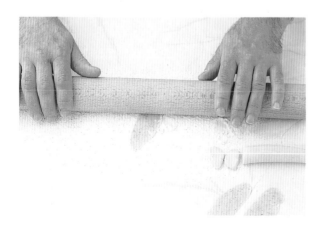

aux fraises

3. Pour la meringue italienne, monter le blanc d'œuf, ajouter le sucre chauffé à 120 °C et remuer jusqu'à complet refroidissement. Incorporer la meringue à la crème chiboust. Émincer les fraises en lamelles pour le montage.

4. Faire fondre du sucre dans de l'eau et laisser caraméliser. Tremper les fraises dans le caramel. Monter les feuillantines intercalées avec les lamelles de fraises et la crème, puis les dresser sur l'assiette. Servir à température ambiante.

Sorbet au melon

Préparation   *1 heure*
Difficulté   ★

Pour 4 personnes

2 melons d'un kg environ
150 g de sucre glace
jus d'1/2 citron
500 g de fraises du pays

Coulis de fraises :
250 g de fraises
30 g de sucre glace
1 petit verre de vodka
jus d'un citron

Décoration :
quelques petites feuilles de menthe poivrée

Les Chinois découvrirent un beau jour que l'on pouvait mélanger du lait, de l'eau et des fruits, et faire geler le tout pour lui donner une consistance spéciale. Depuis lors (3 000 ans avant Jésus-Christ !), le succès des glaces et des sorbets s'est maintenu… Il est préférable de préparer le sorbet au dernier moment et de le servir alors qu'il vient tout juste de prendre, arrosé d'un alcool en accord avec son parfum. Dans le cas présent, le muscat viendrait fort bien compléter le goût du melon.

Certains peuvent croire que le melon a été conçu pour être coupé en tranches. D'autres – et ils sont sans doute plus nombreux – savent qu'il faut le choisir bien mûr et très odorant, car il sera d'autant plus goûteux. Il en existe plusieurs variétés, dont le melon charentais du type cantaloup qui présente une pulpe très fine. Mais on ne saurait parler de melon sans évoquer la petite ville provençale de Cavaillon, si évidemment consacrée à cette culture que même l'air, au début de l'été, y embaume le melon !

Le coulis de fraises réclame des fruits très mûrs dont la peau se craquelle autour du pédoncule : il sera ainsi plus coloré et plus savoureux. En revanche, les fraises de garniture ont besoin d'être plus fermes, donc un peu moins mûres et de taille moyenne, pour de meilleurs résultats à la découpe. Comme il n'est guère possible de conserver longtemps les fraises, veillez à ne pas en acquérir plus qu'il n'en faut.

Pour soigner la touche finale, Paul Pauvert vous conseille de décorer ce duo de fruits avec des feuilles de menthe poivrée dont le goût subtil et légèrement piquant contraste avec la douceur du sorbet au melon.

1. Couper un melon en quartiers, éliminer les graines et tailler la pulpe en cubes. Réduire en purée au mixeur. Mélanger ensuite la purée de melon avec 150 g de sucre glace. Verser le tout dans une sorbetière avec le jus d'un demi-citron.

2. Couper le second melon en deux. Extraire les graines, puis, à l'aide d'une cuillère à pomme parisienne, confectionner de grosses billes. Réserver.

et fraises du pays

3. Laver légèrement sans les équeuter 500 g de fraises du pays, puis les essuyer. Couper ensuite les fraises en deux et les disposer harmonieusement, côté chair, sur le pourtour de l'assiette de présentation, en alternant avec les billes de melon.

4. Pour le coulis, nettoyer les fraises, puis les filtrer au tamis. Ajouter ensuite le sucre glace préalablement passé au chinois et le verre de vodka. Mélanger le tout avec le jus d'un citron. Verser le coulis sur le fond de l'assiette, déposer une boule de sorbet et décorer de feuilles de menthe.

Flan et compote

Préparation   45 minutes
Cuisson   45 minutes
Difficulté   ✷ ✷

Pour 4 personnes

100 g de brioche
100 g de beurre
feuilles de menthe fraîche

Flan :
2 gousses de vanille
400 ml de lait
3 œufs
60 g de sucre

Glace au babeurre :
250 ml de babeurre nature
250 g de yaourt nature
120 g de sucre
6 feuilles de menthe en julienne
zestes et jus d'une orange et d'un citron

Compote :
4 pêches blanches bien mûres
1 l d'eau
140 g de sucre
2 bâtons de cannelle
2 clous de girofle
zeste et jus d'un citron

Selon l'étymologie, le mot « flan » viendrait du francique *flado*, qui désignait les objets plats. C'est à l'origine une tarte sucrée ou salée garnie d'une crème aux œufs et au lait. En fait, le flan est aujourd'hui une crème moulée ou renversée, qui connaît de nombreuses variantes et d'innombrables parfums. C'est ici la pêche blanche, fruit juteux au goût subtil, qui lui donnera son arôme.

La pêche est en Chine le symbole du mariage et de la fécondité. Ce n'est que justice pour ce fruit dont les variétés portent des noms de femmes : Alexandra, Bénédicte ou Mireille, et que l'on peut déguster de la fin mai au début de septembre. Vous pouvez encore préparer ce dessert avec différentes sortes de pêches.
La compote que vous en tirerez doit partir d'un fond de sucre que vous aurez suffisamment aromatisé de cannelle et des autres épices.

Le flan ne peut réussir que si l'on utilise des produits très frais, et si l'on respecte la température et les délais de cuisson.

Les moules seront placés au bain-marie dans un four à 130-150 °C, surtout pas davantage, et pour 25 minutes au maximum. (Important : les températures extrêmes ne doivent en aucun cas être dépassées.)

La glace que vous propose notre chef est aussi légère que délicieuse et l'on peut la consommer sans pécher par gourmandise. Le babeurre est le résidu liquide que l'on recueille lors de la fabrication du beurre ; il contient donc assez peu de matières grasses. Mais l'on pourrait aussi accompagner ce savoureux flan, frais ou tiède, d'une glace à la vanille ou d'un sorbet de fruits.

1. Couper la brioche en dés, puis la faire caraméliser à la poêle dans un peu de sucre et 100 g de beurre en remuant continuellement.

2. Fendre les gousses de vanille et les ajouter au lait avec les graines. Porter à ébullition, retirer les gousses, verser le lait sur les œufs battus en mousse avec le sucre et mélanger avec soin. Pour la glace au babeurre, mélanger à froid tous les ingrédients et mettre dans la sorbetière.

de pêches blanches

3. Préchauffer les moules et les garnir jusqu'à mi-hauteur de dés de brioche caramélisés. Répartir la préparation du flan dans les moules et cuire 25 minutes au bain-marie dans un four préchauffé à 130 °C. Pour la compote, laver les pêches, les couper en deux et les dénoyauter. Verser tous les ingrédients, excepté les pêches, dans une casserole. Porter à ébullition.

4. Ajouter les oreillons de pêches et les pocher 15 minutes à feu très doux. Retirer la cannelle et les clous de girofle, puis peler les pêches. Passer la moitié de la préparation au mixeur, puis au chinois. Répartir sur les assiettes. Démouler le flan sur le miroir de compote. Poser un oreillon par-dessus et servir avec la glace. Décorer de quelques feuilles de menthe fraîche.

Soufflé vanillé, coulis

Préparation : 30 minutes
Cuisson : 12 minutes
Difficulté : ★ ★

Pour 4 personnes

4 œufs, blancs et jaunes séparés
4 cuil. à soupe de sucre glace
1 gousse de vanille
4 cuil. à soupe de fromage blanc (20 % de matières grasses)
1 pincée de sel

Coulis de fraises des bois :
500 g de fraises des bois
100 ml de sirop de sucre à 28° Beaumé
rhum blanc

Un soufflé ne doit jamais attendre : il doit être servi très chaud et bien gonflé, dès la sortie du four. Cette version est plus légère que le soufflé traditionnel, car elle remplace le beurre par du fromage blanc à 0 %. La Suisse a quelques raisons de prétendre au titre d'inventeur du fromage blanc, puisqu'il semble que l'on égouttait déjà le lait caillé sur les bords du lac de Neuchâtel 5 000 ans avant notre ère.

Le travail de préparation est plus facile si l'on utilise des œufs bien froids. Les blancs seront battus en neige très ferme avec une pincée de sel et incorporés avec délicatesse. Vous en remplirez alors, aux trois quarts seulement, des ramequins beurrés et sucrés. Il peut être utile de les réserver au frais pendant une vingtaine de minutes, mais pas davantage.

Un soufflé qui monte rapidement demande beaucoup d'attention : la cuisson s'effectue entre 180 et 200 °C, mais dans un four préalablement chauffé à 220 °C, et dure au plus 12 à 14 minutes. Les moules individuels sont placés dans un bain-marie d'eau chaude que des morceaux de papier journal déposés dans le récipient permettent de régler à la bonne température. Il est interdit d'ouvrir la porte du four durant la cuisson, même par curiosité : la montée du soufflé pourrait être gâchée.

Tous les fruits conviennent à ce soufflé que l'on décline selon les saisons. Ainsi, vous pouvez déposer des framboises bien mûres au fond des moules, à condition de ne pas chercher ensuite à démouler le soufflé et de l'accompagner d'un coulis de ces mêmes fruits.

1. Utiliser un récipient en inox. Fouetter les jaunes d'œufs, le sucre glace tamisé et les graines de la gousse de vanille. Ajouter le fromage blanc égoutté et mélanger avec soin.

2. Monter les blancs très froids en neige ferme et les incorporer délicatement au mélange précédent. Beurrer et sucrer les moules. Trier et couper la moitié des fraises des bois en deux. Pour le coulis, passer le reste des fruits au mixeur avec le sirop. Passer au chinois, puis parfumer au rhum. Réserver au frais.

de fraises des bois

3. Préchauffer les moules. Verser le mélange à la vanille à ras bord. Placer les moules dans un bain-marie et faire pocher 12 à 14 minutes dans le four préchauffé à 220 °C. Pendant ce temps, décorer les assiettes.

4. Verser un miroir de coulis de fraises des bois sur l'assiette. Disposer sur le côté les fraises des bois coupées en deux. Présenter le soufflé démoulé au centre. Servir rapidement.

Cassolette de pêche de

Préparation	30 minutes
Cuisson	30 minutes
Difficulté	★

Pour 4 personnes

4 pêches de vigne
1 citron non traité
50 g de pistaches mondées
50 g d'amandes mondées
quelques gros grains de raisin blanc et noir

80 g de sucre
100 ml d'eau-de-vie de pêche
40 ml de vieux marc
50 g de beurre

La pêche de vigne n'a guère de liens de famille avec le raisin, si ce n'est par le vocabulaire et la tradition. On désigne sous ce nom les pêches cultivées en plein vent, tardives et très goûteuses, à la différence des pêches d'espalier plus rondes et bourgeoises, dont la chair très exposée au soleil perd la saveur sauvage du fruit primitif. On plantait jadis les pêchers de plein vent dans les interstices laissés par les vignes, ce qui peut expliquer le vocable sous lequel on désigne aujourd'hui leurs fruits. Autres facteurs de rapprochement, la belle couleur lie-de-vin des pêches de vigne, et le jus foncé que laissent échapper alberges et sanguines – disponibles fort peu de temps, hélas, sur nos marchés.

On leur trouvera donc des raisons de faire bon ménage, dans cette cassolette, avec un raisin que vous choisirez de préférence à gros grains, noir (type alphonse-lavallée) et blanc (type italia ou idéal), sans oublier de le peler. Alors que la pêche est réputée venir de Perse, l'origine du raisin se perd dans la nuit des temps. Sa valeur symbolique était déjà reconnue dans la Bible (les raisins verts de Jérémie, qui ont usé les dents de plusieurs générations) et chez les fabulistes latins dont s'inspira plus tard La Fontaine.

On trouvera sans doute logique d'assaisonner cette union de fruits tardifs au vieux marc, que l'on distille avec les rafles, les peaux et les pépins du raisin. Le résultat doit être puissant et tonique. Si vous avez invité des gens d'Église, prévoyez d'utiliser le raisin cardinal et rappelez-leur au moment de servir qu'autrefois l'on nommait plaisamment la pêche « le téton de Vénus ».

1. Monder les pêches un court instant dans une casserole d'eau bouillante, puis peler, dénoyauter et couper chaque fruit en six quartiers.

2. Pour la décoration, peler le citron et confectionner avec la peau de fines lamelles. Hacher les pistaches et les amandes, puis presser le jus du citron.

vigne, raisins au vieux marc

3. Peler soigneusement les grains de raisin, puis les épépiner, sans écraser ni déformer la pulpe.

4. Faire un caramel assez foncé avec le sucre et l'éteindre à l'eau-de-vie. Ajouter le jus de citron, le marc de raisin, le beurre et remettre sur le feu. Porter à ébullition pour lier le tout, puis retirer du feu. Ajouter les quartiers de pêches et les raisins, puis réchauffer à feu doux. Répartir en cassolettes et parsemer de pistaches et d'amandes hachées.

Pommes au romarin, biscuit

Préparation   *1 heure*
Cuisson   *20 minutes*
Difficulté   ✳ ✳

Pour 4 personnes

3 pommes golden
1 noix de beurre
60 g de sucre
1 branche de romarin

Biscuit semoule :
120 ml de lait
35 g de semoule
2 œufs, blancs et jaunes séparés
40 g de beurre
40 g de sucre

Sorbet au cacao :
750 ml d'eau
350 g de sucre
130 g de cacao amer en poudre

Rien n'interdit de surprendre ses convives en employant le romarin dans un dessert, alors qu'on l'attend plutôt avec la viande. C'est que son arôme amer se marie bien à la pomme, dont on dit qu'elle était elle-même très âpre à l'état sauvage. C'est aussi l'opinion qu'en devaient avoir les hommes préhistoriques, lorsqu'ils exposaient au soleil des quartiers de pommes sur un fil pour les faire sécher.

Adam, Guillaume Tell, Newton : la pomme exalte à elle seule la curiosité de l'homme, son habileté physique ou sa capacité de réflexion. Pour le goût, la pomme a été fortement développée par les agronomes, diversifiée en centaines de variétés – et l'ingéniosité des grands chefs a fait le reste. Les desserts dans lesquels la douceur de la pomme s'accompagne d'alcools divers ou d'autres ingrédients ne se comptent plus.

La cuisson de ces pommes au romarin suppose des fruits savoureux dont la chair supporte la chaleur : c'est pourquoi nos chefs ont choisi la golden. C'est une variété récente, naturellement très sucrée, qui caramélise pour ainsi dire toute seule dans la poêle.

La pâte à biscuit n'offre pas de difficultés majeures. Prenez garde au moment de la verser dans les moules, car elle a toujours tendance à gonfler à la cuisson. Démoulez tout de suite et servez tiède. Dans la présentation finale, la branche de romarin n'est pas seulement décorative : elle apporte aussi son parfum, tonifié par la tiédeur des pommes, qui lui vaut son nom de « rosée de la mer » et donne un avant-goût de la dégustation de ce chaud-froid.

1. Pour le biscuit, faire bouillir le lait, ajouter la semoule et cuire jusqu'à consistance. Ajouter hors du feu deux jaunes d'œufs et le beurre. Pendant ce temps, monter les deux blancs en neige au batteur et y incorporer le sucre.

2. Mélanger les blancs en neige à la préparation à base de semoule. Verser l'ensemble dans des moules chemisés et enfourner à 180 °C. Une fois cuits, les démouler et les laisser tiédir.

semoule, sorbet au cacao

3. Pour le sorbet au cacao, faire bouillir l'eau et le sucre pour obtenir un sirop. Ajouter le cacao, bien mélanger et laisser refroidir. Verser dans une sorbetière et mettre à glacer. Réserver. Éplucher les pommes, les vider et les tailler en dés de 0,5 cm de côté.

4. Faire chauffer une poêle, y verser le beurre et le sucre, puis mélanger jusqu'à obtenir un caramel. Y jeter les pommes et les faire sauter. Ajouter le romarin effeuillé. Laisser cuire jusqu'à ce que tout soit coloré. Dresser les pommes dans chaque assiette, deux biscuits tièdes par-dessus et le sorbet à côté. Décorer d'une branche de romarin.

Salade d'oranges

Préparation	*1 heure 30 minutes*
Cuisson	*10 minutes*
Repos	*4 heures*
Difficulté	✶ ✶

Pour 4 personnes

Glace au lait :
1,5 l de lait cru
100 g de sucre
55 g de lait concentré

Salade d'oranges et gelée :
7 belles oranges
2 feuilles de gélatine
35 g de sucre
quelques centilitres de Grand Marnier

Décoration :
135 g de pâte feuilletée
sucre glace
feuilles de menthe

D'abord considérée comme un fruit décoratif, l'orange passait pour un signe de grand raffinement : l'été, les orangers en caisses ponctuaient les allées des jardins à la française, puis ils rentraient l'hiver dans les orangeries, dont il nous reste, aux Tuileries, au jardin du Luxembourg ou à Versailles, de fort beaux spécimens. Plus tard, on s'est aperçu que l'orange est aussi comestible et qu'elle comporte même une proportion très élevée de vitamines. Qu'on la déguste crue, en jus ou dans des préparations complexes, elle ne perd jamais son pouvoir tonique ni sa qualité de goût.

Il arrive encore que les oranges soient vendues enveloppées dans des carrés de papier de soie colorés, dont les enfants aimaient faire autrefois la collection. Mais on ne consomme couramment qu'une centaine des quelque 1 000 variétés d'oranges répertoriées, qui se divisent, pour simplifier, en trois grandes familles. Les navels (« nombril » en anglais, à cause d'une excroissance qui les caractérise) sont précoces et n'ont pas de pépins. Les oranges blondes et parfumées, à peau épaisse, ont une chair de couleur claire, à la différence des sanguines qui arborent un rouge vif et dont la meilleure variété reste certainement la maltaise, disponible de janvier à avril. Une bonne sanguine est uniformément colorée, ferme et brillante.

Il faut assez de précision pour confectionner la glace, notamment pour réduire le lait au tiers de son volume initial. Quant à la pâte feuilletée, une grande part de son succès tient au repos que vous lui ferez prendre avant chaque « tour ». Si vous n'avez pas le temps de la faire vous-même, vous pouvez recourir aux pâtes surgelées, dont certaines ont beaucoup gagné

1. Peler à vif quatre oranges et dégager à l'aide d'un couteau tous les quartiers libérés de leur peau. Réserver. Pour la glace, réduire le lait au tiers de son volume, puis ajouter le sucre et le lait concentré. Porter à ébullition et laisser refroidir. Mixer, puis verser dans une sorbetière. Turbiner jusqu'à bonne consistance, puis conserver au congélateur.

2. Récupérer le jus des oranges précédemment pelées. Presser les oranges restantes. Faire ramollir les feuilles de gélatine dans l'eau froide. Mélanger le jus d'orange avec le sucre et le Grand Marnier, puis laisser refroidir à température ambiante.

en gelée, lait glacé

3. Ajouter les feuilles de gélatine à ce mélange et malaxer jusqu'à ce qu'elles soient dissoutes. Réserver au frais. Pour la décoration, étaler finement la pâte feuilletée et le plaquer. Poser par-dessus une autre plaque et le cuire au four à 190 °C. Retirer, puis réserver. Couper des triangles de feuilletage.

4. Dresser sur chaque assiette les quartiers d'oranges en rosace. Donner quelques coups de cuillère à la gelée pour la rendre onctueuse et en napper légèrement les quartiers. Déposer au centre de chaque assiette une quenelle de glace au lait. Appliquer tout autour trois triangles de feuilletage. Saupoudrer de sucre glace et décorer de feuilles de menthe.

Corolle de fraises

Préparation	3 heures
Cuisson	20 minutes
Difficulté	★ ★

Pour 8 personnes

Pâte à savarin : voir p. 312

Sirop de savarin :
200 ml de sirop
    à 30° Beaumé
40 ml de jus de citron
35 ml de malibu
80 ml d'eau et de rhum

Pâte à cigarettes : voir p. 312

Sauce :
130 g de sucre
1/3 de gousse de vanille

330 ml de rhum ambré
330 ml de malibu
130 g d'ananas

Crème Chantilly coco :
100 g de crème fleurette
    fouettée
7 g de sucre glace
1 pincée de gélatine
30 g de pulpe de coco
3 ml de malibu

Décoration :
200 g de farine
20 g de sucre
jus de citron

Ce dessert exotique, chargé de riches saveurs tropicales, comporte avec l'ananas et la noix de coco des éléments très évocateurs de lointains rivages ensoleillés.

L'ananas est aujourd'hui facile à trouver sur nos marchés dans toute sa fraîcheur, tant les progrès des transports – par avion notamment, depuis la Côte-d'Ivoire ou la Martinique – ont été fulgurants. Sa haute teneur en vitamines et sa capacité à absorber les graisses en font un classique de nombreux régimes diététiques.

Il s'accorde volontiers à des fraises bien mûres, rouges et brillantes, à choisir de préférence dans l'espèce pajaro, goûteuse et charnue, qui s'épanouit en saison sous les rayons du soleil du Vaucluse. Prenez garde néanmoins à conserver la queue des fraises lors du rinçage, sinon les fruits se gorgeront d'eau et perdront leur saveur.

Vous pourrez préparer vous-même la noix de coco pour en extraire séparément la pulpe et le jus ; mais à défaut de noix fraîches, dont l'enveloppe fibreuse et la coque résistante peuvent décourager, vous trouverez facilement ces deux ingrédients déjà préparés.

Le malibu est un produit d'importation bien connu et sa qualité est à peu près constante. Il circule en revanche de multiples espèces de rhum, parmi lesquelles vous devrez choisir avec sévérité selon l'arôme. Stéphane Raimbault recommande le rhum coloré, dont le goût s'avère plus subtil et plus riche que le rhum blanc.

Enfin, la petite taille du savarin vous aidera pour son élaboration. La consistance de ce gâteau facile et classique se verra avec bonheur complétée par des petits-fours croustillants.

1. Pour la pâte à savarin, regrouper dans la cuve du batteur farine, sel, sucre et zestes. Dissoudre à l'eau tiède (28 °C) la poudre de lait et la levure et mélanger. Incorporer les œufs au contenu de la cuve. Travailler en première vitesse, puis en deuxième. Ajouter le beurre et mélanger 2 minutes. Remplir les moules aux trois quarts et laisser lever jusqu'au bord du moule. Cuire 20 minutes à 200 °C.

2. Pour le sirop, faire bouillir tous les ingrédients et laisser refroidir à 60 °C. Y tremper les savarins, égoutter et arroser de rhum. Pour la pâte à cigarettes, ajouter au beurre en pommade le sucre glace, les blancs d'œufs, la farine et la vanille liquide. Étaler sur une plaque à l'aide d'un chablon rond. Agrémenter de fruits secs. Cuire au four quelques minutes à 180 °C.

et ananas malibu

3. Pour la sauce, faire cuire le sucre à sec avec la gousse de vanille fendue jusqu'à l'obtention d'un caramel blond. En remuant, ajouter petit à petit le rhum et le malibu, ainsi que l'ananas détaillé en bâtonnets et le jus récupéré. Laisser refroidir.

4. Pour la crème Chantilly coco, fouetter la crème avec le sucre et la tenir ferme. Y incorporer la gélatine fondue, la pulpe de coco et le malibu. Bien mélanger le tout. Tailler les fraises en bâtonnets, puis les mettre à macérer dans le sucre et le jus de citron. Centrer le savarin sur l'assiette, l'entourer de sauce et le remplir de bâtonnets de fraises. Recouvrir de crème Chantilly coco. Décorer avec les petits-fours et une fraise entière.

Nougat glacé

Préparation	*2 heures*
Cuisson	*6 minutes*
Repos	*5 heures*
Difficulté	★ ★ ★

Pour 8 personnes

Nougatine (croquant):
50 g de sucre
10 ml d'eau
100 g d'amandes
100 g de noisettes

Éléments du nougat:
meringue (voir p. 312)
500 g de crème fleurette

Garniture aux fruits:
75 g de raisins secs et d'abricots secs
25 g de bigarreaux confits

25 g d'écorces d'oranges confites
40 g de pistaches

Mélange aux épices:
2 g de réglisse, 2 g de vanille
2 g de muscade, 2 g de poivre de la Jamaïque
4 g de cannelle en poudre, clou de girofle
10 g de café soluble

Pâte à cigarettes (voir p. 312):
sésame, safran

Sauce:
100 g de miel, 1 gousse de vanille
100 g de jus de citron
30 g d'écorces d'oranges, pistaches

C'est l'itinéraire personnel de notre chef qu'illustre ce dessert, depuis sa Vendée natale jusqu'à l'Asie, et précisément le Japon où il a longtemps séjourné. Tout au long de la périlleuse route des épices arpentée jadis par Marco Polo, il a recueilli, pour les adapter au goût français, les multiples saveurs qui accompagnent ce nougat et lui confèrent toute son originalité.

Malgré leur faible quantité, les épices doivent être sélectionnées avec le plus grand soin; leur goût sur la langue l'emportera largement sur leur parfum, car ce sont des épices et non des aromates. Vous procéderez à leur mélange en ayant soin d'appliquer les proportions exactes, car l'harmonie générale du dessert pourrait en être gâtée. On ne peut manquer de souscrire à l'avis de l'illustre Antoine Carême, pour qui l'abus d'épices était l'ennemi de toute bonne cuisine.

Cette recette suppose deux principes stratégiques à respecter avec méthode:
– achever avant le montage tous les éléments de base qui figurent dans le dessert: nougatine, garniture et mélange d'épices;
– manipuler très délicatement les masses légères et fragiles (meringue et crème fouettée) pour éviter qu'elles ne retombent.

Fidèle à la région qu'il habite aujourd'hui, Stéphane Raimbault saisit aussi l'occasion de nous faire apprécier les amandes douces du Midi, riches en magnésium et en calcium, que vous utiliserez si possible fraîches. Avec diverses friandises et plusieurs types de fruits secs, le nougat fait partie des fameux «treize desserts», que l'on retrouve aujourd'hui traditionnellement à l'occasion du réveillon de Noël en Provence.

1. Pour la nougatine, chauffer à 116 °C le sucre et l'eau. Ajouter amandes et noisettes mondées et chaudes, puis caraméliser. Laisser refroidir et concasser. Pour la meringue, verser sur les blancs d'œufs montés en neige le miel, le glucose, le sucre et l'eau chauffés à 121 °C. Incorporer la gélatine fondue et fouetter jusqu'à refroidissement.

2. Mélanger la meringue à la crème fouettée comprenant la garniture, les épices et la nougatine. Couler dans la gouttière et placer 5 heures au congélateur. Pour la pâte à cigarettes, verser dans une terrine le beurre en pommade, ajouter le sucre glace, les blancs d'œufs, puis la farine, la vanille liquide et les épices.

« route des épices »

3. Étaler la pâte sur une plaque antiadhésive beurrée à l'aide d'un chablon triangulaire. Saupoudrer de sésame sur toute la surface et de safran à l'extrémité. Cuire à 180 °C quelques minutes.

4. Pour la sauce, faire bouillir le miel avec la gousse de vanille fendue et grattée. Ajouter hors du feu le jus de citron, les écorces et laisser refroidir. Poser une tranche épaisse de nougat sur l'assiette, verser la sauce autour, surmonter d'une pyramide de crème fouettée et y accoler les trois triangles aux épices. Décorer de menthe.

Charlotte chaude

Préparation   40 minutes
Cuisson   40 minutes
Difficulté   *

Pour 4 personnes

500 g de pommes à cuire (bramley)
200 g de beurre
6 à 8 cuil. à soupe de sucre
zeste et jus d'1/2 citron
1/2 pain de mie

Pour les moules :
beurre
3 cuil. à soupe de sucre

Typiquement britannique, la pomme bramley pourrait être un croisement de la reinette et de la golden. Trop acide pour être consommée crue, elle s'avère après cuisson d'une saveur exquise, d'autant que sa chair conserve une très bonne consistance. Elle fournit ici la matière première d'un dessert traditionnel très économique et d'une exécution plutôt simple. Faute de mieux, ce dessert s'accommodera de toute autre variété de pomme à cuire.

Vous prendrez soin de cuire les morceaux de pommes à découvert pour provoquer une bonne évaporation de l'eau contenue dans les fruits et obtenir une compote homogène d'apparence épaisse, où subsisteront çà et là quelques morceaux encore fermes, un peu plus acides.
La tenue des charlottes est garantie par la disposition des tranches de pain dont vous chemiserez les moules, de préférence métalliques et correctement sucrés, pour être assuré d'une belle coloration brune en fin de parcours. Il est préférable d'utiliser du pain de mie de bonne densité ou du pain brioché enrichi d'œuf et de lait. Le chevauchement des tranches latérales est absolument nécessaire, tout interstice pouvant provoquer une coulée de compote dévastatrice. Cette carapace de mie de pain dorée, bien ferme au sortir du four, devrait empêcher les charlottes de s'effondrer lors du démoulage.
Vous servirez ce dessert chaud, mais non brûlant, accompagné le cas échéant d'une crème anglaise, d'une sauce au caramel ou tout simplement d'une crème fouettée. Vos invités seront enthousiasmés par ce dessert chaud. Pour suivre jusqu'au bout la tradition britannique, vous aurez à cœur de déguster en même temps un thé de première qualité.

1. Éplucher et épépiner les pommes, puis les couper en gros morceaux. Les faire cuire à feu doux avec le beurre ramolli, le sucre, le jus de citron et le zeste jusqu'à ce que le mélange soit tendre et pulpeux. Si besoin, rajouter un peu de sucre. Préchauffer le four à 200 °C.

2. Retirer la croûte et couper le pain en tranches de 0,5 cm d'épaisseur. Avec un pinceau, recouvrir les tranches de beurre. Couper une rondelle de pain à glacer au fond de chaque moule, puis couper plusieurs tranches en bandes d'environ 3,5 cm de large.

aux pommes bramley

3. À l'aide du pinceau, beurrer quatre moules métalliques de 10 cm de diamètre. Les saupoudrer de sucre et placer les bandes de pain en les chevauchant légèrement pour empêcher les pommes de couler pendant la cuisson. Faire dépasser les bandes d'environ 0,5 cm.

4. Remplir chaque moule aux 7/8e avec la purée de pommes tiède et recouvrir complètement de pain. Faire cuire les charlottes à four chaud (200 °C) 10 minutes environ, puis réduire à 160 °C pendant 20 à 30 minutes. Dès que le pain est ferme et doré, retirer du four. Servir chaud.

Gâteau épicé au gingembre,

Préparation 30 minutes
Cuisson 30 minutes
Difficulté *

Pour 8 à 10 personnes

175 g de beurre
100 g de cassonade
2 cuil. à soupe de gingembre râpé
4 jaunes d'œufs
1 cuil. à soupe de gingembre moulu
250 g de farine
1 cuil. à café 1/2 de bicarbonate de soude
1/2 cuil. à café de noix muscade moulue
1/2 cuil. à café de clous de girofle moulus
200 ml de mélasse

100 ml de crème double
8 blancs d'œufs
40 g de sucre

Compote de rhubarbe :
1 kg de rhubarbe
200 g de sucre
jus d'un citron
2 cuil. à soupe de jus de grenadine

Décoration :
crème fouettée

Noble témoin du parcours colonial de l'empire britannique, le gingembre présente un rhizome brun lisse et bien ferme, au goût très puissant, qu'il faut couper en tranches fines et couvrir d'un film alimentaire pour éviter tout dessèchement. Selon la tradition chinoise, vous profiterez pleinement de ses qualités digestives en le consommant en fin de repas, frais ou confit dans le sucre.

Ce gâteau appétissant et moelleux comporte du gingembre râpé, sous la forme d'une poudre blanche ambrée, dont la fraîcheur et l'arôme doivent être perceptibles. La confection de la pâte ne présente pas de véritable difficulté : tout au plus pouvez-vous enrichir le bouquet de saveurs en l'additionnant de cannelle, de coriandre ou de curry. La cuisson du gâteau sera suffisante lorsque les bords se détacheront du moule et qu'une lame de couteau plongée au centre en sortira propre. Une fois

refroidi, vous le conserverez facilement quelques jours au frais sous un film alimentaire.

Très longtemps employée comme plante médicinale, la rhubarbe ne peut se consommer crue en raison de son caractère fibreux et de son acidité. C'est pourquoi on en fait des tartes, des sorbets ou des compotes.

Vérifiez à l'achat que les tiges sont fermes au toucher, lisses et cassantes. Vous prendrez garde à ne pas les faire cuire trop longtemps, ce qui les ramollirait et leur donnerait l'aspect d'une bouillie brune. La rhubarbe rend ordinairement beaucoup de jus, que vous éliminerez avant de servir. Cette compote se conserve elle aussi plusieurs jours au réfrigérateur dans un récipient hermétique.

1. Préchauffer le four à 180 °C. Beurrer un moule à gâteau démontable de 23 à 25 cm de diamètre. Avec un batteur, travailler en crème le beurre, la cassonade et le gingembre frais. Ajouter doucement les jaunes d'œufs en mélangeant sans arrêt jusqu'à ce qu'ils soient entièrement incorporés.

2. Passer ensemble au tamis tous les ingrédients secs, puis les mélanger avec la préparation précédente dans le mixeur.

compote de rhubarbe

3. Mélanger la mélasse et la crème, puis les ajouter à la préparation précédente. Monter les blancs d'œufs en neige avec le sucre et les incorporer à l'ensemble. Mélanger délicatement pour obtenir une pâte bien lisse. Verser dans le moule et cuire 30 minutes au four à 180 °C.

4. Éplucher et couper la rhubarbe en tronçons. Faire cuire à feu doux avec le sucre et le jus de citron en remuant de temps en temps. Lorsqu'elle commence à devenir tendre, retirer du feu. Verser dans un saladier et ajouter le jus de grenadine. Dresser sur l'assiette une part de gâteau et disposer autour la compote de rhubarbe et la crème fouettée.

Aumônières de poires

Préparation	*1 heure*
Cuisson	*15 minutes*
Difficulté	✫

Pour 4 personnes

4 poires williams
jus de citron
1 cuil. à soupe de miel de pays
1 gousse de vanille
200 g de framboises
feuilles de menthe

Crêpes :
125 g de farine
3 œufs
250 ml de lait
50 g de beurre

La poire williams jouit d'une grande popularité depuis 180 ans, époque où elle fut créée par l'Anglais dont elle porte le nom. Fine et fondante, elle est la poire d'été par excellence, et beaucoup la préfèrent à d'autres variétés par ailleurs fort méritantes : louise-bonne, beurré-hardy, conférence… La seule qui la surpasse est peut-être la comice, la « reine des poires », dont le galbe charnu fascine les amateurs. Les poires sont connues depuis l'Antiquité et les variétés inventées au cours des siècles sont innombrables.

Caraméliser les poires ne présente pas de difficulté : il suffit de les laisser tiédir dans le miel, ce « roseau sucré » dont l'arôme transportait les Hébreux. Jean-Claude Rigollet vous recommande d'utiliser un miel toutes fleurs ou à défaut un miel d'acacia dont la délicatesse de goût s'harmonisera avec les poires.

La pâte à crêpes réclame un léger tour de main, car il ne faut pas de grumeaux. Si nécessaire, vous pouvez la passer au chinois (après avoir vérifié que nul ne vous regarde), car elle doit être parfaitement lisse et homogène. En principe, le mélange de farine et d'œufs progressivement délayé dans le lait devrait vous conduire au succès. La tradition veut qu'on laisse reposer la pâte quelques heures avant de faire les crêpes, car le gluten que contient la farine peut alors améliorer la consistance de l'ensemble.

1. Pour la pâte à crêpes, mélanger la farine et les œufs. Incorporer progressivement le lait et le beurre fondu presque noisette, puis laisser reposer.

2. Pendant ce temps, peler et citronner les poires. Les couper en quatre, en retirer l'intérieur et les émincer. Confectionner les crêpes.

caramélisées

3. Cuire les lamelles de poires dans une poêle avec le miel jusqu'à caramélisation. Garnir l'intérieur des quatre crêpes préparées très fines.

4. Fermer les crêpes en forme de bourse avec la gousse de vanille que l'on aura fendue en quatre dans le sens de la longueur. Réserver seize belles framboises et confectionner un coulis avec le restant. Napper le fond de l'assiette de coulis, disposer l'aumônière au milieu, puis décorer de framboises et de feuilles de menthe.

Pruneaux en chemise

Préparation	30 minutes
Cuisson	15 minutes
Difficulté	✶ ✶

Pour 4 personnes

Marinade :
20 pruneaux
300 ml de vin rouge
1/2 orange non traitée
1/2 citron non traité
1 bâton de cannelle
50 g de sucre

Crème d'amandes :
50 g de sucre

50 g de poudre d'amandes

50 g de beurre
1 œuf

Pâte à frire :
2 œufs
100 g de farine
20 g de sucre
50 ml de bière
1 pincée de sel
huile pour la friture

Crème anglaise (voir p. 312) :
500 ml de lait
6 œufs
100 g de sucre
1 gousse de vanille

La présence et le succès des pruneaux dans de nombreux apprêts culinaires sont attestés depuis des siècles, et plusieurs provinces françaises ont enrichi cette vigoureuse tradition. La Touraine n'est pas des moindres et son classique médaillon de foie aux pruneaux est bien connu des gastronomes. Mais si le pruneau fait bonne figure dans les préparations salées, on ne peut oublier qu'il s'agit d'un fruit et que son terrain de prédilection reste le dessert.

Pour cette recette, vous choisirez des pruneaux de belle grosseur, susceptibles d'être farcis à la crème d'amandes. Pour stimuler leur volume, rien ne vaut une bonne marinade qui les fera gonfler, puis une brève cuisson qui les imprégnera davantage encore du vin aromatisé.

Pour la marinade au vin, notre chef vous recommande le chinon, très gouleyant et riche en arômes de fraise et de framboise résistant à la chaleur.

Sa couleur profonde se conserve dans la sauce et lui confère une grande noblesse. Mais d'autres vins du beau vignoble de Touraine produiront autant d'effet.

La pâte à frire doit être parfaitement homogène, sans le moindre grumeau. Une pincée de sel et un soupçon de bière blonde viendront au dernier moment lui donner une note amère. Plongez enfin les pruneaux enrobés de cette pâte dans une huile bien chaude, mais non fumante.

1. Laisser mariner les pruneaux 2 heures dans le vin rouge avec l'orange, le citron, le bâton de cannelle et le sucre. Dénoyauter les pruneaux.

2. Cuire les pruneaux dans le vin 10 minutes à feu doux et laisser refroidir dans la cuisson. Pour la crème d'amandes, mélanger le sucre et la poudre d'amandes. Incorporer le beurre ramolli et l'œuf. Farcir les pruneaux de crème d'amandes à l'aide d'une poche à douille.

à la crème d'amandes

3. Préparer la pâte à frire et en enrober les pruneaux. Préparer la crème anglaise.

4. Plonger les pruneaux dans une friture 15 secondes environ. Égoutter soigneusement, puis saupoudrer de sucre glace. Dresser les pruneaux sur la crème anglaise.

Nonnette de pommes

Préparation	30 minutes
Cuisson	25 minutes
Difficulté	✶

Pour 4 personnes

Nonnette :
160 g de pâte feuilletée (voir p. 312)
4 belles pommes granny smith
40 g de beurre
40 g de sucre

Glace à la vanille :
150 ml de lait
150 ml de crème fleurette
2 gousses de vanille
4 jaunes d'œufs
60 g de sucre

Sauce caramel :
100 g de sucre
100 ml de crème fleurette

Il ne s'agit pas ici de la nonnette traditionnelle d'Auxerre en pain d'épices, celle que l'on nomme aussi « pavé de Chartres » et « chanoinesse de Remiremont ». Cette fine tarte feuilletée que compose Michel Rochedy est un hommage à sa tante, mère supérieure du couvent du Saint-Sacrement, dont les talents culinaires l'avaient beaucoup impressionné dans son enfance. Avec une seule abaisse de pâte, elle confectionnait trois tartelettes garnies de pommes délicatement caramélisées pour en faire un dessert à la fois léger, croquant et croustillant, tellement savoureux que la présence même de la pâte devenait imperceptible. C'est peut-être avec ce dessert qu'est née la vocation gastronomique de notre chef.

Vous l'avez compris : la finesse de la pâte est la première condition de cette recette, la finesse des pommes découpées la seconde. On peut d'ailleurs envisager de préparer ces tartelettes à l'avance et de les maintenir au congélateur jusqu'au moment de les passer au four. La cuisson ne doit pas être trop forte, car les pommes risquent de durcir. Tout au plus peut-on légèrement augmenter le feu après 5 minutes de cuisson.

Pour cette recette, vous choisirez des pommes dont la tenue à la chaleur ne réserve pas trop de surprises. La granny smith présente une saveur acidulée qui produira d'excellents effets par contraste avec le caramel, surtout si la sauce, bien chargée en crème, est assez onctueuse.

Mais on peut aussi préparer cette nonnette avec d'autres pommes, des goldens par exemple, et aussi avec de l'orange ou du pamplemousse. En pareil cas, vous servirez plutôt un sorbet à l'orange ou une glace rhum-raisins.

1. Étaler la pâte feuilletée et découper quatre cercles de 16 cm de diamètre. Pour la glace à la vanille, faire bouillir le lait, la crème et les deux gousses de vanille coupées en deux. Blanchir les jaunes d'œufs et le sucre. Verser le lait et la crème sur ce mélange, puis cuire à 85 °C. Mixer dans la sorbetière.

2. Éplucher les pommes et les vider à l'aide d'un vide-pomme. Couper la chair en fines lamelles d'un mm d'épaisseur.

acidulées au caramel

3. Former une jolie rosace avec les lamelles de pommes déposées sur le cercle de feuilletage. Les badigeonner de beurre et de sucre. Cuire les nonnettes sur une plaque antiadhésive pendant 20 minutes au four à 180 °C.

4. Pour la sauce caramel, faire cuire le sucre avec un peu d'eau jusqu'à 160 °C. Déglacer ce caramel avec la crème fleurette chaude. Placer la nonnette au milieu de l'assiette, une boule de glace à la vanille au centre. Terminer par un cordon de sauce caramel.

Crème brûlée à la bergamote,

Préparation — *10 minutes*
Cuisson — *1 heure 30 minutes*
Difficulté — ✶

Pour 4 personnes

Crème brûlée :
150 ml de crème fleurette
100 ml de lait
5 œufs
50 g de sucre
quelques gouttes d'essence de bergamote

Confit d'ananas :
1 ananas frais
1 l de sirop de sucre (500 g de sucre et
     500 ml d'eau)
beurre
1 cuil. à café de pastis

Il est difficile de trouver un plat plus simple et plus indémodable que la crème brûlée ; elle connaît au fil des temps d'infinies variations sans jamais se dénaturer. Cet entremets à base de crème, d'œufs et de lait se taille une belle place parmi les desserts, ce qui est justice, car il est à la fois savoureux et léger. L'arôme de bergamote que propose ici notre chef lui confère un arrière-goût subtil et délicieux.

La bergamote est un fruit d'origine mystérieuse (il semble qu'elle ait été importée de Turquie) à pulpe acide, rond et jaune pâle, principalement cultivé en Calabre. Apparemment proche de l'orange ou de la mandarine, la bergamote est une énigme pour les botanistes qui hésitent à la classer. Elle produit l'arôme du classique thé earl-grey et son essence est employée en parfumerie pour l'eau de Cologne, et en pharmacie pour ses vertus digestives.

Le mariage de la bergamote et de l'ananas était audacieux, mais c'est une belle réussite de Joël Roy, qui souligne cette union d'un trait de pastis et la rend d'autant plus originale. Sachez pourtant doser le pastis avec modération, car son parfum pourrait neutraliser celui de la bergamote.

Réaliser la crème elle-même demande avant tout de respecter les quantités des ingrédients et de surveiller très attentivement la durée de cuisson. Il est important de travailler le moins possible la préparation et de la laisser reposer avant le passage au four, ce qui évite la présence d'éventuelles bulles d'air. N'hésitez pas à faire séjourner la crème achevée quelques heures au réfrigérateur.

1. Pour la crème brûlée, faire chauffer jusqu'au premier bouillon la crème et le lait. Blanchir légèrement les jaunes d'œufs avec le sucre. Verser le mélange de lait et de crème sur celui de jaunes d'œufs et de sucre. Ajouter l'essence de bergamote et laisser reposer quelques minutes. Verser dans des ramequins allant au four.

2. Faire cuire au four à 100 °C pendant au moins 1 heure 30 minutes, dans un bain-marie. À mi-cuisson, protéger le dessus avec une feuille de papier sulfurisé. Laisser refroidir dans le moule. Éplucher l'ananas, couper quatre belles rondelles et détailler le reste en lamelles. Réserver.

à l'ananas anisé

3. Pour le confit d'ananas, préparer un sirop avec l'eau et le sucre. Faire sauter les quelques lamelles d'ananas au beurre dans une poêle. Ajouter un verre de sirop de sucre dans la poêle. Laisser réduire et déglacer au pastis.

4. Poser au fond de l'assiette une tranche d'ananas frais. Démouler dessus une crème brûlée. Saupoudrer de sucre et faire brûler au chalumeau ou avec un tisonnier chauffé à blanc sur le gaz. Décorer de lamelles d'ananas anisé. On peut aussi passer ce dessert un court instant sous le gril chaud.

Ananas chaud avec son

Préparation — 15 minutes
Cuisson — 5 minutes
Difficulté — ★ ★

Pour 4 personnes

1 ananas
50 g de beurre
50 ml de rhum brun

Coulis d'ananas :
1 ananas moyen
1 cuil. à café de sucre
250 ml de rhum blanc
glaçons

Sorbet à l'ananas :
500 ml de jus d'ananas
100 ml de rhum blanc
70 g de glaçons

Sirop de sucre :
2 kg de sucre
1 l d'eau

Décoration :
20 g d'amandes effilées

C'est à Porto Rico, lors d'un séjour en famille, que notre chef a eu l'idée de composer ce chaud-froid à l'ananas, en hommage à ce fruit juteux que l'on rencontre si fréquemment dans les Antilles. Dès son retour en Espagne, il s'acharna donc à travailler un dessert, lui qui reconnaît s'intéresser davantage aux préparations salées. La formule obtenue après quelques essais infructueux lui donne aujourd'hui – et vous donnera sans doute aussi – toute satisfaction.

Découvert au Brésil au XVIᵉ siècle, l'ananas fut d'abord introduit en Angleterre par le pasteur protestant Jean de Léry, et l'on en cultiva même en France à partir du règne de Louis XV. Mais notre climat européen ne convient guère à cette broméliacée très vivace sous les Tropiques. L'ananas aura dû préalablement mûrir dans son pays d'origine et devra présenter une belle taille. Santi Santamaria n'est guère favorable au petit ananas de la Réunion, assurément tonique, mais difficile à façonner. Il faut que la pulpe ait beaucoup d'arôme, qu'elle ne soit pas trop filandreuse et qu'enfin le panache se compose de feuilles prêtes à se détacher : c'est l'un des meilleurs signes de la maturité du fruit.

Après avoir scrupuleusement suivi les consignes, vous pourrez goûter ce recueil condensé de saveurs appréciées dans l'enfance et retrouver des gestes que vous avez peut-être oubliés, comme de porter vos doigts à vos narines pour y surprendre encore un soupçon de senteurs fruitées. C'est dire que le parfum (« ana » signifie parfum en guarani, d'où vient « ananas ») est le principal ingrédient de ce dessert savoureux et léger, qui viendra conclure avec brio les repas de famille ou

1. Éplucher l'ananas. Prendre la chair d'un quart d'ananas et la découper en petits dés. Couper le reste d'ananas en quartiers dans le sens de la longueur. Supprimer l'écorce.

2. Pour le coulis d'ananas, presser au mixeur la chair du fruit découpée en petits dés. Passer au chinois, ajouter le sucre, les 250 ml de rhum blanc et les glaçons. Bien mélanger et incorporer les petits dés d'ananas. Garder au frais. Pour le sorbet, mélanger tous les ingrédients et mettre à tourner dans la sorbetière.

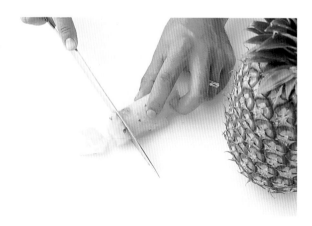

sorbet à la piña colada

3. Dans une poêle, faire chauffer le beurre et y faire dorer sans excès les tranches d'ananas.

4. Ajouter le sirop de sucre, le rhum brun et laisser réduire le sirop jusqu'à une légère caramélisation. Au dernier moment, dresser dans une coupe une tranche d'ananas, parsemer d'amandes effilées, napper de sirop et servir à côté une quenelle de sorbet à l'ananas.

Mille-feuille à la verveine

Préparation   *15 minutes*
Cuisson   *15 minutes*
Difficulté   ★ ★

Pour 4 personnes

Crème à la verveine :
1 bouquet de verveine
1 l de lait
100 g de Maïzena
150 g de sucre
8 jaunes d'œufs
250 ml de crème fleurette

Galettes :
3 cuil. à soupe de sucre glace

50 ml de crème double
2 blancs d'œufs (50 g)
3 cuil. à soupe de farine

Glace à la verveine :
1 l de lait
1 gousse de vanille
150 g de sucre
8 jaunes d'œufs
1 bouquet de verveine

Décoration :
sucre glace

C'est avec cette glace, celle que son confrère Michaugral prépare à la verveine, que Santi Santamaria s'est efforcé de rendre à cette plante odorante l'hommage qu'elle mérite. D'autres l'utilisent, bien sûr : Alain Chapel fait cuire la langouste à la vapeur de verveine et les habitués du Velay connaissent les deux fortes liqueurs de verveine (en réalité de 33 plantes macérées dans l'alcool), jaune et verte, que fabrique depuis des lustres la maison Pagès.

En pâtisserie, notre chef professe que la verveine est aussi gratifiante que la vanille ou la cannelle. Cette maria-louisa (tel est son nom pour les Espagnols), qui évoquerait volontiers l'une des caravelles de Christophe Colomb partant pour le nouveau monde, semble justement trouver son origine au Chili ; elle nous aurait été ramenée lors de ces premiers voyages d'exploration, comme de multiples ingrédients que nous accommodons chaque jour dans nos cuisines.

Vous confectionnerez ici une préparation à la verveine légère pour l'intercaler entre des galettes à la crème double (ce qui ne signifie pas qu'elle contient le double de matières grasses, mais qu'elle est plus épaisse que la crème simple). Comme ces galettes sont assez fragiles, vous avez intérêt à les préparer au dernier moment, ce qui garantit qu'elles conserveront tout leur croustillant pour la dégustation.

Il est vraiment difficile de tenir de longs discours sur la crème anglaise, tant elle est classique. Si vous souhaitez davantage d'originalité, vous pouvez la remplacer par un coulis de framboises, dont on appréciera le caractère acidulé, ou de tout autre fruit rouge qui relèvera la saveur subtile et douce de la verveine, mais sans la dénaturer.

1. Pour la crème à la verveine, faire infuser la verveine dans le lait. Traiter comme une crème pâtissière (voir p. 312) en travaillant la Maïzena, le sucre et les jaunes d'œufs à froid. Ajouter peu à peu le lait et faire chauffer doucement en fouettant sans arrêt. Retirer au premier bouillon.

2. Pour les galettes, chauffer le sucre à 120 °C et mélanger tous les ingrédients avec une cuillère à soupe. Étaler en cercles de 10 cm de diamètre sur une plaque antiadhésive et cuire 15 minutes au four.

avec sa glace

3. Pour la glace à la verveine, réaliser une crème anglaise en faisant bouillir le lait avec la vanille. Travailler le sucre et les jaunes d'œufs jusqu'à l'obtention d'un ruban. Verser le lait chaud sur le mélange. Remettre à feu doux jusqu'à ce que la crème nappe la spatule.

4. Mélanger la crème à la verveine avec la crème fleurette montée en chantilly. Laisser infuser un bouquet de verveine 15 minutes dans la moitié de la crème anglaise, puis battre fortement et mettre à solidifier dans la sorbetière. Poser dans une assiette une galette, une noix de crème à la verveine et répéter sur trois couches. Saupoudrer de sucre glace. Servir avec la glace à la verveine.

Flan de chocolat chaud,

Préparation   30 minutes
Cuisson   15 minutes
Difficulté   ✷ ✷

Pour 6 personnes

50 g de beurre
45 g de chocolat amer
1 œuf
2 jaunes d'œufs
25 g de farine
75 g de sucre

Sauce au chocolat blanc :
250 ml de lait
250 ml de crème fraîche
350 g de chocolat blanc

Toute la famille Santin s'est accordée pour atteindre la perfection avec ce savoureux dessert, véritable symbole de la maîtrise pâtissière des Italiens. On remarquera que le choix des matières entraîne une merveilleuse harmonie noire et blanche, une classique combinaison de couleurs agréable à l'œil.

Si vous désirez un flan plus amer, choisissez un chocolat noir plus riche en cacao : les fèves du criollo, originaire du Venezuela, sont reconnues par les spécialistes comme les plus savoureuses, mais elles sont également très rares. On vend cependant dans le commerce d'excellents chocolats à forte teneur en cacao (70 % et plus) qui garantissent une finesse de goût très honorable. Si vous travaillez la préparation et le chocolat qui la parfume à température ambiante, on voit mal quel obstacle pourrait vous empêcher de réussir ce flan.

Il faut beaucoup de vigilance au moment de choisir le chocolat blanc qui servira pour la sauce. Cette substance très fragile connaît malheureusement des variétés de qualité discutable. Il doit être conservé de préférence à l'abri de la chaleur et de l'humidité.

On voit parfois le chocolat « transpirer », c'est-à-dire que le beurre de cacao perle en surface et cristallise : c'est l'indice que le milieu dans lequel il se trouve ne lui convient pas et qu'il vaudrait mieux le mettre au frais.

Ce duo de chocolats ne fournit pas seulement une excellente provision de vitamines, mais aussi un équilibre raffiné d'arômes. N'est-ce pas le moment de citer Chateaubriand, pour qui « le goût [était] le bon sens du génie » ?

1. Dans un récipient, faire fondre au bain-marie (à 30 °C) le beurre et le chocolat amer. Battre les œufs jusqu'à obtenir un liquide blanc homogène, puis ajouter la farine et le sucre. Bien mélanger jusqu'à ce que la pâte ait une consistance épaisse.

2. Ajouter délicatement la préparation de beurre fondu et de chocolat à la pâte tout en continuant de remuer.

sauce au chocolat blanc

3. Pour la sauce au chocolat blanc, porter à ébullition le lait et la crème. Ajouter le chocolat blanc grossièrement haché. Couvrir et laisser le chocolat fondre quelques minutes.

4. Beurrer et saupoudrer de sucre quatre moules de 7 cm de diamètre et 6 cm de haut. Les garnir de la préparation au chocolat amer et cuire 20 minutes au four à 180 °C. À la sortie du four, démouler dans l'assiette de service et verser tout autour la sauce au chocolat blanc.

Mousse créole à la

Préparation	2 heures 30 minutes
Cuisson	1 heure
Repos	4 heures
Difficulté	✶ ✶

Pour 4 personnes

Meringue au cacao :
1 blanc d'œuf (40 g)
40 g de sucre
25 g de sucre glace
10 g de cacao en poudre

Mousse au chocolat :
150 g de chocolat amer
150 ml de crème fraîche

Mousse à la banane :
100 g de banane
15 g de sucre
1 cuil. à café de jus de citron
3 g de gélatine
100 ml de crème fraîche

Après son voyage de noces à Saint-Barthélemy (Antilles), Maurizio Santin, fils de notre chef, fut séduit par la combinaison du rhum, de la mousse au chocolat et d'un sorbet à la banane. Il a retenu l'idée d'associer ces divers éléments dont la conjugaison produit un goût particulier, riche en fragrances exotiques.

La banane est en réalité cueillie verte sur les bananiers, puis entreposée dans une mûrisserie avant de nous parvenir. Elle est ainsi disponible toute l'année, assez mûre quand sa peau arbore une belle couleur jaune, mais on doit s'efforcer de ne pas la conserver au froid.

Le chocolat amer sera ici un partenaire idéal, surtout lorsque sa teneur en cacao voisine les 70 %. Toutefois, sa manipulation requiert des conditions bien précises : il faut que le chocolat soit tiède au moment de le mélanger à la crème fraîche. La mousse doit être travaillée très vite et aussitôt placée dans les moules.

La meringue doit être réalisée très fine. Il vaut mieux pour cela l'étaler finement pour que la cuisson soit plus rapide. À mi-parcours, entrouvrez le four pour aérer la meringue, ce qui la rend un peu plus croustillante.

Une organisation rigoureuse, tel est le maître mot de cette recette. La clef du succès selon notre chef : préparez d'abord la meringue, en deuxième lieu la mousse au chocolat et enfin la mousse à la banane. Pour conclure, vous servirez avec une sauce au chocolat ou une crème anglaise à la vanille aromatisée de rhum brun.

1. Pour la meringue au cacao, monter le blanc d'œuf en neige. Mélanger délicatement le sucre et le cacao. Étaler la préparation sur une plaque avec un rebord de 2 cm de haut et cuire au four à 110 °C pendant 45 minutes.

2. Pour la mousse au chocolat, faire fondre au bain-marie le chocolat, le laisser refroidir et ajouter délicatement la crème fraîche montée en chantilly. Lorsque la meringue est cuite, découper des disques de diamètre légèrement inférieur à celui des moules.

banane et au chocolat

3. Pour la mousse à la banane, écraser la banane et la travailler avec le sucre et le jus de citron. Ajouter la gélatine fondue dans 1 cuil. à café d'eau. Monter la crème fraîche en chantilly et la mélanger à la banane.

4. Recouvrir une plaque en inox de papier sulfurisé et poser dessus des moules de 8 cm de diamètre sur 4,5 cm de haut. Les garnir dans l'ordre d'une couche de mousse à la banane, d'un disque de meringue au cacao et terminer avec la mousse au chocolat. Mettre au frais 4 heures environ. Renverser sur une assiette et entourer d'un cordon de sauce au chocolat.

Gouttes de chocolat,

Préparation	20 minutes
Cuisson	15 minutes
Repos	1 heure
Difficulté	✷ ✷

Pour 4 personnes

100 ml de crème fleurette
20 g de sucre
20 g de cacao très amer en poudre
100 g de chocolat de couverture

Caramel :
100 g de sucre

Sauce à l'orange :
2 oranges
30 g de sucre

L'Italie dispose, comme tous les riverains de la Méditerranée, d'un grand nombre de variétés d'oranges qui relèvent d'usages très différents. C'est d'ailleurs ici que ce fruit, de la famille des agrumes, est apparu pour la première fois en Europe.

On choisira plutôt des oranges juteuses comme la tarocco ou la moro, mais non des oranges sanguines comme la sanguinella. Dans tous les cas, les oranges devront être fermes et bien lourdes en main, et leur écorce bien lisse.

Toutes les parties du fruit sont utilisées dans la recette : les zestes pour le décor, une fois blanchis à l'eau bouillante, de préférence trois fois, et le jus pour la sauce dont la consistance réclame beaucoup d'attention. Notre chef vous déconseille de recourir à un sirop déjà préparé, souvent riche en conservateurs et autres adjuvants, dont l'usage déclasserait certainement votre dessert.

Le chocolat, qui côtoie l'orange dans de multiples occasions, sera composé d'un cacao très amer afin d'exalter par le contraste les goûts respectifs de ces deux ingrédients. La confection des gouttes, lorsque le chocolat aura fondu, nécessite de préférence l'emploi de petites cuillères en argent pour mouler des formes. Il n'est pas nécessaire de rechercher leur homogénéité : c'est de leur irrégularité que naîtra le caractère attrayant de la présentation.

1. Verser la crème fleurette dans un récipient. Ajouter le sucre et mélanger 1 minute. Ajouter le cacao et mélanger très vite (comme une chantilly) jusqu'à obtenir une pâte consistante.

2. Laisser fondre au bain-marie (48 °C) le chocolat de couverture. Avec une cuillère, préparer de petites gouttes du mélange de cacao et de crème. Déposer sur un papier sulfurisé et garder au froid pendant 1 heure. À la sortie du réfrigérateur, les rouler dans le chocolat de couverture et remettre au froid.

sauce à l'orange

3. Pour le caramel, faire chauffer le sucre à sec et caraméliser les gouttes. Les déposer sur une plaque beurrée. Caraméliser de même les zestes des deux oranges que l'on aura fait blanchir trois fois.

4. Pour la sauce à l'orange, presser les deux oranges dont on a caramélisé les zestes. Faire réduire le jus avec le sucre. Ajouter les zestes et laisser cuire jusqu'à consistance sirupeuse. Servir les gouttes en étoile et napper de sauce à l'orange. Décorer avec des zestes.

Torta di cantucci

Préparation	20 minutes
Cuisson	10 minutes
Repos	6 heures
Difficulté	✷ ✷

Pour 4 personnes

10 biscuits à la cuillère
100 ml de lait
1 tasse de café
300 ml de crème fleurette
50 g de sucre
50 g de macarons
100 g de sablé

Croquant aux amandes :
50 g de sucre
100 g d'amandes mondées

Sabayon :
2 jaunes d'œufs
2 cuil. à café de sucre
2 cuil. à café de vin blanc doux

La torta di cantucci pourrait se traduire en français par « tarte au croquant d'amandes ». Mais cette appellation ne tiendrait pas compte du divin sabayon, le *zabaione*, qu'il faut réaliser dans des conditions d'extrême sérénité. La confection du croquant aux amandes suppose des fruits bien frais, d'un goût irréprochable, une qualité qui se trouve aisément car l'amandier est très répandu dans toute l'Europe méditerranéenne. Les amandes font traditionnellement partie des « quatre mendiants », avec les figues sèches, les noisettes et les raisins secs – cette appellation reposerait, dit-on, sur la concordance des couleurs de ces quatre fruits avec la robe des moines des principaux ordres mendiants (dominicains, franciscains, carmes et augustins).

Quoi qu'il en soit, la consistance de l'amande croquante, riche en matières grasses, provoquera un heureux contraste avec le moelleux des biscuits à la cuillère. Pour la bonne tenue de l'ensemble, la tarte devra néanmoins reposer au moins 6 heures au froid.

Le second contraste se produira au moment de présenter le dessert, entre la tarte froide et le sabayon chaud. Vous l'aurez monté au dernier moment, avec force précautions et en ayant recours – ce point est essentiel – à un vin doux de première qualité afin d'atteindre la perfection.

Un produit ne peut en cacher un autre : comme le vin doux, le café que vous emploierez pour ramollir les biscuits devra présenter de sérieuses garanties de qualité et si possible être un arabica de haute origine. Vous percevrez tout l'intérêt de ces conseils au moment de goûter l'admirable symphonie que composent cantucci et café.

1. Pour le croquant, faire chauffer à sec le sucre dans un poêlon et ajouter les amandes. Une fois cuit, le déposer sur une plaque huilée. Laisser refroidir et écraser.

2. Disposer sur une plaque les biscuits à la cuillère trempés dans le mélange de lait et de café. Bien appuyer avec les doigts pour bien imprégner les biscuits. Monter la crème fleurette en chantilly avec le sucre.

au café

3. *Masquer les biscuits avec la crème Chantilly. Pour le sabayon, battre les deux jaunes d'œufs, le sucre et le vin blanc doux au bain-marie.*

4. *Recouvrir la tarte avec la moitié du sabayon et saupoudrer deux fois de suite avec les macarons, le croquant et le sablé écrasés. Placer au réfrigérateur pendant 6 heures. À sa sortie, couper la torta di cantucci en quatre et servir avec le reste de sabayon chaud.*

Crème brûlée

Préparation   20 minutes
Cuisson   10 minutes
Difficulté   ✳ ✳

Pour 4 personnes

750 ml de lait
125 g de sucre
1 bâton de cannelle
1 zeste de citron
13 jaunes d'œufs
cassonade

Fréquentes occasions de rassemblement et de réjouissances, les fêtes religieuses ont conservé au Portugal un certain lustre. Elles sont un mode éminent d'expression des coutumes régionales et le moyen d'une communion parfaite entre les générations. Mais n'y distingue-t-on pas quelques rivalités ?

Lorsqu'il s'agit de sucreries et de gourmandises, les couvents portugais ne sont jamais en reste et ils comparent âprement leurs produits. Si l'on en croit la légende, c'est au couvent d'Alenquer, sous la protection du roi Denis de Portugal (1279-1325) à qui l'on doit l'université de Coimbra, que les religieuses imaginèrent, pour approvisionner la table royale, un certain nombre de douceurs parmi lesquelles figure cette crème brûlée. Elle fait partie des desserts de Noël (*Natal*), dans les intérieurs familiaux où le cactus tient parfois lieu de sapin.

La confection de la crème brûlée ne requiert pas de dextérité particulière : tout au plus faut-il vous tenir prêt à la retirer du bain-marie le plus vite possible, dès que vous sentez le mélange épaissir et le passer au chinois pour en éliminer les éventuels grumeaux. La texture de la crème conserve ainsi sa finesse et se trouve mieux à même d'exalter le goût délicat de la cannelle.

Rappelons que la cannelle est l'héritage des navigateurs portugais qui ouvrirent la célèbre route des épices et que son usage s'est beaucoup développé, en poudre ou en bâtonnets. Dans la gastronomie portugaise, elle accompagne aussi bien les viandes et certains gibiers que les entremets ou biscuits, et parfume volontiers des boissons comme le vin, le chocolat et le café.

1. Mélanger dans une casserole le lait avec le sucre, le bâton de cannelle et le zeste de citron. Porter à ébullition et retirer du feu.

2. Battre les jaunes d'œufs dans un peu de lait froid. Hors du feu, les ajouter au mélange de lait et de sucre.

du couvent

3. Faire épaissir au bain-marie, en empêchant rigoureusement tout bouillon. Passer au chinois et verser la crème dans un plat. Laisser refroidir.

4. Saupoudrer la crème de cassonade et la glacer au fer rouge pour en brûler toute la surface. Présenter délicatement dans une coupelle.

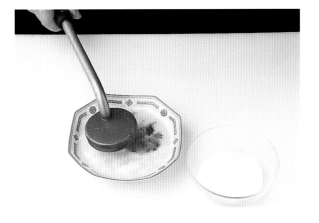

Préparation	20 minutes
Cuisson	3 minutes
Difficulté	☆

Pour 4 personnes

500 g de sucre
500 ml d'eau
15 jaunes d'œufs
cannelle en poudre

Le Couvent (ou plutôt le *Conventual*, cet ancien couvent devenu restaurant grâce à Maria Santos Gomes) propose rien de moins que le miracle de «convertir en plaisir exquis la malédiction biblique qui nous invite à manger le pain à la sueur de notre front», comme l'a prétendu Rabelais. Ces lieux mêmes ont connu de dignes prédécesseurs, car ce sont au Portugal les établissements religieux qui ont créé, aux XVIIe et XVIIIe siècles, la plupart des pâtisseries que l'on y déguste encore.

Pour réaliser cette spécialité portugaise qu'est l'encharcada, vous devrez vous assurer de l'absolue fraîcheur des œufs, qui jouent un rôle essentiel dans la préparation. Date de ponte, label «extra-frais», les indices ne manquent pas pour vérifier la qualité des œufs que l'on vous présente. Le jaune d'œuf, qu'ici

l'on utilise exclusivement, contient à lui seul 75 kcal sur les 90 de l'œuf entier (calculés sur la base d'un œuf moyen de 60 g). Il doit garder sa forme quand vous le séparez du blanc, car un jaune qui s'affaisse ou laisse voir des bourrelets plus foncés a peu de chances d'être assez frais pour vous satisfaire. La cuisson des jaunes dans le sirop, si elle est bien maîtrisée, le fait épaissir doucement jusqu'au point souhaité.

Ce sont encore les explorateurs portugais qui, des Indes, nous ont rapporté la cannelle, c'est-à-dire l'écorce du cannelier dépouillée de son épiderme. Cette épice est devenue indispensable dans la cuisine portugaise. Vous rendrez donc un juste hommage à ces hardis découvreurs de nouveaux territoires en en parfumant ce dessert, avec modération

1. Mélanger sur le feu le sucre et l'eau, puis laisser cuire à très faible ébullition. Battre les jaunes d'œufs. Lorsque le sirop est prêt, y verser lentement les jaunes d'œufs à travers une passoire.

2. Maintenir une température assez douce et remuer délicatement à la spatule ou à la cuillère.

de Évora

3. Laisser cuire l'encharcada en ramenant les bords vers le centre avec une cuillère en bois pour éviter toute formation de croûte. Enlever l'encharcada du feu quand les œufs sont cuits, mais avec encore un peu de sirop.

4. Verser l'encharcada dans le plat de service, saupoudrer de cannelle et la faire dorer rapidement au four bien chaud.

Crème au chocolat

Préparation   45 minutes
Cuisson   5 minutes
Difficulté   ★ ★

Pour 4 personnes

250 ml de crème fleurette
250 g de chocolat noir
20 g de cacao en poudre
4 jaunes d'œufs
10 g de menthe
40 g de coriandre fraîche

100 g de sucre glace
4 feuilles de pâte filo

Sauce à la cerise :
200 g de cerises
50 g de sucre
100 ml d'eau

Décoration :
fruits frais émincés
feuilles de menthe

Athéna, fille de Zeus et déesse de la sagesse, inspira de nombreux artistes et reçut d'eux un culte fervent. Peintres, sculpteurs, poètes, philosophes et même hommes politiques se sont réclamés d'elle à travers les siècles, et l'on a voulu donner son nom à la capitale de la Grèce moderne. C'est aussi à l'Athénaeum Intercontinental qu'officie depuis 1988 notre chef, président du Club des chefs cuisiniers de Grèce.

Ce qui fait la malicieuse originalité de ce dessert, c'est l'association de la coriandre fraîche et du chocolat de haute origine, constituant un mariage des plus étonnants. Pour éviter quand même une trop forte amertume, vous n'emploierez qu'un chocolat comprenant 50 % du meilleur cacao, car une proportion supérieure ne semble guère compatible avec la coriandre. Cela ne vous empêche pas d'utiliser simultanément du cacao en poudre, qui renforce la couleur et permet d'éviter son altération par la crème.

La coriandre connaît encore en Grèce un succès sans partage. On la rencontre partout : en salade dans les hors-d'œuvre, en condiment dans les plats de viande (à base d'agneau surtout) et même parfois à des fins strictement décoratives. Vous n'hésiterez donc pas à l'employer généreusement, car son arôme – hormis ses qualités intrinsèques aisément perceptibles – est un élément très distinctif du patrimoine culinaire grec.

Le coulis à base de cerises fraîches ne doit pas offrir une trop forte acidité, qui pourrait dénaturer l'effet de la coriandre et du chocolat. À défaut de belles cerises fraîches, vous pourriez remplacer le coulis par une crème anglaise à la vanille (voir p. 312), mais en restant fidèle aux mêmes consignes de discrétion.

1. Préparer une crème Chantilly. Faire fondre le chocolat au bain-marie, puis ajouter les jaunes d'œufs, la menthe, la coriandre hachée et le sucre glace. Bien mélanger et incorporer la crème Chantilly. Placer cette mousse au chocolat au congélateur.

2. Placer les feuilles de pâte filo dans un moule rond pour qu'elles en épousent la forme. Les faire cuire légèrement au four.

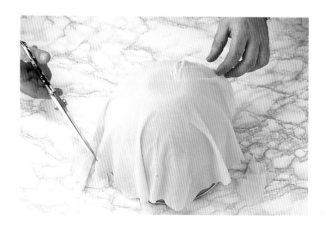

athénaeum à la coriandre

3. Garnir les feuilles de pâte filo de deux quenelles de mousse en forme de petits dômes. Déposer tout autour des morceaux de fruits et des feuilles de menthe.

4. Pour la sauce à la cerise, faire bouillir les cerises dénoyautées avec l'eau et le sucre. Passer au mixeur et terminer au chinois. Dresser l'athénaeum sur l'assiette avec un émincé de fruits rouges, accompagné de la sauce à la cerise.

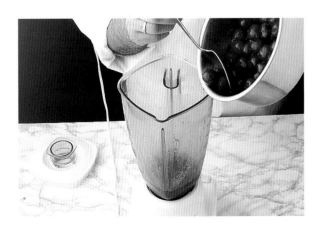

Mousse au mastic

Préparation	*30 minutes*
Cuisson	*10 minutes*
Difficulté	★

Pour 4 personnes

750 ml de crème fleurette
6 œufs, blancs et jaunes séparés
250 g de sucre
100 ml de liqueur de mastic
20 g de mastic de Chio en poudre
   (en pharmacie)

500 g de feuilles de kadaïfi (en épicerie fine
   grecque ou turque)
100 g de beurre

Sauce :
200 ml de lait
50 g de sucre
4 jaunes d'œufs
1 bâton de cannelle

Décoration :
50 g de raisins secs noirs et blancs

« Les Turcs sont passés là ! Tout est ruine et deuil, Chio, l'île des vins, n'est plus qu'un sombre écueil. »

Après les ravages qu'a connu au XIXe siècle cette île de la mer Égée pendant la guerre d'indépendance grecque, et qui lui ont valu d'être choisie par Victor Hugo pour cadre d'un poème illustre, Chio (prononcez Kjo) s'est rendue célèbre par son mastic, une gomme résineuse tirée du lentisque et commercialisée sous forme de cristaux.

On le réduit en poudre et ce mastic parfume des charlottes, des crèmes, des glaces et même une liqueur nommée Mastika. Si le goût du mastic est fort subtil, il faut l'utiliser avec discernement, car tout excès provoque une amertume qui serait préjudiciable à votre dessert.

Autre spécialité grecque, la feuille de kadaïfi sert généralement à présenter des gâteaux de fruits secs de formes diverses (toutes celles que permet cet écheveau de filaments tressés) dont la composition varie selon les régions et leur production locale.

Prenez garde à ne pas laisser l'humidité s'emparer du kadaïfi, qui se ramollirait et se transformerait en pâte, rendant ainsi l'ensemble indigeste et collant. Ce conseil vaut surtout pour le cas où vous devriez le conserver quelques jours. Mieux vaut le servir ici très frais, accompagné de tuiles et de sablés.

1. Monter la crème en chantilly. Battre les jaunes d'œufs avec 100 g de sucre jusqu'à consistance. Préparer avec les blancs et le reste du sucre une meringue italienne. Mélanger ensuite la crème fouettée, les jaunes et la meringue, puis ajouter la liqueur et la poudre de mastic. Placer plusieurs heures au congélateur.

2. Confectionner des tresses avec les feuilles de kadaïfi. Beurrer un plat allant au four, les déposer à l'intérieur et les cuire jusqu'à ce qu'elles prennent une belle couleur.

de Chio

3. Pour la sauce, chauffer le lait avec la moitié du sucre. Mélanger les jaunes avec le reste de sucre, incorporer le lait et cuire jusqu'à 81 °C. Ajouter la cannelle.

4. Farcir les feuilles de kadaïfi avec une quenelle de mousse. Dresser au centre de l'assiette, verser la sauce tout autour et parsemer de raisins secs.

Croustillant de chocolat

Préparation — 2 heures
Cuisson — 30 minutes
Difficulté — ✳ ✳ ✳

Pour 4 personnes

Croquant :
50 g de beurre
100 g de sucre
50 ml de jus d'orange
50 g de farine

Parfait au lait de coco :
250 ml de lait de coco
25 g de chocolat blanc
4 jaunes d'œufs

50 g de sucre
batida de coco (facultatif)
250 ml de crème fleurette

Fond au chocolat :
50 g de beurre
2 œufs, blancs et jaunes séparés
75 g de sucre
30 g de farine
100 g de chocolat de couverture
25 g de sucre glace

Coulis au café :
100 ml de crème double
2 tasses d'expresso
1 jaune d'œuf
20 g de sucre

Bâtonnets de chocolat :
200 g de chocolat de couverture noir

Dans ce dessert que caractérise un parfait équilibre entre des saveurs contrastées, Fritz Schilling attire votre attention sur le lait de coco, à ne pas confondre avec le jus de coco, liquide dépourvu de goût spécifique qui s'écoule à l'ouverture de la noix de coco. Le lait se prépare avec la pulpe fraîche, additionnée d'eau ou de lait chaud, mixée très finement et passée au chinois pour produire une substance homogène et crémeuse. On l'emploie assez souvent en cuisine, en pâtisserie bien sûr, mais aussi pour parfumer le riz dans des préparations salées. On peut aussi acheter le lait de coco en boîte.

La préparation du parfait doit se dérouler sans choc thermique : il faut donc, une fois achevée la réduction du lait de coco et du chocolat, prévoir une phase de refroidissement dans l'eau glacée qui permettra d'intégrer sans dommage la crème Chantilly.

Le croquant est un peu plus délicat, mais les inconvénients que l'on rencontre ne sont pas incontournables. Si par exemple vous jugez après cuisson qu'il est trop raide, il vous suffira de le remettre au four tiède et d'attendre qu'il ramollisse pour l'enrouler prestement sur une baguette. En répétant cette opération plusieurs fois si nécessaire, vous obtiendrez des lanières assez souples.

Le fond au chocolat, pour laquelle il faut tout simplement faire fondre au four le chocolat de couverture, suppose quand même une certaine adresse et une maîtrise absolue des diverses températures. Un ingrédient ne figure toutefois pas dans notre liste, mais il est sous-entendu et vous devrez en avoir à revendre : c'est la patience.

1. Pour le croquant, mélanger longuement tous les ingrédients et laisser reposer environ 2 heures. Cuire à 180 °C et couper en bandes de 2 cm de large.

2. Pour le parfait, faire réduire le mélange de lait de coco et de chocolat blanc d'un tiers. Blanchir les jaunes d'œufs et le sucre, y verser le mélange précédent et fouetter jusqu'à complet refroidissement. Parfumer avec la batida de coco et ajouter la crème fouettée. Étaler sur une épaisseur d'1,5 cm sur une plaque en inox recouverte de film alimentaire.

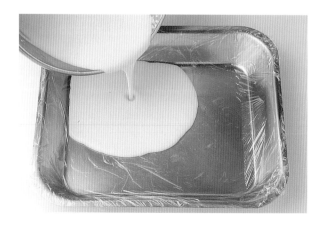

amer et noix de coco

3. Pour le fond au chocolat, travailler le beurre en pommade avec les jaunes d'œufs et le sucre jusqu'à ce que le mélange soit crémeux. Ajouter la farine et enfin le chocolat de couverture. Mélanger délicatement le sucre glace et les deux blancs d'œufs montés en neige. Cuire en tourtière 20 minutes au four à 150 °C.

4. Pour le coulis au café, faire bouillir la crème et l'expresso. Verser sur le mélange de jaunes d'œufs et de sucre et faire cuire tout en remuant. Au centre de l'assiette, déposer un croquant. Placer à l'intérieur un cercle de fond au chocolat. Tailler un même cercle de parfait, le caraméliser et le poser sur le chocolat. Verser tout autour le coulis et garnir de deux bâtonnets de chocolat.

Tarte au

Préparation   *3 heures*
Cuisson   *40 minutes*
Difficulté   ★ ★ ★

Pour 4 personnes

Pâte brisée (voir p. 312) :
100 g de sucre
200 g de beurre
300 g de farine

Fond de tarte :
confiture d'abricots
    (pour le nappage)
500 g de raisin muscat

Crème royale :
125 ml de riesling, 125 ml de sauternes

3 œufs, 1 jaune d'œuf
75 g de sucre

Sauce au caramel :
75 g de sucre, 3 jaunes d'œufs
250 ml de crème fleurette

Gelée :
200 ml de sauternes
40 g de sucre, 5 g de poudre de gelée

Glace :
300 ml de sauternes
75 g de sucre, 3 jaunes d'œufs
100 g de beurre

N'a-t-on pas conservé durant le repas « une petite place pour le dessert » ? Après avoir jaugé la décoration du restaurant, le savoir-faire du chef et la diligence du service, on n'a plus qu'à se laisser aller à goûter les douceurs de la carte, celles qui laissent à la bouche un goût délicatement sucré. Telle est la doctrine de notre chef, qui s'éloigne résolument des pâtisseries gorgées de crème Chantilly et dégoulinantes de matières grasses pour nous proposer cette tarte au vin doux dont l'extrême subtilité déclasse les desserts traditionnels.

Le principe de la recette est un équilibre strict entre le goût des raisins et l'arôme du vin doux, que vous ayez choisi ce dernier en Allemagne (un Trockenbeerenauslese, par exemple) ou en France (un sauternes ou un muscat de Beaumes-de-Venise).

Vous devrez utiliser des raisins de première qualité, un chasselas de Moissac pour le blanc (appellation d'origine contrôlée) et un muscat de Hambourg pour le noir – qui se cultive aussi dans le Sud-Ouest et en Provence. C'est une longue et patiente épreuve que de peler le raisin grain à grain, mais le résultat final récompense largement cette pénitence.
La crème royale requiert quelques précautions : Fritz Schilling vous met en garde contre tout dépassement de la température de cuisson, serait-ce même de quelques degrés. La crème y perdrait son aspect parfaitement lisse et se couvrirait de petites bulles ; il ne serait guère possible de la consommer dans ces conditions. Si vous considérez que sa consistance est insuffisante, allongez plutôt le temps de cuisson, sans chercher à augmenter la température.

1. Pour la pâte brisée, mélanger tous les ingrédients et étaler la pâte. Foncer une tourtière ou de petits moules individuels. Cuire les fonds à blanc au four à 150 °C. À la sortie du four, recouvrir l'intérieur de jaune d'œuf ou de confiture d'abricots pour le rendre imperméable.

2. Pour la crème royale, mélanger les deux vins. Travailler ensemble les œufs et le jaune avec le sucre. Mélanger le tout, chauffer jusqu'à 50 °C et en garnir le fond de tarte. Cuire au four à 150 °C et laisser refroidir. Pour la sauce au caramel, mélanger tous les ingrédients. Réserver.

vin doux

3. Choisir de petits grains de raisins, les peler et les égrainer. En recouvrir entièrement la tarte. Pour la gelée, faire chauffer le sauternes avec le sucre et la poudre de gelée. Laisser tiédir et napper toute la tarte.

4. Pour la glace, chauffer le vin avec le sucre. Verser en fouettant sur les jaunes battus, ajouter le beurre et faire cuire rapidement. Après refroidissement, verser dans la sorbetière. Dresser sur l'assiette une part de tarte et une quenelle de glace. Arroser de sauce au caramel.

Préparation · 1 heure
Refroidissement · 4 heures
Difficulté · ★ ★ ★

Pour 4 personnes

Entremets à la Passion :
65 g de pulpe de fruits de la Passion
1 feuille de gélatine
35 g de sucre
150 ml de crème fleurette

Coulis de framboises :
200 g de framboises
100 g de sucre glace

Glace à la noix de coco :
250 g de noix de coco râpée
500 ml de lait
500 ml de crème fleurette
150 g de sucre
75 g de glucose

Décor du Pierrot :
250 g de chocolat noir

C'est avec un plaisir mêlé de toute la fraîcheur de l'enfance que vous réaliserez ce dessert, illustration fidèle d'une chanson que nous avons apprise au plus jeune âge, et qui n'a pas pris une ride au fond de notre mémoire. Il en est de même pour l'entremets qui joue le croissant de lune et pour le masque de Pierrot, qui peuvent attendre au moins trois semaines au frais.

Il faut d'abord vous mettre en quête du moule adéquat, une tête de Pierrot relevant de critères précis (notamment dans la forme du bonnet). Ensuite, la préparation de ce masque de glace à la noix de coco décoré de chocolat noir demande un peu de vigilance : la glace doit être manipulée avec précaution et l'on doit en éliminer tout excédent avant de placer au congélateur le moule que l'on vient de garnir. Vous aurez contrôlé la qualité de la noix de coco râpée, sa fraîcheur et son goût bien avant de procéder à la préparation.

L'entremets aux fruits de la Passion pourrait être réalisé avec des pêches, mais on lui préférera la saveur acidulée du fruit de la passiflore, qui sollicite les papilles avec plus d'insistance et donne à ce dessert une touche d'exotisme. Prenez garde à ne pas monter la crème avec trop d'énergie, car elle pourrait tourner. Glucose et gélatine pourront être nécessaires à la bonne tenue de l'ensemble, que vous pourrez faire prendre – si vous en possédez – dans un moule en croissant de lune.

Pour le coulis d'accompagnement, les fruits rouges de votre choix seront les bienvenus s'ils sont assez frais. La meilleure formule consiste à les mixer crus avec le sucre glace, puis à les passer au chinois pour obtenir un mélange onctueux.

1. Pour l'entremets à la Passion, faire chauffer la pulpe de fruits de la Passion en y incorporant la gélatine et le sucre. Laisser refroidir et ajouter délicatement la crème fleurette fouettée. Placer au congélateur pendant 1 heure.

2. Après avoir vérifié sa consistance, sortir l'entremets du congélateur, le démouler et le découper en demi-lune. Pour le coulis de framboises, mixer les framboises avec le sucre glace et passer le tout au chinois.

de lune

3. Pour la glace, faire chauffer et laisser infuser la noix de coco râpée avec le lait et la crème fleurette. Ajouter le sucre, le glucose et verser le tout dans la sorbetière. Verser ensuite dans un moule en forme de Pierrot. Placer au congélateur pendant 2 heures.

4. Démouler le Pierrot. Représenter la tête, les yeux et la bouche à l'aide d'un cornet et d'un peu de chocolat. Verser le reste du chocolat en fines couches sur le plan de travail. Donner rapidement la forme de plis avec un couteau et ramener doucement pour former la collerette. Napper le fond de l'assiette de coulis de framboises. Poser ensuite délicatement l'entremets à la Passion et le Pierrot.

Dessert de fruits

Préparation	*15 minutes*
Cuisson	*6 minutes*
Refroidissement	*24 heures*
Difficulté	✶

Pour 4 personnes

80 g de beurre
60 g de pommes sucrées
100 g de fraises, framboises, mûres
et myrtilles

sucre
6 feuilles de gélatine
12 tranches de pain de mie ou de brioche

Décoration:
coulis de fruits rouges
fruits rouges
4 cuil. à soupe de crème Chantilly
feuilles de menthe

C'est presque sur le principe de la charlotte (en souvenir d'une reine d'Angleterre, épouse de George III), ou plus anglais encore, du pudding, que notre chef se propose de traiter ici les fruits rouges lorsqu'ils sont trop mûrs pour une salade. Confortablement chemisées par des tranches de pain de mie, ces petites timbales leur offriront un asile des plus savoureux, pourvu que vous ayez fait le choix d'une mie bien dense et de tranches fines. Soulignons que cet aliment traditionnel est très prisé en Grande-Bretagne, depuis le « breakfast » du matin jusqu'au dîner, sans oublier l'incontournable thé de l'après-midi que l'on accompagne de tranches de pain de mie diversement garnies.

Attention tout de même à la qualité des fruits rouges, qui seront certes très avancés, mais ni détériorés ni gâtés. D'autre part,

vous ne devez laisser dans le chemisage des moules aucun défaut par lequel la compote de fruits pourrait se répandre et ruiner le maintien de l'ensemble. Le choix des moules revêt aussi quelque importance : s'ils sont trop hauts, ils accueilleront trop de fruits et donneront un pudding trop fragile au démoulage. À l'inverse, des moules trop petits donneront trop d'importance au pain de mie et ne comporteront pas assez de fruits. Pour faciliter le démoulage, vous pourrez d'ailleurs intercaler un film alimentaire entre les parois du moule et les tranches de pain de mie.

On ne saurait trop vous recommander d'utiliser la pomme avec les fruits rouges : sa douceur saura balancer leur acidité et sa consistance aura les meilleurs effets sur la tenue de la compote. Des pommes bramley, cox ou reinettes se révéleront ici d'excellente compagnie, et de surcroît très faciles à l'emploi.

1. Dans une casserole, faire doucement fondre le beurre. Ajouter les morceaux de pommes et faire cuire 1 minute. Ajouter les fruits rouges, le sucre et un demi-verre d'eau. Porter à ébullition, retirer du feu et ajouter les feuilles de gélatine. Laisser refroidir.

2. Graisser à l'huile quatre moules à soufflé de 6 cm de haut et 6 cm de diamètre. Retirer la croûte des tranches de pain et les découper en lamelles pour chemiser les moules.

d'été à l'anglaise

3. Combler soigneusement les interstices entre les morceaux de pain de mie. Verser la compote de fruits dans les moules en mouillant bien le pain.

4. Recouvrir les fruits d'une rondelle de pain. Laisser 24 heures au réfrigérateur. Dresser le dessert au centre de l'assiette et napper d'un coulis de fruits rouges. Décorer de fruits rouges, de crème Chantilly et de feuilles de menthe.

Beignets truffés

Préparation	45 minutes
Cuisson	5 minutes
Repos	30 minutes
Difficulté	✶ ✶

Pour 4 personnes

Truffes au chocolat :
200 ml de crème fleurette
500 g de chocolat râpé
100 g de beurre

Pâte à beignets :
250 g de farine
50 g de cacao
5 g de sel
50 g de sucre
2 œufs
250 ml de champagne
50 g de beurre
huile pour la friture

Décoration :
coulis d'abricots

Le chocolat est un noble produit et ses amateurs méritent une considération en rapport. De nombreux clubs de dégustation de chocolat ont été créés de par le monde, et l'on voit bien que ce n'est pas seulement gourmandise que de croquer et de comparer le fruit délicat du cacaoyer. D'ailleurs, la pharmacopée ne lui attribue-t-elle pas d'éminentes vertus thérapeutiques ?

Roger Souvereyns fait partie de ces amateurs éclairés et s'inspire ici d'un beignet de foie gras que lui servit naguère en Bourgogne son confrère Marc Meneau. Adaptée et testée auprès de connaisseurs, cette recette vous enchantera.

Il faut choisir l'origine du cacao, pour lequel ont été définis de grands crus. Notre chef recommande le plus rare et le plus fin, le plus fragile aussi : le criollo, dont le parfum très particulier nous vient d'Indonésie et d'Amérique latine. Sans perte de qualité, on peut lui substituer un mélange comme le trinitario qui regroupe des fèves des Caraïbes et du Brésil. La teneur en cacao des tablettes ne devra pas descendre en dessous de 60 à 70 %. La ganache de chocolat, base de fabrication des truffes, est à préparer la veille et doit reposer au froid.

Par dérogation à la coutume belge, la pâte à beignets sera préparée au champagne et non à la bière. Vous aurez soin de remplir la friteuse d'une quantité d'huile suffisante et de faire frire les beignets 1 heure environ avant de servir, afin de laisser le temps au chocolat, fondant au sortir de la friture, de recouvrer tout son croquant. Un rapide passage au four juste avant le service tiédira le beignet sans affaiblir la truffe.

1. Pour les truffes, faire chauffer la crème et la verser sur le chocolat râpé. Remuer, laisser refroidir, puis ajouter le beurre en pommade. Placer au frais.

2. À l'aide d'une poche à douille, déposer sur une plaque recouverte de papier sulfurisé des truffes de la grosseur d'une noisette. Placer au froid.

au chocolat

3. Dans un récipient, mélanger la farine, le cacao, le sel, le sucre, les œufs et le champagne jusqu'à l'obtention d'une pâte lisse, puis ajouter le beurre fondu.

4. Au moment de servir, tremper une noisette de truffe dans la pâte à beignets, puis faire cuire dans une friteuse à 180 °C pendant 3 minutes environ. Poser les beignets sur l'assiette et verser tout autour le coulis d'abricots.

Crêpes

Préparation	45 minutes
Cuisson	25 minutes
Difficulté	★

Pour 4 personnes

beurre pour la cuisson
miel d'acacia
4 cuil. à café de sucre

Pâte à crêpes :
125 g de farine de froment

1 œuf
1 jaune d'œuf
50 ml de beurre fondu
250 ml de lait frais entier

Sauce :
200 ml de crème fleurette
40 ml de genièvre
2 jaunes d'œufs
30 g de sucre glace
40 ml de Heidebitt (liqueur hasseltoise à base
   de fleurs de bruyère)

Hasselt, chef-lieu de la province flamande du Limbourg, s'est fait une spécialité de l'exploitation de la fleur de bruyère, encore trop peu connue en gastronomie. La tradition veut que la cueillette de ces fleurs soit dévolue aux enfants des écoles : une bonne occasion de découvrir la nature.

La crêpe hasseltoise est la réponse de Roger Souvereyns à un ami brasseur soucieux de constituer tout un menu que l'on accompagnerait de bière, y compris le dessert. C'est pourquoi la première version de la recette incluait déjà un alcool sec, le genièvre, dont le rôle était de diminuer la teneur en sucre des crêpes et de les rendre compatibles au goût de la bière. Cette fonction se voyait renforcée par le recours au miel d'acacia, sucre naturel et savoureux.

Une évolution s'est produite il y a quelques années, lorsque la distillation de la fleur de bruyère a donné naissance à la liqueur Heidebitt, immédiatement intégrée à cette recette régionale en remplacement du Cointreau habituel.

La composition de la pâte et la confection des crêpes sont tout à fait classiques. Vous aurez soin de les servir très chaudes, afin d'éviter qu'elles n'absorbent la sauce d'accompagnement. Cette dernière, qui inclut de la crème fouettée, doit être manipulée avec la plus grande précaution.

La générosité de ce dessert nous a fait grande impression, à l'image de notre chef qui déclare : « Je me livre entièrement : je suis exubérant, je ne possède pas de qualités cachées. Tout ce que j'ai, je le donne. »

1. Pour la sauce, fouetter la crème fleurette. Mélanger prudemment le genièvre, les jaunes d'œufs, le sucre glace et le Heidebitt. Incorporer la crème fouettée.

2. Pour les crêpes, mélanger tous les ingrédients afin de former une pâte liquide et onctueuse. Préchauffer le four à 200 °C. Chauffer un peu de beurre dans une petite poêle en fonte de 12 à 15 cm de diamètre, y verser à chaque fois 1 cuil. à soupe bien remplie de pâte et cuire les crêpes. Garder au chaud. Enduire de beurre frais un plat allant au four.

hasseltoises

3. Badigeonner les crêpes de miel d'acacia, les plier en deux et saupoudrer chacune d'elles d'1/2 cuil. à café de sucre. Mettre le plat avec les crêpes dans le four préchauffé.

4. Poser deux crêpes sur chaque assiette et les napper de sauce. Faire colorer quelques instants sous le gril chaud.

Feuilleté de mamía

Préparation	*30 minutes*
Cuisson	*15 minutes*
Difficulté	✷ ✷

Pour 4 personnes

pâte feuilletée (voir p. 312)
sucre glace
500 ml de caillé de brebis
25 g de sucre
1 feuille de gélatine

Pommes caramélisées :
4 petites pommes reinettes
1 noix de beurre

50 g de sucre
50 ml d'eau
30 ml de Sagardoz
    (eau-de-vie de pommes)

Sauce aux pommes :
200 g de pommes reinettes
125 ml d'eau
40 g de sucre
1 jus de citron
1 bâton de cannelle
30 ml de Sagardoz

Décoration :
quelques fruits rouges

Le caillé de brebis (« mamía » en espagnol) est un dessert espagnol traditionnel que l'on prépare ici avec du Sagardoz, une eau-de-vie à base de pommes.

La manipulation du caillé n'est pas très difficile, pourvu que l'on veille à éliminer le petit-lait, qui baigne le fromage dès qu'on l'expose à quelques vibrations. Il est donc recommandé de le battre avec du sucre, d'ajouter une feuille de gélatine dissoute et de le laisser cailler à nouveau.

Mais l'abus de gélatine pourrait donner à la mamía une consistance épaisse et caoutchouteuse fort éloignée de ce que veut la tradition. Si vous possédez les ustensiles adéquats, vous pouvez également brûler à l'ancienne, au fer rouge, la surface de la mamía.

À cet élément principal, vous devrez adjoindre une déclinaison de pommes errecilla, équivalentes de nos reines des reinettes, autrefois très largement répandues dans les campagnes, et que les paysans conservaient entre paille et sable pour les consommer toute l'année. Cette variété de pomme est aujourd'hui tombée en désuétude, même si Pedro Subijana en possède quelques échantillons dans son verger et s'efforce particulièrement de la remettre à l'honneur.

Le Sagardoz, produit par distillation du cidre, est une eau-de-vie savoureuse. Elle coule à flots dans les épreuves de Txox, ces concours de cidriers au cours desquels on doit déguster debout des mets affolants : côte de bœuf, omelette à la morue et enfin caillé de brebis aux noix. Le Sagardoz relèvera magnifiquement ce dessert, que notre chef a eu l'honneur de servir au roi Juan Carlos et à son épouse la reine Sophie.

1. Couper huit triangles de pâte feuilletée de 15 x 15 x 6 cm et de 0,5 cm d'épaisseur, puis les faire cuire au four. En fin de cuisson, saupoudrer de sucre glace et remettre à caraméliser au four. Laisser refroidir.

2. Battre le caillé de brebis, puis le mélanger avec le sucre et la gélatine préalablement ramollie à l'eau et dissoute à la chaleur. Laisser prendre. Garnir sans remuer chaque feuilleté d'1 cuil. à soupe de cette mousse.

au Sagardoz

3. Pour les pommes caramélisées, peler les pommes, les couper en quartiers et enlever le cœur. Faire dorer dans une sauteuse avec le beurre clarifié. Caraméliser au sucre, mouiller à l'eau et cuire jusqu'à dissoudre le caramel. Ajouter le Sagardoz et laisser refroidir dans le même récipient.

4. Pour la sauce aux pommes, mettre à cuire les pommes avec l'eau, le sucre, le jus de citron et la cannelle. Écraser et passer au chinois. Ajouter le Sagardoz. Verser au centre de l'assiette une louche de sauce aux pommes, déposer le feuilleté et sur le côté les quartiers de pommes caramélisées arrosées de leur propre jus.

Ananas safrané, crème de

Préparation	35 minutes
Cuisson	25 minutes
Difficulté	★ ★

Pour 4 personnes

1 gros ananas
100 g de beurre
1 pincée de safran en poudre

Sirop :
150 g de glucose
150 g de fondant
50 g de gingembre frais
50 ml de jus
    d'ananas frais

Crème de coco au Grand Marnier :
125 ml de lait
125 ml de lait de coco

1 gousse de vanille
3 œufs
50 g de sucre
20 ml de Grand Marnier
25 g de farine
50 ml de crème Chantilly

Tuiles à la noix de coco :
80 g de sucre
70 g de noix de coco râpée
20 g de farine
80 g de blanc d'œuf
20 g de beurre fondu

Décoration :
50 g de pralines roses

Le raffinement de cette recette qui marie de multiples saveurs exotiques donnera sans doute à l'étape finale de votre repas l'allure d'un voyage ensoleillé.

Le nom de l'ananas viendrait du mot guarani *ana-ana*, qui signifie « parfum des parfums ». Ce fruit contient une enzyme particulière, la broméline, qui absorbe les graisses et facilite la digestion, sans posséder pour autant les vertus amaigrissantes que l'on a pu lui prêter. Bien sûr absent de nos vergers, l'ananas s'importe frais toute l'année. Au siècle dernier, on l'apportait des Indes tout confit.

Aujourd'hui, vous choisirez un fruit de Côte-d'Ivoire ou de la Martinique, de préférence livré par avion, lourd et d'une belle couleur ambrée. La chair doit être ferme, les feuilles bien attachées au fruit et les « yeux » plats.

C'est la confection du sirop qui fait la principale difficulté de ce dessert. Il convient de cuire avec dextérité le glucose et le fondant pour obtenir un « grand cassé », soit un liquide épais mais suffisamment homogène et fluide pour que le sucre ne risque pas de s'agglutiner. La température idéale est de 160 à 170 °C.

Les yeux et le palais seront flattés de la combinaison de l'ananas poêlé et du safran, dont la couleur rouge orangé colore élégamment la chair du fruit, même en très petite quantité.

L'accompagnement de tuiles à la noix de coco est traditionnel. Veillez simplement à garder les tuiles dans un endroit frais et sec dès qu'elles auront pris leur forme, sinon elles risquent de s'aplatir.

1. Éplucher à vif l'ananas, le couper en douze tranches régulières, puis évider le centre à l'aide d'un petit emporte-pièce.

2. Pocher les tranches d'ananas dans un sirop léger (glucose + fondant) pendant 5 minutes environ. Laisser refroidir, égoutter l'ananas et réserver le sirop. Poêler les tranches d'ananas au beurre safrané.

coco au Grand Marnier

3. Pour la crème de coco, faire bouillir le lait frais et le lait de coco avec la gousse de vanille, puis laisser infuser. Battre les œufs et le sucre, puis ajouter le Grand Marnier et la farine. Verser le mélange de laits par-dessus et porter à ébullition. Laisser refroidir et incorporer délicatement la crème Chantilly à la spatule. Recouvrir les tranches d'ananas de crème de coco et les empiler.

4. Éplucher le gingembre, l'émincer finement et faire cuire dans le sirop réservé à cet effet jusqu'à l'obtention d'un caramel blond. Déglacer avec le jus d'ananas frais. Ajouter un peu de Grand Marnier. Pour les tuiles, mélanger tous les ingrédients et faire cuire à 240 °C sur du papier sulfurisé. Dresser l'ananas sur l'assiette avec la crème de coco au Grand Marnier. Garnir de tuiles et d'un enchevêtrement de fils de sirop de sucre. Parsemer de pralines.

Parfait glacé à

Préparation	30 minutes
Cuisson	12 minutes
Repos	4 heures
Difficulté	★ ★

Pour 4 personnes

Parfaits :
3 jaunes d'œufs (60 g)
60 g de sucre
8 g d'anis
17 ml de café fort
185 ml de crème
   fleurette
50 g de gelée de fruits
130 ml de sirop

Crème anglaise (voir p. 312) :
100 ml de lait

1 cuil. à café de crème fleurette
2 jaunes d'œufs, 30 g de sucre
1 pincée de café soluble
10 ml de crème de café

Financiers :
135 g de poudre d'amandes
5 g de sucre glace, 135 g de farine
10 blancs d'œufs (330 g)
30 g de beurre
65 g de nappage blond (aux noix)
cerneaux de noix

Décoration :
50 g de chocolat de couverture noir
50 g de coulis de fruits rouges (facultatif)

Cet étonnant dessert a le goût de la réglisse, mais… ne comporte pas de réglisse. Il s'agit d'une copie, qui résulte de la combinaison de l'anis et du café. De telles découvertes ont ainsi permis de créer des recettes originales et brillantes.

Les petits grains d'anis ont inspiré de multiples produits dont les plus célèbres sont certainement l'anisette et le pastis qui évoquent le soleil de Provence. Mais on trouve aussi l'anis en Bourgogne, en Alsace et dans bien d'autres régions.

Son alliance avec le café suppose un choix préalable rigoureux, toutes les variétés de café (on en dénombre au moins 168) ne s'y prêtant pas avec un égal bonheur. Notre chef recommande un pur arabica de haute origine, d'Amérique centrale ou d'Amérique du Sud (Costa Rica, Guatemala). Il existe au Salvador quelques variétés moins corsées et plus douces. La crème anglaise, elle aussi aromatisée de café soluble et de crème de café, renforcera ce goût merveilleusement complémentaire de celui de l'anis.

Pour accompagner le dessert de quelques gâteaux secs, il convient de préparer des financiers que vous servirez encore tièdes, à la fois croustillants et moelleux, suffisamment colorés pour qu'ils réjouissent le regard. Si vous choisissez de les décorer d'un cerneau de noix, utilisez de préférence des noix fraîches pour qu'elles ne produisent pas une fausse note dans ce dessert délicat.

1. Pour les parfaits, fouetter 60 g de jaunes d'œufs et 60 g de sucre dans un batteur. Laisser refroidir, ajouter l'anis et le café, puis la crème fleurette fouettée. Verser dans des moules et placer au congélateur environ 4 heures.

2. Recouvrir de gelée de fruits et de sirop, puis démouler. Confectionner une crème anglaise et ajouter le café soluble. Remuer à la spatule et pocher à feu doux jusqu'à ce que la crème épaississe. Filtrer et faire refroidir rapidement. Incorporer la crème de café.

l'anis, sauce arabica

3. Pour les financiers, mélanger la poudre d'amandes, le sucre glace et la farine. Ajouter les blancs d'œufs crus et travailler à la spatule. Incorporer le beurre tiède et le nappage fondu. Verser dans de petits moules beurrés et disposer sur chacun un demi-cerneau de noix. Faire cuire les financiers à four assez chaud (210 °C environ), puis démouler aussitôt.

4. Présenter sur des assiettes bien froides les parfaits décorés de chocolat et entourés de crème anglaise au café. Agrémenter de coulis de fruits rouges et disposer harmonieusement les financiers tièdes.

Tortelli à la crème,

Préparation	*1 heure*
Cuisson	*25 minutes*
Difficulté	✷ ✷

Pour 4 personnes

1 kg de gras de porc pour la friture
sucre glace

Pâte à tortelli :
500 g de farine
3 œufs
3 cuil. à café de sucre
3 cuil. à café de grappa
3 cuil. à café d'huile légère

Crème :
500 ml de lait
4 gousses de vanille
6 jaunes d'œufs
250 g de sucre
80 g de farine

Sauce au café :
100 ml d'eau
200 g de sucre
6 petites tasses de café corsé

On ne sait pas toujours que les pâtes fraîches, que l'on sert beaucoup en entrée dans les restaurants italiens, peuvent aussi être employées au dessert ! Cette recette surprendra certainement vos convives les moins avertis. La préparation des tortelli ne diffère pas ici de celle pratiquée ordinairement en Italie. Comme beaucoup de mets à base de pâtes, ce dessert conjugue économie et tradition.

Trois éléments typiques de la cuisine italienne se côtoient pour ce rendez-vous gourmand : le gras de porc, souvent employé en biscuiterie et en pâtisserie car il permet de confectionner une pâte légère ; la grappa, eau-de-vie de raisin originaire de Barolo dans le Piémont, qui confère à la pâte onctuosité et liant, et dont le goût sait affaiblir celui de la friture (on l'utilise beaucoup en

pâtisserie, mais on peut aussi la boire en digestif ou entre amis) ; et enfin le café, dont on sait les Italiens très friands, bien que les plus grands consommateurs en ce domaine soient les Finlandais et autres peuples nordiques. Mais on n'ignore pas la qualité des torréfacteurs italiens, ni la manière dont la péninsule tout entière prépare l'expresso, le cappuccino et mille autres spécialités.

Toutefois, Romano Tamani tolère que l'on accompagne ce dessert d'une sauce au chocolat amer, également préparée à partir d'un caramel. Il va sans dire que si vous optez pour le café, vous devrez choisir un mélange d'arabicas de grande origine, d'Éthiopie ou du Kenya, par exemple. La finesse de son goût se combinera d'autant mieux à la délicatesse de la pâte à tortelli.

1. Pour la pâte à tortelli, mélanger la farine avec tous les ingrédients indiqués et confectionner une pâte bien homogène. Étaler la pâte et découper des carrés de 5 cm.

2. Pour la crème, faire bouillir le lait avec la vanille. Dans une autre casserole, verser les œufs, le sucre et battre au fouet 10 minutes. Ajouter doucement la farine, mouiller avec le lait et faire mijoter 3 minutes après ébullition. Farcir les carrés de crème et les refermer en formant des tortelli.

sauce au café

3. Verser le gras de porc dans une friteuse et le faire fondre. Lorsque l'huile est bien chaude, faire frire et dorer les tortelli. Égoutter et saupoudrer de sucre glace.

4. Pour la sauce au café, verser l'eau et faire dissoudre le sucre. Ajouter le café et laisser caraméliser. Réserver au frais quelques minutes. Napper l'assiette de sauce au café froide et poser par-dessus les tortelli.

Gâteau de tagliatelle,

Préparation	40 minutes
Cuisson	50 minutes
Difficulté	★ ★

Pour 4 personnes

200 g d'amandes
beurre
200 g de sucre
1 verre de Sassolino (liqueur italienne)

Tagliatelle :
300 g de farine
1 œuf
2 jaunes d'œufs

Zabaglione :
4 jaunes d'œufs
4 cuil. à café de sucre
2 ml de marsala (de Bartoli)
2 ml de muscat (d'Asti)
1/2 cuil. à café de fécule de pommes de terre

Ce gâteau typique de la région de Mantoue est bien meilleur si vous le préparez la veille. Il sera très réussi si vous confectionnez des tagliatelle assez fines (c'est une fonction que l'on réserve en Italie aux doigts délicats des jeunes filles). Si le marsala est initialement le produit d'une petite ville de Sicile dont il porte le nom, ce sont les Vénitiens qui ont répandu sa renommée dans le monde entier.

Bien évidemment, le zabaglione (sabayon) doit être préparé juste au moment de servir dans un récipient en cuivre qui donne aux œufs battus plus de consistance. Vous le monterez plus facilement si vous y incorporez une égale quantité de marsala et de vin muscat pétillant. Si vous craignez de ne pas y parvenir, vous pouvez ajouter (quand personne ne vous regarde) une

demi-cuillerée à café de fécule de pomme de terre. Cette précaution, également très opportune dans la préparation de la crème anglaise, évite aux cuisiniers inexpérimentés de trop pénibles déboires. Si malgré cette confidence, vous hésitez encore devant la confection du sabayon, votre gâteau se contentera d'une sauce au chocolat, pourvu qu'elle soit bien savoureuse.

Une autre liqueur italienne entre dans la préparation de ce gâteau, le Sassolino, dont la saveur de pêche et de pruneaux éveille volontiers des souvenirs d'enfance et de campagne automnale. Si vous ne la trouvez pas en France, vous pourrez la remplacer par un vin de noix verte ou une crème de noix du Périgord.

1. Pour les tagliatelle, mélanger la farine et les œufs. Étaler la pâte et la faire sécher quelques minutes. Confectionner de fines tagliatelle. Émonder les amandes, les hacher et les faire griller.

2. Beurrer une tourtière, y placer une couche de tagliatelle, une couche de sucre, une couche d'amandes et ainsi de suite jusqu'à épuisement des ingrédients.

zabaglione al marsala

3. Faire cuire le gâteau de tagliatelle 40 minutes au four à 160 °C.
Aux trois quarts de la cuisson, mouiller avec le Sassolino et rajouter
quelques noisettes de beurre.

4. Pour le zabaglione, battre au fouet tous les ingrédients 8 à
10 minutes à feu doux. À la sortie du four, casser à la main le gâteau
de tagliatelle. Présenter sur une assiette accompagné du zabaglione.

Feuillets croquants

Préparation	1 heure
Cuisson	10 minutes
Refroidissement	10 minutes
Difficulté	✶ ✶

Pour 4 personnes

Feuillets :
100 g d'amandes hachées
100 g de sucre glace
50 g de farine
1 zeste d'orange
50 g de beurre
200 ml de Grand Marnier
40 ml de jus d'orange

Sorbet de fromage blanc :
350 g de fromage blanc
100 g de sucre
100 ml d'eau, jus d'1/2 citron

Préparation aux pruneaux :
150 g de pâte de pruneaux
150 g de fromage blanc
5 ml de crème fleurette

Pruneaux confits :
250 ml d'eau
80 g de sucre
1 gousse de vanille
4 pruneaux

C'est une déplorable erreur que de croire que l'on peut impunément fabriquer le pruneau avec n'importe quelle prune. Tous les spécialistes du Lot-et-Garonne vous le diront : seule la prune d'ente, rapportée de Palestine par les chevaliers de l'ordre du Temple, est capable de fournir des pruneaux d'un goût parfait. Il faut dire que l'on connaît peu de fruits qui sachent cuire au four avec autant de bonne volonté, sans carboniser, sans crever sous la pression du jus – nul doute que les Templiers, que l'on accusait de fréquenter le diable, ont au passage soutiré quelques secrets de cuisine à Satan.

D'autres prunes, bien sûr, ont connu d'honorables carrières. Cultivées par les Romains, elles furent à la mode à la Renaissance et firent florès au XVIIe siècle, sous l'impulsion notable du duc Gaston d'Orléans, frère du roi Louis XIII. Bref,

ne sortez pas des pruneaux bien frais, souples et juteux. Au XVIIIe siècle, on les qualifiait de « robes de sergents », pour moquer l'uniforme des argousins de l'époque.

Obtenir un feuillet croquant et moelleux n'est pas si complexe : il faut une farce homogène et crémeuse, un beurre très frais. On arrivera à d'excellents résultats en laissant reposer la pâte une bonne demi-heure, puis les feuillets cuiront dans un four préchauffé à 160 °C jusqu'à coloration dorée. Ensuite, laissez-les patiemment refroidir.

Le sorbet de fromage blanc, totalement exempt de crème, réconfortera les convives qui souhaitent contrôler leur gourmandise. Le tout pourra être accompagné d'une crème anglaise ou même d'une sauce à la menthe.

1. Pour les feuillets, incorporer progressivement dans un saladier les amandes hachées, le sucre glace, la farine et le zeste d'orange préalablement coupé en julienne. Faire une fontaine et verser au centre le beurre fondu refroidi, le Grand Marnier et le jus d'orange. Mélanger et laisser reposer 20 minutes.

2. Sur une plaque allant au four, remplir des cercles de 10 cm de diamètre avec la préparation. Cuire au four à 160 °C jusqu'à l'obtention d'une coloration dorée. Laisser refroidir les feuillets.

aux pruneaux

3. Confectionner le sorbet de fromage blanc avec tous les ingrédients. Pour la préparation aux pruneaux, mélanger au fouet la pâte de pruneaux avec le fromage blanc. Monter la crème et l'incorporer. Faire un sirop avec l'eau, le sucre et la gousse de vanille, puis confire les pruneaux dans ce mélange.

4. Déposer une petite quantité de préparation aux pruneaux sur un feuillet, puis couvrir d'un second feuillet. Dresser harmonieusement sur une assiette avec deux pruneaux confits et une quenelle de sorbet de fromage blanc.

Riz à la crème, ananas

Préparation | 1 heure 30 minutes
Cuisson | 1 heure
Difficulté | ✳ ✳

Pour 4 personnes

1 ananas
8 dattes
beurre

Riz à la crème :
80 g de riz

400 ml de lait
1 gousse de vanille
50 g de sucre
2 jaunes d'œufs

100 ml de crème double

Sirop :
250 ml d'eau
250 g de sucre
1 gousse de vanille
rhum brun

Le riz s'est vu, dès l'origine, crédité de qualités médicinales et purifiantes. Ses diverses variétés se consomment toujours après cuisson. Il en existe des centaines, mais on peut évidemment se contenter de reconnaître les trois grandes classes de riz : rond, moyen et long. Il faut avoir conscience de l'extraordinaire diffusion qu'a pu connaître le riz dans tous les pays du monde : il relie et unit véritablement tous les gourmets.

Notre chef, tropézien d'adoption, fait le choix du riz long pour ce dessert inspiré du traditionnel riz au lait que préparaient nos grands-mères. Tout d'abord, il vous faut « crever » le riz, lui donner un premier bouillon à l'eau qui force l'enveloppe extérieure. Une fois égoutté, le riz poursuit paisiblement une cuisson classique dans le lait vanillé, le plus difficile étant

d'obtenir en dernier lieu une substance crémeuse tout en préservant la saveur spécifique du riz.

Vous devez donc vous initier au « repère » qu'utilise ici notre chef : il s'agit en fait de terminer la cuisson dans une cocotte dont le couvercle adhère au bord supérieur au moyen d'un joint de farine et d'eau. Ce procédé garantit une cuisson bien hermétique qui concentre toutes les saveurs et parfume abondamment le riz.

Ce dessert dont la consistance et la délicatesse raviront tous les convives est de surcroît très équilibré diététiquement. Les compléments de garniture, ananas et dattes, évoquent enfin la rive orientale de la Méditerranée et ses exotiques saveurs.

1. Laver le riz à l'eau, l'égoutter et le faire bouillir à feu vif dans l'eau. Rafraîchir et égoutter à nouveau. Porter le lait à ébullition, puis ajouter le riz et la gousse de vanille ouverte. Cuire le tout 25 minutes à feu doux sans remuer.

2. Éplucher et découper huit tranches d'ananas. Retirer le cœur à l'aide d'un emporte-pièce. Réserver les tranches. Confectionner un sirop avec l'eau, le sucre et la gousse de vanille. Pocher l'ananas et les dattes dans le sirop, puis égoutter.

et dattes confits

3. Pocher les parures d'ananas dans le même sirop. Ajouter le rhum. Mixer et filtrer au chinois. À la fin de la cuisson du riz, ajouter le sucre, les jaunes d'œufs et la crème double.

4. Verser le riz dans une cocotte. Fermer hermétiquement et finir de cuire au four 15 minutes à 140 °C. Faire sauter l'ananas et les dattes au beurre, puis les dresser sur une assiette. Arroser de sirop. Servir le riz à part.

Figues rôties au banyuls

Préparation   30 minutes
Cuisson   15 minutes
Difficulté   ✷ ✷

Pour 4 personnes

300 ml de banyuls (ou autre vin cuit)
1 orange
1 citron
30 g de sucre
5 g de grains de poivre

5 g de cardamome
12 figues

Glace à la vanille : voir p. 312

Réservé aux puissants jusqu'au XVII⁰ siècle, l'entremets glacé est aujourd'hui une source inépuisable d'inspiration pour de délicieux desserts contrastés. L'imagination permet en effet de le présenter sous les formes les plus diverses, y compris dans des fruits farcis et réchauffés… La figue a longtemps été le symbole du confort et de la vie facile, et même pour les Romains, celui de la mollesse et du luxe. Mais c'est précisément sous un figuier que Romulus et Rémus auraient tété la célèbre louve, et, selon la tradition biblique, cet arbre si répandu dans tout le bassin méditerranéen est le symbole de la fécondité.

Cette préparation s'accommodera volontiers de la figue violette, moins juteuse que la figue blanche et donc moins sensible à la chaleur. On la trouve en France pendant toute la saison chaude, puisqu'on en produit sur place autant qu'on en importe, surtout d'Italie, d'Espagne et de Turquie. On la déguste en général avec sa peau.

Farcir les fruits de glace à la vanille n'est pas une opération très simple. D'abord, il faut pocher les figues sans les faire bouillir, les vider prudemment et les réserver au réfrigérateur pour qu'elles soient plus fermes au moment de les fourrer. On remplit ensuite les fruits de glace, un par un, à l'aide d'une poche à douille.

Les différents arômes d'accompagnement méritent au moins une mention : le banyuls, tout d'abord, honorable vin doux naturel des Pyrénées-Orientales que produit depuis le XIII⁰ siècle un vignoble de grande tradition, malgré l'aridité de ses côteaux ; ensuite, l'aimable cardamome, qui nous vient des Indes et dont la saveur poivrée relèvera cet élégant dessert chaud-froid que l'on peut savourer en toute saison.

1. Verser le banyuls dans une casserole, ainsi qu'une fine tranche d'orange et de citron. Incorporer le sucre, puis le poivre et la cardamome. Porter le tout à ébullition. Laisser cuire 5 minutes.

2. Ajouter les figues et laisser cuire 3 minutes. Retirer du feu et laisser refroidir les figues dans leur jus de cuisson. Égoutter, puis réserver au réfrigérateur.

farcies de glace à la vanille

3. Faire réduire le jus de cuisson afin d'obtenir une consistance sirupeuse. Réserver au chaud. À l'aide d'une cuillère à pomme parisienne, creuser sous la figue et vider légèrement cette dernière.

4. Remplir l'intérieur des figues de glace à la vanille. Passer rapidement sous le gril du four pour chauffer légèrement l'extérieur. Napper de sirop bien chaud et servir.

Grillé aux pommes,

Préparation	45 minutes
Cuisson	25 minutes
Difficulté	☆

Pour 4 personnes

1,5 kg de pommes
100 g de sucre
1 citron non traité
50 g de beurre
1 œuf
250 g de pâte feuilletée (voir p. 312)

Marinade :
50 g de pruneaux
50 g d'abricots secs

50 g d'écorces
    d'oranges confites
50 ml de bénédictine
2 clous de girofle
1 pincée de cannelle

Coulis d'abricots :
500 g d'abricots
400 g de sucre

Glace aux épices :
500 ml de lait
500 ml de crème fleurette
12 jaunes d'œufs
150 g de sucre
50 g de miel

Adam et Ève sont nés en Normandie, le doute n'est pas permis. Dans cette région fertile en vergers, ils ont eu pour la pomme une telle passion qu'ils se sont damnés pour elle. Si bien qu'aujourd'hui nous avons conservé grâce à eux ce fruit sans égal, cette pulpe croquante, cette fine saveur sucrée – et le péché originel, certes, mais qu'est-ce en comparaison ?

Avec une inlassable complaisance, la pomme se laisse accommoder en desserts ; on la déguste crue, à pleines dents ; on retrouve son arôme dans le cidre, le calvados et le pommeau… Notre chef, en bon Rouennais, l'associe dans ce dessert à sa vieille compagne la cannelle, qui fait l'essentiel de la glace aux épices. Choisissez une variété qui se maintienne à la cuisson : la belle de boskoop (du nom de la ville hollandaise

où cette pomme vit le jour) et la granny smith sont les préférées de Gilles Tournadre, sans dévaluer les autres espèces. L'essentiel reste de cuire la marmelade en douceur et de ne la travailler qu'à la spatule.

Le cours des saisons éloigne la maturité de l'abricot de celle de la pomme, ce qui rend leur coexistence délicate au même degré de fraîcheur. Vous résoudrez ce casse-tête avec des abricots au sirop, après avoir vérifié qu'ils ont suffisamment de goût pour équilibrer celui de la pomme.

Le treillage se prépare avec une pâte feuilletée que vous aurez fait séjourner au froid pour découper plus finement les barreaux de la grille. Enfin, le fond de pâte doit être un peu plus large que le moule, car il peut rétrécir à la cuisson.

1. Pour la marinade, tailler les fruits secs et les écorces en petits dés, puis mettre à mariner le tout 24 heures dans la bénédictine agrémentée de girofle et de cannelle. Pour le coulis, mixer les abricots (lavés et dénoyautés au préalable) avec le sucre. Passer au chinois.

2. Éplucher et couper les pommes en quartiers. Les faire cuire avec le sucre, le jus et un morceau d'écorce de citron, puis ajouter le beurre. Lorsque la marmelade est froide, ajouter l'œuf, quelques zestes de citron et mélanger.

glace aux épices

3. Étaler le feuilletage et foncer quatre cercles de 10 cm de diamètre sur 3 cm de haut avec la moitié de la pâte. Confectionner le grillage avec l'autre moitié. Préparer la glace aux épices et ajouter en fin de turbinage les dés de fruits marinés dans la bénédictine.

4. Remplir les cercles de marmelade et les recouvrir du grillage de pâte feuilletée. Dorer à l'œuf et cuire 25 minutes au four à 180 °C. Servir tiède avec le coulis d'abricots et une quenelle de glace.

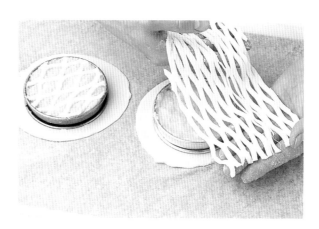

Mirliton à la rouennaise

Préparation	*30 minutes*
Cuisson	*40 minutes*
Difficulté	★

Pour 4 personnes

Compote d'abricots :
200 g d'abricots
50 g de sucre
eau

Glace à la vanille (500 ml) :
voir p. 312

Garniture du mirliton :
2 œufs
50 g de sucre
40 g de poudre d'amandes
80 ml de crème fraîche
20 g de sucre glace

Pâte feuilletée :
500 g de farine
500 g de beurre
15 g de sel
250 ml d'eau

Le grand Flaubert avait un faible pour les jolies femmes et les pâtisseries, surtout celles de sa ville natale. Les mirlitons de Rouen, ces tartelettes saupoudrées de sucre glace, lui donnaient d'ineffables frissons quand il les voyait dévorer par ses bonnes amies, parce que le sucre « faisait une moustache blanche à [leur] joli bec ». Il serait pourtant bon d'éclaircir la raison pour laquelle ce petit gâteau porte un nom de flûte alors qu'il n'en a pas la forme et qu'aucune des autres significations du mot ne paraît plus explicite.

Gilles Tournadre accorde la paternité du mirliton à son propre grand-père, pâtissier de son état, qui n'a peut-être pas connu Flaubert. C'est le propre des traditions que d'évoluer avec le temps et leur plus grand charme que de se contredire. L'essentiel est, aujourd'hui comme hier, de confectionner les tartelettes avec un excellent feuilletage, une poudre d'amandes au goût subtil et de beaux abricots bien mûrs. Très courante en pâtisserie, l'amande douce séchée est pleine de ressources en raison de sa forte teneur en huile, albumine et sucre.

Deux précautions techniques demeurent indispensables : il faut piquer le fond de pâte feuilletée pour éviter qu'il ne gonfle à la cuisson et laisser croûter quelques instants le sucre glace avant de passer la tartelette au four. En dehors de la saison des abricots, notre chef vous recommande une version alternative à base de compote de figues ou de tout autre fruit d'automne.

Précisons bien que le mirliton est une spécialité rouennaise, et non normande : à l'ombre du Gros-Horloge et de la cathédrale Notre-Dame, on ne plaisante pas avec ce genre de distinction.

1. Pour la compote, couper les abricots en deux, puis les faire réduire 15 minutes à feu doux avec le sucre et un peu d'eau. Préparer une glace à la vanille.

2. Pour la garniture du à mirliton, mélanger dans un saladier les œufs, le sucre, les amandes en poudre et la crème fraîche. Réserver.

aux abricots

3. Préparer la pâte feuilletée (voir p. 312), puis découper quatre cercles de 10 cm de diamètre. Piquer les fonds et les garnir de compote d'abricots et de garniture.

4. Saupoudrer le dessus du mirliton de sucre glace et le laisser 5 minutes au réfrigérateur afin d'obtenir une croûte. Faire cuire 40 minutes au four à 180 °C. Servir ce petit gâteau tiède accompagné d'une quenelle de glace à la vanille et d'une cuillerée de compote d'abricots.

Crêpe d'amandes,

Préparation   *30 minutes*
Cuisson   *10 minutes*
Difficulté   ★ ★ ★

Pour 4 personnes

Pâte à crêpes :
45 g de farine
20 g de sucre
5 jaunes d'œufs
1 pincée de sel
200 ml de lait

50 g de pâte d'amandes
   ou d'amandes broyées
10 g de beurre

Décoration et coulis :
300 g de framboises
30 g de sucre glace

Sabayon :
6 jaunes d'œufs
3 cuil. à soupe de sucre
200 ml de champagne

Le sabayon présente l'avantage d'exploiter les capacités du jaune d'œuf : il contient à la fois des protides, des lipides et des vitamines, et sa consistance permet de remarquables liaisons entre des éléments en apparence incompatibles, comme le beurre et l'eau par exemple. C'est encore le jaune d'œuf que l'on étale au pinceau sur les gâteaux à faire dorer, et c'est toujours lui qui donne à la crème anglaise son épaisseur et son moelleux.

Dans ce cas particulier, l'œuf doit gagner du volume une fois incorporé au sabayon, tant par l'action du fouet que par la douce chaleur à laquelle il est exposé. Les œufs doivent être introduits progressivement et montés en mousse en dessinant des huit avec le fouet ; il faut absolument respecter la régularité de ce mouvement. D'autres techniques sont parfois employées : on peut par exemple battre le sabayon à froid avant de

l'entreprendre à feu doux avec du vin blanc ou du marsala. José Tourneur propose ici du champagne, mais ce choix n'est qu'indicatif.

Il convient surtout de prêter la plus grande attention aux ustensiles qui servent à confectionner le sabayon : sans aucune pellicule ou particule de graisse. Le récipient aura par exemple été soigneusement rincé au préalable, de préférence à l'eau vinaigrée, et séché avec un torchon très propre.

L'exécution n'en reste pas moins très délicate et la plupart des grands chefs reconnaissent en privé qu'il leur est arrivé, au moins une fois, de connaître un cuisant échec dans la préparation d'un sabayon : ne vous découragez donc pas si votre première expérience ne produit pas de résultats fulgurants.

1. Pour la pâte à crêpes, battre au fouet la farine, le sucre et les jaunes d'œufs en ruban ; ajouter une pincée de sel. Verser progressivement le lait pour obtenir une pâte homogène. Incorporer la pâte d'amandes et laisser reposer 30 minutes.

2. Faire cuire les crêpes bien dorées dans le beurre et les tenir au chaud. Choisir les framboises pour la garniture et préparer le coulis avec le reste des fruits. Pour cela, mixer les framboises et le sucre glace, puis passer au chinois.

sabayon et framboises

3. Préparer à part dans une sauteuse le sabayon à froid sans le sucre. Ajouter seulement le sucre au moment de le cuire sur le feu, puis monter au fouet le sabayon bien ferme au champagne.

4. Placer les crêpes sur les assiettes, verser le sabayon au centre de chaque crêpe et plier celles-ci en portefeuille pour que le sabayon déborde légèrement. Déposer les framboises en couronne sur le pourtour et saupoudrer de sucre glace.

Délicatesse des

Préparation	4 heures
Cuisson	15 minutes
Difficulté	★ ★ ★

Pour 6 personnes

Glace au lait d'amandes :
2 l de lait
500 ml de crème fleurette
150 g de sucre et 75 g pour l'ébullition
20 jaunes d'œufs battus
1 bouteille de sirop de lait d'amandes concentré
75 g de glucose

Soufflé aux fraises des bois :
400 g de fraises des bois
400 g de sucre
500 ml de crème Chantilly

Tuiles aux amandes et tulipes : voir p. 312

Décoration :
fraises des bois
250 ml de crème Chantilly
6 feuilles de menthe

C'est avec les bras chargés d'amandes que les frères de Joseph qui l'avaient vendu à des marchands, revinrent le voir après qu'il fût devenu le grand vizir de Pharaon (Genèse, 43, 11). Cette image biblique, qui fait des amandes le symbole du pardon et de la réconciliation, montre aussi que l'amande figure depuis l'Antiquité parmi les fruits les plus appréciés des gourmets.

La confiserie fait également grand usage des amandes, qu'elles soient entières, en poudre ou en pâte : les nougats, les calissons, les pralines en sont un éloquent témoignage. Et la cosmétique n'est pas en reste, puisque les huiles d'amandes douces et le lait d'amandes y sont très largement répandus.

La confection du soufflé, que l'on ne peut envisager qu'en saison et avec des fruits frais, vous demandera beaucoup de patience. Les fraises des bois sont extrêmement fragiles ; il vous faudra donc les utiliser très rapidement. La réussite du soufflé dépend très largement de la fermeté de la crème Chantilly qui lui donnera sa consistance mousseuse. Toutes les masses devront être maniées avec la plus grande délicatesse, tout en composant un mélange très homogène.

Les « trois couleurs » qui figurent dans le titre de la recette et sur l'enseigne de José Tourneur sont évidemment le jaune, le rouge et le noir du drapeau belge. L'établissement se trouve précisément au lieu-dit « Les Trois Couleurs », avenue Tervueren à Bruxelles, où fut célébré l'anniversaire de l'indépendance de la Belgique en 1831.

1. Mettre à tourner dans la sorbetière la glace au lait d'amandes en incorporant tous les ingrédients. Pour le soufflé, nettoyer, écraser et tamiser les fraises des bois. Mélanger cette purée de fraises à son poids de sucre, puis ajouter la crème Chantilly sucrée et bien ferme.

2. Verser cette préparation dans des moules à soufflé tapissés de papier sulfurisé beurré et dépassant largement des bords. Placer les moules au centre d'un seau rempli de glace pilée. Lorsque les soufflés sont fermes, enlever le papier.

Trois Couleurs

3. Pour les tuiles aux amandes, mélanger la farine, le sucre, les amandes, la vanille et terminer par les blancs d'œufs. Incorporer en dernier lieu le beurre fondu.

4. Confectionner des cercles de 15 cm de diamètre avec la pâte à tuiles sur une plaque beurrée et farinée. Faire cuire et colorer au four, puis mettre en forme sur une gouttière. Dresser les assiettes avec le soufflé, la glace au lait d'amandes dans une tulipe, ainsi que les tuiles et les fraises. Terminer avec un décor de crème Chantilly et une feuille de menthe.

Tiramisù

Préparation	*30 minutes*
Repos	*4 heures*
Difficulté	✫

Pour 4 personnes

5 jaunes d'œufs
50 g de sucre glace
500 g de mascarpone frais
5 cuil. à café de cognac
24 biscuits de Savoie
4 tasses de café très fort
3 cuil. à café de cacao amer en poudre

On pourrait croire que le tiramisù connaît de nos jours une telle vogue, même hors d'Italie, qu'il est inutile d'en transmettre la recette. On pourrait aussi – c'est le choix de Luisa Valazza – considérer que pour cette raison précise, il importe de rétablir l'orthodoxie et d'éliminer les recettes qui baptisent «tiramisù» n'importe quel gâteau au café.

Il faut choisir des ingrédients riches en arôme et strictement italiens, comme les biscuits de Savoie (la Savoie n'est française que depuis 1860), la crème de mascarpone et certaines variétés de café. À l'origine, le tiramisù était confectionné à partir de restes, comme le pouding en France, ce qui explique l'usage du café pour amollir un biscuit peut-être rassis. Le berceau du tiramisù semble être la Lombardie et figure aujourd'hui sur la carte des restaurants les plus cotés.

L'originalité de ce dessert tient au contraste de saveurs sucrées (le biscuit notamment) et plus amères, comme le café ou le cacao. Entre les deux se maintient le mascarpone milanais, crème épaisse qui tient du fromage et possède une saveur proche du gorgonzola.
Le choix des biscuits de Savoie se justifie par leur capacité à s'imbiber de liquide sans pour autant s'écraser complètement sur le fond du moule. Enfin, pour votre première tentative, notre chef vous recommande de servir conjointement le maraschino, cette liqueur de cerise «marasche» cultivée en Dalmatie et en Vénétie.

1. Pour la crème au mascarpone, mélanger dans un récipient les jaunes d'œufs et le sucre jusqu'à ce que l'ensemble soit crémeux. Ajouter le mascarpone, le cognac et continuer à travailler quelques minutes.

2. Imbiber les biscuits de Savoie avec le café et les ranger dans le plat de service en attendant de procéder au montage.

3. Dresser en alternance dans le moule choisi la crème au mascarpone, les biscuits de Savoie imbibés de café et le cacao en poudre.

4. Terminer en recouvrant de crème au mascarpone. Placer au froid pendant 4 heures. Au moment de servir, saupoudrer de cacao tamisé.

Pruneaux et massepain à

Préparation	*20 minutes*
Cuisson	*10 minutes*
Difficulté	★ ★

Pour 4 personnes

200 g de massepain (pâte d'amandes)
20 gros pruneaux d'Agen
500 ml de lait entier
8 jaunes d'œufs
225 g de sucre
100 g de pain d'épices

100 g de spéculoos
100 ml de crème fleurette
100 ml de bière brune de Leffe
100 ml de crème Chantilly

Bien connu dans certaines régions françaises, en Italie et même en Europe centrale, le massepain forme de petites pâtisseries à base d'amandes pilées, de sucre et de blanc d'œuf, parfois glacées ou pralinées, que l'on s'offre en Belgique au Nouvel An. C'est aussi en massepain que l'on façonne à Pâques, en Autriche, onze boules qui décorent un gâteau de fruits secs et représentent les onze Apôtres après la trahison de Judas. De leur côté, les Italiens du Sud modèlent de petites figurines en pâte d'amandes qui reproduisent en miniature des légumes et des fruits.

Les pruneaux sont des prunes cuites qui ont conservé leur intégrité, leur jus et leur moelleux : on doit les stocker dans un endroit pas trop sec, car ils se déshydratent assez facilement, et deviennent dès lors secs et collants. Quant aux spéculoos, dont le nom peut dérouter les profanes, ce sont des gâteaux secs parfumés de cannelle et de clous de girofle, très réputés en Belgique. Ils bénéficient aussi d'une bonne popularité dans d'autres pays.

Malgré l'extinction spectaculaire des brasseries en Belgique – parmi les 3 200 que l'on dénombrait au début du siècle, à peine plus d'une centaine ont pu survivre à la crise –, l'incomparable abbaye de Leffe perpétue le savoir-faire pluriséculaire de générations de moines brasseurs. Sa fine et savoureuse « Radieuse » est particulièrement aimée, de même que sa bière brune, dont l'amertume est très appréciée des connaisseurs. Un dernier conseil : dosez la bière avec discernement, sinon elle viendra masquer le goût du dessert.

1. Rouler le massepain et découper des tronçons de 3 cm. Dénoyauter les pruneaux et les farcir de massepain. Faire chauffer le lait.

2. Travailler six jaunes d'œufs et 125 g de sucre. Verser le lait bouillant sur le mélange et remuer (à 80 °C) jusqu'à consistance. Passer au chinois.

la bière de l'abbaye

3. Ajouter le pain d'épices et les spéculoos concassés au mélange précédent. Incorporer la crème fleurette et mixer dans la sorbetière.

4. Mélanger les deux jaunes et les 100 g de sucre restants. Ajouter la bière et monter le sabayon. Incorporer la crème Chantilly. Dresser les pruneaux dans les assiettes creuses. Napper de sabayon et glacer sous le gril chaud. Servir aussitôt avec la glace. Accompagner le tout de petits fours secs.

Sablé au chocolat, vanille,

Préparation — 1 heure
Cuisson — 30 minutes
Difficulté — ✳ ✳

Pour 4 personnes

Pâte sablée au chocolat (voir p. 312) :
100 g de beurre
120 g de sucre glace
2 jaunes d'œufs
1 pincée de vanille
1 pincée de sel
180 g de farine
20 g de cacao amer en poudre
40 g de gâteaux secs

Crème à l'orange :
6 œufs, 100 g de sucre

2 oranges sanguines
100 g de beurre

Ganache :
1 gousse de vanille
200 ml de crème fleurette
400 g de chocolat noir, 100 g de beurre

Zestes confits :
50 ml de grenadine rouge

Glace au thé :
15 g de thé earl-grey, 500 ml de lait entier
6 jaunes d'œufs, 125 g de sucre
100 ml de crème fleurette

Que les habitants de cette ville s'en soient récemment fait une spécialité n'y change rien : ce n'est pas à la ville de Sablé-sur-Sarthe que le sablé doit son nom, mais à la consistance de sa pâte, que l'on rend presque poudreuse à force de l'effriter entre les doigts, et à la tournure friable qu'il adopte après la cuisson.

Pour notre chef, la préparation de la pâte sablée commence par un mélange très homogène de beurre, de sucre glace et d'œufs. Lorsque ce mélange est parfaitement réalisé, on incorpore la vanille, le sel et la farine en prenant soin de ne pas rendre la pâte élastique en la malaxant trop ; cette économie de mouvement vous évitera de plus une dégradation du goût. Il est également très important de laisser reposer la pâte après confection pour détendre le gluten et garantir sa souplesse. La

préparation de la ganache nécessite les mêmes soins : ce mélange compact de crème et de chocolat (de haute origine, naturellement) parvient très vite à son point de cuisson et ne peut sous aucun prétexte le dépasser. Il faut l'utiliser rapidement, car la ganache se conserve mal.

La glace au thé n'est pas très courante, mais sa finesse ne manquera pas de séduire vos convives. Il est recommandé d'employer du thé earl-grey, dont le mélange aromatisé à la bergamote connaît un vif succès.

Le montage des sablés s'effectue en intercalant des disques de sablé, la ganache et la crème à l'orange. On saupoudre enfin de sucre glace et de zestes confits, et l'on sert la glace à part.

1. Pour la pâte sablée, mélanger sans trop travailler tous les ingrédients, les envelopper dans un linge et laisser reposer 1 heure. Étaler la pâte sur 4 mm d'épaisseur, puis détailler des disques de 8 cm de diamètre à l'aide d'un emporte-pièce. Déposer les disques sur une plaque beurrée et cuire au four 15 minutes à 180 °C. Laisser reposer sur une grille.

2. Pour la crème à l'orange, battre les six jaunes d'œufs avec le sucre. Ajouter le jus des oranges sanguines. Faire cuire en fouettant régulièrement jusqu'à consistance mousseuse. Retirer du feu et ajouter le beurre. Réserver au frais.

orange et glace au thé

3. Pour la ganache, faire infuser la vanille dans la crème. Ajouter le chocolat noir haché et mélanger. Incorporer le beurre sans trop le travailler. Laisser reposer. Pour les zestes confits, faire blanchir les zestes d'orange, laisser refroidir et les couper en fine brunoise. Faire cuire dans le sirop de grenadine, puis égoutter sur du papier absorbant.

4. Pour la glace, verser le thé dans une casserole et le faire infuser 4 minutes dans le lait. Pendant ce temps, mélanger les jaunes d'œufs et le sucre jusqu'au ruban. Verser le lait chaud sur cette préparation, puis remuer à feu plus ou moins vif à l'aide d'une spatule. Passer au chinois. Incorporer la crème fleurette et mettre à tourner dans la sorbetière 15 minutes.

Soufflé au chocolat

Préparation   20 minutes
Cuisson   15 minutes
Difficulté   ✷ ✷

Pour 4 personnes

130 g de chocolat amer
10 g de cacao en poudre
60 ml de liqueur de noix vertes
2 œufs, blancs et jaunes séparés
50 g de sucre glace
20 g de sucre

Crème pâtissière :
250 ml de lait
1/2 gousse de vanille
2 jaunes d'œufs
40 g de sucre
20 g de farine
15 g de Maïzena

Le chocolat fut rapporté par Christophe Colomb des « Indes occidentales » où les fèves de cacao servaient auparavant de monnaie d'échange aux indigènes. Introduit à la cour de France par Anne d'Autriche, épouse de Louis XIII, il n'a dès lors jamais cessé de faire des adeptes et se décline en d'innombrables recettes où triomphe le chocolat pur, amer et dur, bien fondant sur la langue. C'est ce même chocolat qu'a choisi notre chef pour son soufflé, avec toute l'autorité que l'on reconnaît aux Belges en la matière. Signalons que l'exceptionnelle qualité du chocolat belge le place quasiment en tête des produits les plus exportés.

On peut évidemment commencer à préparer le soufflé légèrement à l'avance, à l'exception des blancs montés en neige que l'on incorpore au dernier moment. Le passage au four doit être scrupuleusement surveillé et le soufflé servi dès sa sortie, sous peine de le voir piteusement retomber en cours de service. Pour la même raison, ce dessert ne peut en aucun cas se conserver ni se réchauffer.

La liqueur de noix vertes est un produit particulier, dont l'arôme peut surprendre le profane. On pourra le cas échéant la remplacer par du banyuls, ce vin doux catalan dont le cépage, un grenache noir, bénéficie d'un ensoleillement considérable (près de 325 jours par an). Selon certaines sources, cette production remonterait au XIIIᵉ siècle.

Même si sa confection présente un certain pourcentage de risques, le côté spectaculaire du soufflé réjouit les convives et transforme le moment du dessert en un moment privilégié.

1. Pour la crème pâtissière, porter le lait à ébullition avec la demi-gousse de vanille coupée en deux. Battre les jaunes d'œufs avec le sucre. Ajouter la farine, la Maïzena, puis verser le lait bouillant sur le mélange. Porter à ébullition en fouettant. Faire fondre le chocolat au bain-marie, ajouter la crème pâtissière tiède, le cacao et 20 ml de liqueur de noix vertes.

2. Retirer du feu et incorporer les jaunes d'œufs. Monter les blancs en neige ferme. Ajouter le sucre glace tout en continuant à fouetter.

et jus de noix vertes

3. Incorporer les blancs en neige à la préparation au chocolat en mélangeant délicatement à l'aide d'une spatule en bois. Beurrer quatre moules à soufflé, puis les chemiser de sucre.

4. Verser la préparation dans les moules et sucrer légèrement le dessus. Disposer au centre des demi-coquilles d'œufs avec leur ouverture en haut, puis cuire au four à 220 °C pendant 12 minutes. Au sortir du four, répartir le restant de liqueur de noix vertes dans les coquilles, flamber et servir aussitôt.

Gelée de pommes, sabayon

Préparation 30 minutes
Cuisson 15 minutes
Repos 2 heures
Difficulté ✳ ✳

Pour 4 personnes

Gelée de pommes :
4 pommes granny smith
400 ml de jus de pomme verte
2 g de cannelle en poudre
3 feuilles de gélatine

Sorbet aux pommes :
1 l de jus de pomme verte
100 g de sucre
50 g de glucose

Sabayon :
3 jaunes d'œufs
100 g de sucre
100 ml de jus de pomme verte
150 ml de cidre
150 ml de calvados
20 ml de crème fleurette

Dès que les hommes ont connu le désespoir – sans doute à l'aube des temps –, ils ont trouvé dans le sucre un allié de choix pour recouvrer force morale et vigueur. Mais ce n'est guère qu'au XVIIIe siècle que le dessert a trouvé définitivement sa place dans le repas et que l'on en a décliné assez de variétés pour disposer d'un large éventail de douceurs.

Fruit par excellence, la pomme apparaît dans cette recette sous trois formes : en gelée, en sorbet et en alcool dans le sabayon. Ce dernier vous causera sans doute le plus gros souci, car sa cuisson doit être bien maîtrisée. Les œufs ne doivent pas durcir si vous ne voulez pas manquer l'émulsion, mais ils doivent cuire suffisamment pour éviter qu'elle ne retombe : de ce délicat dilemme et de l'aisance que vous mettrez à le résoudre dépend évidemment votre succès. Typiquement normande,

l'alliance du cidre et du calvados dotera le sabayon d'un puissant parfum de pomme.

Tant pour le sorbet que pour la gelée, vous utiliserez des pommes de l'espèce granny smith à peau verte dont la chair acidulée supporte assez vaillamment la cuisson.

Notre chef, toujours soucieux de vous éviter des préparations de repas trop acrobatiques, vous suggère de préparer la veille la gelée de pommes et le sorbet : outre que vous pourrez ainsi consacrer au sabayon toute votre attention, ces deux autres éléments de la recette présenteront une bonne consistance, ce qui est beaucoup plus aléatoire si vous attendez le jour même pour les confectionner. Mesurez tout de même la quantité de cannelle, car un excès dans le dosage pourrait rendre votre dessert écœurant.

1. Confectionner le sorbet et le réserver au froid. Pour la gelée, éplucher les pommes et les tailler en dés. Chauffer jusqu'à ébullition le jus de pomme avec la cannelle. Tremper les feuilles de gélatine 5 minutes dans de l'eau froide.

2. Déposer les dés de pommes dans le jus de pomme chaud. Incorporer les feuilles de gélatine, remuer délicatement, puis laisser tiédir hors du feu.

au calvados et son sorbet

3. Partager équitablement la gelée dans quatre assiettes. Laisser prendre au froid 2 heures environ.

4. Pour le sabayon, travailler les jaunes d'œufs avec le sucre chaud. Mouiller avec le jus de pomme. Ajouter le cidre et laisser refroidir en battant. Incorporer le calvados et la crème battue. Garnir chaque assiette de ce mélange. Parsemer de sucre, puis faire gratiner quelques instants. Servir avec le sorbet.

Poire rôtie à la crème de

Préparation	1 heure 15 minutes
Cuisson	1 heure
Difficulté	✶

Pour 4 personnes

5 poires
eau citronnée
1 l de vin rouge
200 g de grains de cassis
500 ml de crème de cassis
250 g de beurre

Glace au poivre :
500 ml d'eau
300 g de sucre
50 g de poivre du Sichuan
250 g de pulpe de mangue
200 ml de jus de fruit de la Passion
jus d'un citron vert
50 g de pépites de chocolat

On s'étonnera d'un dessert parfumé au poivre, alors que la fin du repas convoque en principe diverses douceurs. De cette manière, Gérard Vié préserve et valorise l'authenticité de ses ingrédients. Cette recette n'est pas une plaisanterie de notre chef, mais a été créée pour la visite du président Giscard d'Estaing au Trianon Palace.

Puisque l'on doit rôtir les poires, il faut choisir une variété qui résiste à la chaleur. On peut également utiliser des pêches pour ce dessert. Quelques cuisiniers passionnés auront à cœur de préparer eux-mêmes la crème de cassis. Ce n'est pourtant pas à recommander, car le cassis frais ne se conserve pas très longtemps et l'achat d'une bouteille est somme toute beaucoup plus simple.

Le poivre du Sichuan, riche de multiples propriétés médicinales, offre des grains lourds et compacts dont la forte saveur sera délicatement balancée par la mangue et le fruit de la Passion.

1. Éplucher les poires en conservant la queue et les plonger dans un récipient d'eau citronnée. Dans une casserole pouvant contenir les poires, porter à ébullition le vin rouge et les grains de cassis.

2. Verser la crème de cassis dans la casserole et faire pocher les poires dans ce mélange 30 minutes à feu doux. Laisser refroidir et macérer 24 heures.

cassis glacée au poivre

3. Égoutter les poires, puis les disposer dans un plat allant au four avec le beurre et un peu de jus de la marinade. Faire cuire environ 30 minutes au four à 180 °C en arrosant régulièrement.

4. Pour la glace, faire bouillir l'eau avec le sucre et le poivre, puis laisser infuser jusqu'à refroidissement. Passer au chinois. Ajouter la pulpe de mangue, le jus de fruit de la Passion et le jus de citron vert, puis mélanger vigoureusement. Incorporer en dernier lieu les pépites de chocolat et verser dans la sorbetière. Dresser la poire sur une assiette avec les grains de cassis et un filet de marinade. Déposer deux quenelles de glace au poivre.

Grand dessert au

Préparation	3 heures
Cuisson	1 heure
Repos	12 heures
Difficulté	★ ★ ★

Pour 8 à 10 personnes

Caramel laitier :
100 g de sucre, 100 ml de crème fleurette
Sauce au caramel :
100 g de sucre, 30 ml d'eau
Crème anglaise (voir p. 312) **:**
100 ml de lait, 2 jaunes d'œufs
20 g de sucre, 1/2 gousse de vanille
Glace au caramel :
crème anglaise, caramel laitier

Nougat glacé :
50 g de blancs d'œufs
90 g de sucre cuit à 120 °C,

170 ml de crème fleurette, 150 g de noix
noisettes et amandes amères
Gâteau aux pommes :
300 g de compote de pommes, 1 œuf
80 g de beurre, 40 g de sucre
Crème caramel :
250 ml de lait
1 œuf, 1 jaune d'œuf
50 ml de crème fleurette, 50 g de sucre
1 gousse de vanille
Entremets au caramel :
1 jaune d'œuf, 60 ml de crème fleurette,
1 feuille de gélatine, 80 ml de caramel laitier,
2 blancs d'œufs, 30 g de sucre cuit à 120 °C,
60 ml de crème fouettée
Génoise : voir p. 312

Tout comme l'encerclement par une armée ne laisse aucune chance, on ne voit pas qui pourrait résister à cette farandole de douceurs : gâteau, crème, nougat glacé, entremets et glace au caramel. Un tel tour de force requiert de son auteur un sévère contrôle des matières premières, et c'est bien à cela que Jean-Pierre Vigato s'exerce d'abord.

Fruits secs à l'arôme concentré pour le nougat, pommes pour la compote, rien ne passe au travers de ses investigations. Pour les pommes, il faut choisir entre deux variétés résistantes à la cuisson : la golden et la belle de boskoop ; c'est affaire de goût, la seconde est plus acidulée que la première. La crème anglaise et la crème caramel comportent toutes deux une gousse de vanille, qu'il faut choisir tendre et charnue, protéger de la lumière et utiliser avec les graines.

Si tout le monde a quelques notions sur la fabrication du caramel, on est en général moins sûr de l'origine de son nom. Apparu en espagnol au XVIᵉ siècle, c'est un terme qui proviendrait d'une déformation de « cannamella », la canne à sucre en latin. En outre, on n'utilise pas assez l'adjectif « caramélé », attesté par de grands auteurs, qui signifie « de la couleur (ou du goût) du caramel ».

Mais comment célébrer à sa juste mesure l'équilibre des saveurs et des textures, du fondant et du croquant, du tiède et du froid, du doux et de l'amer ? De telles oppositions, parfaitement maîtrisées par un chef d'expérience et de talent, composent un dessert qui ne peut conclure qu'un repas historique – et qui fera certainement date parmi vos souvenirs gourmands.

1. Pour le caramel laitier, caraméliser à sec le sucre et déglacer avec la crème. Procéder de même pour la sauce au caramel et déglacer avec 30 ml d'eau. Confectionner une crème anglaise à la vanille. Pour la glace au caramel, mélanger la crème anglaise et le caramel laitier, puis verser dans la sorbetière.

2. À préparer la veille : pour le nougat glacé, confectionner une meringue avec les blancs d'œufs et le sucre (voir p. 312). Laisser refroidir et incorporer la crème fleurette. Ajouter la garniture de fruits secs caramélisés et hachés. Placer au congélateur.

caramel laitier

3. Pour le gâteau aux pommes, confectionner une compote de pommes fortement réduite. Ajouter pour 300 g de compote, un œuf et 80 g de beurre. Remplir de ce mélange les trois quarts d'un moule à manqué préalablement caramélisé. Préparer la crème caramel avec les ingrédients et cuire 30 minutes au bain-marie. Laisser refroidir le gâteau et la crème caramel. Mélanger la crème caramel et la sauce au caramel. Cuire au bain-marie 1 heure à 170 °C.

4. Pour les entremets au caramel, réaliser une crème anglaise avec le jaune d'œuf et la crème fleurette. Passer au chinois. Ajouter la gélatine, 80 ml de caramel laitier et la meringue (2 blancs d'œufs, 30 g de sucre et 60 ml de crème fouettée ; voir p. 312). Remplir des moules garnis d'une abaisse de génoise avec ce sirop de caramel et laisser refroidir.

Mille-feuille au café

Préparation	*25 minutes*
Cuisson	*15 minutes*
Difficulté	✶ ✶

Pour 4 personnes

6 grandes feuilles de pâte filo

Glace au lait :
800 ml de lait
80 g de lait en poudre

Crème au café :
3 jaunes d'œufs

300 ml de lait
50 g de sucre
20 g de poudre de flan
65 ml de crème fleurette

Sucre au moka :
sucre glace
café soluble

Sauce moka :
300 ml d'eau
15 g de Maïzena
65 g de sucre
8 g de café soluble

Pour beaucoup d'entre nous, le mille-feuille évoque d'abord la fine couche de sucre glace qui recouvre ce gâteau feuilleté et vole au moindre souffle : qui ne s'en est jamais vu, dans son enfance, asperger par des camarades facétieux ? Et c'est bien à tous ces délicats souvenirs que nous ramène ici Jean-Pierre Vigato, un univers nostalgique peuplé de grands-mères prodigues en friandises, gâteaux et bonbons aux noms désuets : nougatines, nonnettes, conversations aux amandes, financiers…

Pour que le résultat de vos efforts soit digne de ces évocations,

il faut d'abord choisir un lait de bonne qualité. Le lait est le plus vieil aliment du monde, riche en glucides, protides et lipides, et les hommes l'ont toujours utilisé dans de multiples recettes. Stimulant et nourrissant, il est selon les spécialistes, la meilleure base pour une glace. Notre chef suggère même d'ajouter du lait en poudre, selon le procédé rendu jadis célèbre par le chimiste suisse Henri Nestlé (1814-1890), pour lui donner encore plus de saveur.

Enfin, vous veillerez à respecter parfaitement le dosage du café soluble dans la sauce moka, car son arôme ne doit pas trancher

1. Pour la glace au lait, battre le lait frais et le lait en poudre. Pour la crème au café, mélanger les jaunes d'œufs, le lait, le sucre et la poudre de flan. Laisser refroidir et incorporer la crème fleurette fouettée.

2. Découper dans les feuilles de pâte filo des rectangles de 10 x 5 cm. Saupoudrer d'un mélange de sucre glace (90 %) et de café soluble (10 %), puis faire caraméliser sous le gril chaud.

et sa glace au lait

3. Pour la sauce moka, faire bouillir l'eau, la Maïzena et le sucre. Ajouter le café soluble et passer le tout au chinois.

4. Dresser au centre de l'assiette un rectangle de pâte filo. Déposer au milieu une noix de crème au café, ajouter un rectangle de pâte filo et recommencer huit fois de suite. Lorsque le montage est terminé, saupoudrer de sucre glace. Napper d'un cordon de sauce moka. Servir la glace à part.

Pastiera

Préparation	*30 minutes*
Cuisson	*1 heure*
Difficulté	★★★

Pour 4 personnes

Pâte brisée : voir p. 312

Farce à la ricotta :
250 g de ricotta
250 g de sucre
400 ml de crème fleurette
250 g de maïs cuit
2 œufs

2 jaunes d'œufs
75 g de fruits confits
quelques gouttes d'essences de rose et de
    fleurs d'oranger

Sauce au Grand Marnier :
300 ml de crème
    fleurette
100 g de sucre
2 œufs
100 ml de Grand Marnier

Décoration :
quelques cerises amarena

L'excellence des desserts napolitains et siciliens a une réputation qui dépasse les frontières de l'Italie, et cette recette de tartelettes napolitaines est une preuve de plus de l'habileté de la cuisine italienne. Vous constaterez la présence inhabituelle de grains de maïs hachés et de ricotta, ce qui suffit certainement à éveiller votre attention.

La ricotta doit d'abord être passée au tamis, car elle doit conserver une consistance crémeuse. Si vous la travaillez au mixeur, par exemple, elle peut faire bloc et compromettre l'homogénéité de la préparation. Il s'agit d'un fromage italien au lait de brebis dont la légèreté ne peut manquer de vous surprendre. Sa fraîcheur de goût s'accommode bien des quelques gouttes d'essence de rose et de fleurs d'oranger.

Une importante recommandation : les tartelettes doivent reposer quelque temps à température ambiante à la sortie du four avant d'être servies.

La sauce au Grand Marnier qui vous est proposée, traitée comme une crème anglaise, peut recevoir d'autres arômes : selon votre goût, ce pourrait être la liqueur italienne de Strega, produite avec 70 variétés d'herbes différentes, ou un armagnac français.

La dégustation de ces tartelettes vous transportera dans la baie de Naples inondée de soleil méditerranéen. On y produit une cuisine admirable, fondée sur des traditions très vivaces, mais aussi sur leur adaptation constante aux nouvelles techniques, qui les enrichissent sans les dénaturer.

1. Préparer la pâte brisée et la laisser reposer au frais. Pour la farce, passer la ricotta au tamis. Dans un récipient, mélanger au fouet la ricotta, le sucre, la crème fleurette, le maïs haché, les œufs, les fruits confits et les essences de rose et de fleurs d'oranger.

2. Étaler finement la pâte brisée. Foncer des moules individuels beurrés et les piquer avec une fourchette.

napolitana

3. Garnir les moules de farce à la ricotta. Pour la sauce, faire bouillir la crème, puis monter le sucre et les œufs. Verser la crème sur le mélange d'œufs, de sucre et de Grand Marnier, puis remettre sur le feu. Faire cuire comme une crème anglaise (voir p. 312) et passer au chinois.

4. Garnir les tartelettes d'un quadrillage de bandes de pâte brisée et cuire au four à 170 °C environ 1 heure. Déposer au centre de l'assiette une petite louche de sauce et la pastiera par-dessus. Décorer de quelques cerises amarena.

Semifreddo au madère,

Préparation	20 minutes
Cuisson	10 minutes
Repos	3 heures
Difficulté	✷ ✷

Pour 4 personnes

Sabayon :
200 g de sucre
6 jaunes d'œufs
100 ml de madère
500 ml de crème fleurette

Sauce aux myrtilles :
100 g de sucre
100 ml d'eau
zestes de citron et d'orange non traités
100 g de myrtilles
jus d'un citron

Qu'il serve à marquer l'apogée d'une fête familiale, à conclure la négociation d'un contrat ou même à souligner la douceur d'un tête-à-tête, le dessert est toujours un moment privilégié qu'il faut réussir avec brio.

Les proportions du sabayon, et surtout son passage pendant trois bonnes heures au congélateur, doivent être exactement respectés si l'on veut procéder sans risque au démoulage tout en gardant la légèreté de la préparation. Cette mission périlleuse sera facilitée par l'immersion préalable du fond des moules dans un bol d'eau chaude, mais il importe de la pratiquer au dernier moment.

La préparation de la sauce peut s'effectuer avec divers fruits, si vous souhaitez varier les goûts et les couleurs, et soigner la présentation finale. Ainsi, la sauce aux myrtilles peut contenir des griottes ou tout autre fruit rouge (fraises, framboises, groseilles, cassis, airelles…).

Veillez toutefois à passer au chinois très fin avant de servir, pour éliminer les petites graines et les impuretés caractéristiques de ces fruits. On peut même envisager une sauce au chocolat, dont la couleur sombre remplira la même fonction de contraste visuel avec la teinte plus claire du semifreddo.

D'autre part, le sabayon lui-même peut accueillir selon votre goût d'autres arômes que celui du madère : par exemple, une eau-de-vie blanche lui donnera plus de force et de charpente, tout comme le ferait un excellent cognac ou un vieil armagnac.

1. Pour le sabayon, verser dans une casserole le sucre et les jaunes d'œufs, mettre au bain-marie, puis fouetter jusqu'à obtenir un mélange homogène.

2. À mi-cuisson, incorporer le madère et continuer à fouetter jusqu'à obtenir une masse crémeuse. Retirer du feu et laisser refroidir en continuant à fouetter.

sauce aux myrtilles

3. Monter la crème fleurette en chantilly. Ajouter le sabayon froid, répartir dans des moules individuels et placer 3 heures au congélateur.

4. Pour la sauce aux myrtilles, faire un sirop avec le sucre, l'eau, ainsi qu'une écorce d'orange et de citron. Porter à ébullition et laisser infuser jusqu'à complet refroidissement. Passer au chinois. Verser les myrtilles dans le sirop et porter à ébullition 4 à 5 minutes. Laisser refroidir complètement et ajouter le jus de citron. Passer la sauce au mixeur, puis au chinois.

Figue cactus aux framboises

Préparation   25 minutes
Difficulté   ★

Pour 4 personnes

4 figues de Barbarie

Mousse d'amandes :
100 ml de lait d'amandes
100 ml de crème double
50 g de sucre glace
200 ml de crème fouettée

Décoration :
1 barquette de framboises
feuilles de menthe

Le monde avance toujours plus vite, les circuits de distribution gagnent chaque jour en efficacité pour nous permettre de savourer des fruits du monde entier : c'est ainsi que les clients du marché de Munich ont pu découvrir l'ovale et colorée figue de Barbarie.

Ce fruit comporte beaucoup d'avantages, mais on ne peut les mettre à profit qu'après une démêlée avec l'extérieur de la peau, perfidement garnie de petites épines très douloureuses au contact.

Curieusement, cette figue spéciale est le fruit d'une plante grasse, l'opuntia ou oponce, que l'on rencontre tout autour du bassin méditerranéen (Sicile, Afrique du Nord, notamment), ainsi qu'en Amérique du Sud. Lorsqu'elles sont parfaitement mûres et goûteuses, les figues de Barbarie arborent une belle couleur rouge ou rouge orangé et présentent une certaine souplesse au toucher (pourvu que l'on se soit muni d'un gant, cela va sans dire).

Une fois ouverte, la figue vous offre une pulpe jaune à reflets orangés très acidulée, et comportant de petits grains plus foncés et plus consistants. C'est un fruit tonique et rafraîchissant dont certains pays exploitent même les vertus médicinales. On peut l'accommoder en sorbet, l'incorporer à une salade de fruits ou à tout autre préparation classique.

La crème fouettée à base de crème d'amandes apporte une douceur dont le contraste sera le bienvenu face aux saveurs acidulées de la figue et des framboises qui tiennent ici le haut du pavé. Ce dessert qui allie finesse et découverte ne peut être servi qu'à des gourmets avertis, capables d'apprécier son exotisme mesuré.

1. Pour la mousse, bien mélanger le lait d'amandes, la crème double et le sucre glace dans un récipient. Incorporer délicatement la crème fouettée. (Le lait d'amandes peut d'ailleurs être réalisé très simplement : 65 g d'amandes et 3 amandes amères finement râpées et mélangées dans 500 ml de lait chaud. Pressez ensuite dans un linge.)

2. Avant toute manipulation des figues, se protéger d'un gant et retirer les épines à la pince. Couper les figues en deux, enlever la chair et conserver les coques. Sélectionner les framboises destinées à la décoration.

et mousse d'amandes

3. Farcir les coques de mousse d'amandes et recouvrir chacune d'elles de quelques framboises.

4. Napper le centre de l'assiette avec le restant de mousse d'amandes. Déposer une figue farcie, puis décorer avec les framboises restantes et quelques feuilles de menthe.

Omelette au fromage blanc

Préparation   1 heure
Cuisson   30 minutes
Difficulté   ✶ ✶

Pour 4 personnes

150 g de fromage blanc
3 œufs, blancs et jaunes séparés
3 cuil. à soupe de farine
1 pincée de sel
1 gousse de vanille, 1 citron non traité

Poires :
30 g de sucre
125 ml de porto
250 ml de vin rouge

1 clou de girofle
1 petit bâton de cannelle
1 petit morceau de gingembre

2 grosses poires

Glace au chocolat blanc :
75 g de sucre, 6 jaunes d'œufs
250 ml de lait, 250 ml de crème fleurette
125 g de chocolat de couverture blanc

Sauce à la vanille :
4 jaunes d'œufs, 50 g de sucre
125 ml de lait, 125 ml de crème fleurette
1 gousse de vanille

Décoration :
1 cuil. à soupe de coulis de framboises
1 cuil. à soupe de purée de mangue
feuilles de menthe

Le talent du chef de la « Schwarzwaldstube », Harald Wohlfahrt, s'exerce sans répit, depuis les savoureuses entrées jusqu'aux délicieux desserts. L'excellence de ses recettes et la qualité de l'accueil ont valu depuis 1984 à cette auberge tenue par la famille Finkbeiner le label de Relais Gourmand, que ne saurait démentir ici cette savante omelette au fromage blanc, digne hommage aux produits laitiers de l'Allemagne et à ses dynamiques productions.

Avec l'emploi de la poire, Harald Wohlfahrt se réclame d'anciennes traditions ; la présence du fromage blanc, de la glace et du coulis, la subtilité des épices dont l'usage a connu depuis le Moyen Âge un succès constant, tout concourt à vous offrir un de ces moments de dégustation qui comptent dans la carrière d'un gourmand. La cannelle originaire de Ceylan va déposer dans le liquide où l'on poche les poires un soupçon d'amertume

et de douceur. Préférez-la en bâtonnets, car ces derniers diffusent davantage d'arôme que la poudre utilisée d'ordinaire. Notons que si les Occidentaux font de la cannelle un condiment de dessert et ne l'emploient que pour des compotes et des entremets, les cuisiniers d'Afrique du Nord ou du Moyen-Orient la font entrer dans de multiples préparations de viande, notamment certains tajines bien mijotés. Le clou de girofle peut parfois s'employer sans être fiché dans un oignon, comme il est de coutume dans nos courts-bouillons : les Japonais lui réservent bien d'autres traitements, pour épicer par exemple leurs célèbres sushis.

La meilleure poire pour cette recette est en l'occurrence la williams, selon notre chef. Mais une autre variété de poire conviendrait également, du moment que la cuisson la rend assez fondante.

1. Pour les poires, faire caraméliser le sucre dans une casserole, puis déglacer au porto et au vin rouge. Ajouter le clou de girofle, le bâton de cannelle, le gingembre et laisser réduire de moitié. Éplucher les poires et les ajouter à la préparation. Faire bouillir, puis ôter du feu. Laisser refroidir 4 à 5 heures.

2. Dans un récipient, mélanger le fromage blanc, les jaunes d'œufs, la farine, le sel, la gousse de vanille et les écorces de citron râpées. Pour la glace au chocolat blanc, battre le sucre et les jaunes, ajouter le lait bouillant et la crème, puis fouetter au bain-marie pour obtenir une préparation crémeuse. Passer au chinois. Ajouter le chocolat et verser dans la sorbetière.

et poire, glace au chocolat

3. Monter les blancs d'œufs en neige ferme et les ajouter peu à peu au fromage blanc. Pour la sauce à la vanille, mélanger les jaunes et le sucre, ajouter le mélange de lait bouillant et de crème, le bâton de vanille, puis mélanger au bain-marie. Porter à consistance, puis laisser refroidir.

4. Garnir de préparation au fromage blanc quatre petits moules beurrés et farinés. Couper des lamelles de poires, les poser dessus en rosace et faire cuire 15 à 20 minutes au four à 180 °C. Après la cuisson, saupoudrer de sucre et caraméliser sous le gril. Verser la sauce au centre de l'assiette, démouler l'omelette, puis garnir de fruits, de menthe et d'une quenelle de glace au chocolat blanc.

Soufflé aux marrons et

Préparation	*1 heure*
Cuisson	*50 minutes*
Difficulté	✷ ✷

Pour 4 personnes

Oranges marinées :
6 oranges non traitées
50 ml de sirop de grenadine
1,5 l de sirop de sucre à 28° Beaumé
1 bâton de cannelle
4 étoiles d'anis
1 gousse de vanille

Soufflé :
100 g de marrons épluchés
500 ml de lait
30 g de beurre
1/2 gousse de vanille
1/2 blanc d'œuf (10 g)
2 œufs, blancs et jaunes séparés
100 ml d'eau-de-vie de cerises
50 g de sucre
sucre glace

C'est la symbolique de Noël que notre chef, en vigoureux défenseur des traditions, développe à travers ce savoureux dessert. C'est bien à cette période que l'on trouve les meilleurs marrons dans leur bogue ferme et brillante, dont la pulpe épaisse enchante les gourmets de tous âges. Harald Wohlfahrt apprécie particulièrement ce fruit monocoque du châtaignier (et non du marronnier), même s'il faut pour l'éplucher s'ébouillanter deux fois les doigts : le résultat en vaut la peine.

La forme du soufflé présente l'avantage de donner au marron une légèreté que n'a pas sa forme naturelle. Ainsi plus diffus, son arôme peut assimiler plus facilement les autres parfums. L'eau-de-vie de cerises lui apporte une touche typique de la Forêt-Noire dont le kirsch et les immenses vergers sont également réputés dans le monde entier.

La cuisson du soufflé réclame des soins attentifs et suppose une parfaite maîtrise des délais de service. Le recours au bain-marie garantit une température régulière indispensable à la montée des blancs – et pour cette raison même, il est interdit d'ouvrir le four en cours de cuisson.

Le couple orange-marron va certainement vous séduire par son équilibre et son originalité. Il faut employer des fruits de saison très frais et les faire mariner le temps requis pour les imprégner suffisamment des multiples saveurs, celles de l'anis étoilé, de la cannelle et, le cas échéant, de la grenadine.

Dans la présentation, vous prendrez soin de donner aux quartiers d'oranges la forme d'une étoile, afin de vous inscrire, là aussi, dans la tradition de Noël.

1. Pour préparer les zestes d'oranges, tailler des écorces en julienne, les faire blanchir et les rincer à l'eau froide. Verser le sirop de grenadine sur les zestes et laisser mariner 24 heures.

2. Couper en quartiers les oranges pelées. Faire cuire le sirop de sucre avec le bâton de cannelle, l'anis étoilé et la gousse de vanille. Verser ce fond bouillant sur les quartiers d'oranges et laisser mariner 24 heures. Déposer les quartiers d'oranges dans un petit bol à compote et garnir de zestes confits.

filets d'oranges à l'anis

3. Pour le soufflé, cuire à feu doux les marrons, le lait, le beurre et la gousse de vanille jusqu'à ce que les marrons soient tendres. Enlever la gousse de vanille et passer le tout au chinois. Mélanger les 10 g de blanc d'œuf, les jaunes, l'eau-de-vie de cerises et laisser refroidir.

4. Beurrer et sucrer quatre moules à soufflé, puis les placer au froid. Monter les blancs en neige ferme avec le sucre et mélanger à la masse de marrons refroidie. Remplir les moules et les mettre au four à 200 °C, 30 minutes au bain-marie. Saupoudrer les soufflés de sucre glace juste avant de servir. Dresser en étoile les filets d'oranges et décorer de zestes d'oranges.

Panna cotta

Préparation	*20 minutes*
Repos	*12 heures*
Difficulté	☆

Pour 4 personnes

12 g de gélatine
300 ml de lait
1 cuil. à soupe de lait d'amandes
125 g de sucre
300 ml de crème fleurette

500 g de framboises, myrtilles, fraises des
    bois, groseilles ou fraises
coulis de fruits rouges
feuilles de menthe

La panna cotta (de l'italien « crème cuite ») est un plat traditionnel en Piémont, et semble dater de l'époque du roi Charles-Albert de Sardaigne et Piémont (1798-1849), contraint à l'abdication après la défaite de Novare contre l'Autriche. Cette préparation se compose de lait, d'essence d'amandes et de gélatine. Si vous voulez réussir votre panna cotta, il faut d'abord utiliser une crème fraîche très riche en matières grasses, entre 30 et 35 % – faute de quoi vous devrez prévoir un supplément de gélatine. Ensuite, cette crème doit être chauffée sans excès, sinon vous la feriez jaunir.

Armando Zanetti n'impose nullement l'usage du lait d'amandes, dont le goût particulier peut rebuter des convives néophytes. Si tel est le cas, dispensez-vous d'y recourir, la conséquence n'étant pas déterminante pour la qualité de votre dessert. D'autres parfums peuvent nuancer la préparation, par exemple le chocolat fondu ou la vanille. L'exécution de cette panna cotta n'est pas bien compliquée et n'appelle en fin de compte aucun commentaire.

Vous reconnaîtrez dans la discrète finesse de ce dessert toute l'ambition du Nord de l'Italie, où des générations de cuisiniers se sont efforcées de contrebalancer le savoir-faire des régions du Sud en matière de pâtisseries et de glaces. Bien sûr, nous ne pourrons la comparer à l'opulente cassata sicilienne. Mais l'accompagnement de fruits des bois, qui flattent l'œil de l'amateur et escortent tout simplement cette douceur de leurs multiples saveurs acidulées, devrait séduire vos invités par tant de subtilité dépouillée.

1. Faire tremper la gélatine dans l'eau froide. Porter le lait à ébullition avec le sucre et incorporer la gélatine ramollie. Ajouter la crème et remuer lentement au fouet.

2. Mouler cette préparation dans des ramequins de panna cotta de 6 à 8 cm de haut et placer au frais pendant 12 heures au minimum.

aux fruits des bois

3. Démouler délicatement chaque ramequin. Nettoyer les fruits à l'eau fraîche sans les tremper. Ne pas équeuter les fraises.

4. Dresser la panna cotta au centre de l'assiette et composer tout autour des cercles de fruits en alternant les couleurs. Accompagner d'un coulis de fruits rouges et décorer de feuilles de menthe.

Cannetilles farcies

Préparation	*30 minutes*
Cuisson	*45 minutes*
Difficulté	✶✶

Pour 4 personnes

Pâte brisée (pour 10 personnes) :

750 g de farine
3 œufs
50 g de sucre
50 ml de cognac

zeste de citron râpé
500 g de beurre

Crème de noix (pour 4 personnes) :
2 l de lait
1 bâton de cannelle
250 g de noix mondées
250 g de sucre
sucre pour saupoudrer

Décoration :
cerneaux de noix caramélisés

Ce vocable basque dans le titre, désigne la crème de noix telle qu'on doit la préparer dans cette recette et témoigne de l'ancrage régional de notre chef. La noix, fruit d'automne par excellence, très appréciée dans les régions du Sud-Ouest et dans le Nord de l'Espagne, sera choisie dans les cueillettes de novembre ou de décembre et parmi les plus petits calibres, où le goût se concentre mieux. Les noix fraîches se conservent environ quinze jours après maturité et rancissent très vite. Quant aux noix séchées, il est recommandé d'ôter la pellicule amère qui enrobe les cerneaux et de les faire tremper trois jours dans une eau légèrement salée.

Le broyage des noix ne peut se faire au mixeur, car le fruit s'y décomposerait et prendrait une consistance huileuse : on préférera le mortier traditionnel ou à défaut un hachoir à main, qui permettra aux noix de conserver toutes leurs propriétés. Vous

aurez mis de côté quelques cerneaux pour le décor et vous les ferez caraméliser pour leur donner plus de croquant, balançant ainsi le moelleux de la crème.

Si surprenante qu'elle paraisse, la tradition veut encore que l'on ajoute à la crème de noix en réduction l'eau de trempage d'une morue, ce qui réalise un étonnant mélange de produits marins et terrestres. Mais cette pratique est tombée en désuétude, le goût très prononcé de la morue semblant incompatible avec la douceur attendue d'un tel dessert.

Si vous ne souhaitez pas réaliser la crème de noix, rien ne vous empêche de fourrer ces cannetilles, version régionale du cigare, de crème pâtissière aromatisée selon votre goût ou encore de riz au lait.

1. Pour la pâte brisée, verser la farine sur le plan de travail, creuser une fontaine et y déposer les œufs, le sucre, le cognac, le zeste de citron râpé et le beurre ramolli. Pétrir avec les mains, mettre en boule et garder au frais.

2. Étaler la pâte et la détailler en bandes de 7 cm de large sur 20 cm de long. Les enrouler sur des cylindres de 3 cm de diamètre et faire cuire au four à 190 °C ; il est aussi possible de les faire frire.

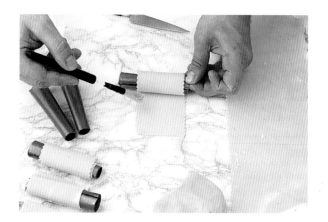

d'intxaursaltza

3. *Pour la crème, faire bouillir 1 l de lait avec la cannelle. Ajouter les noix pilées au mortier, le sucre et laisser cuire. Ajouter en deux ou trois fois le second litre de lait jusqu'à l'obtention d'une préparation de l'épaisseur d'une crème caramel. Placer au froid. Après avoir enlevé les cylindres, garnir les cannetilles de crème avec une poche à douille.*

4. *Avant de servir, saupoudrer de sucre et glacer sous le gril chaud. Dresser sur l'assiette et entourer de cerneaux de noix caramélisés. Servir froid ou chaud.*

Turban de Pomme Farci

Préparation   20 minutes
Cuisson   20 minutes
Difficulté   ★ ★

Pour 4 personnes

1 noix de beurre
500 ml de sirop de sucre
4 pommes golden

Crème de figues :
250 ml de sirop de sucre
100 g de figues séchées

Compote :
4 pommes reinettes
100 g de sucre
60 g de beurre
200 g de raisins secs

Sirop de fruits :
50 g de pruneaux secs
raisins secs
pommes reinettes
500 ml de vin rouge

Crème anglaise : voir p. 312

Notre chef a créé ici un dessert qui n'est pas une nouvelle variante de la traditionnelle tarte aux pommes. Alberto Zuluaga relève le défi avec ce turban de pomme garni de compote.

Deux variétés de ce fruit que l'on dit le plus ancien du monde sont mises à contribution : la golden et la reine des reinettes. La première, comme son nom l'indique, a la couleur de l'or, et sa chair fine et sucrée, ferme jusque dans la cuisson, conviendra parfaitement au chemisage des moules. La seconde est de celles dont on fait les compotes et la saveur acidulée qui la caractérise contrastera brillamment avec les fruits secs. Vous veillerez toutefois, lors de la cuisson préalable des lamelles de goldens, à sucrer suffisamment pour qu'elles conservent toute leur souplesse.

Le mélange de fruits secs évoque à lui seul tout un Moyen Âge où se bousculent Infidèles et Croisés : les raisins secs, utilisés à Damas depuis l'Antiquité, parvinrent à cette époque dans le Sud de l'Espagne, où ceux de Malaga ne sont pas les moins prisés. De même, les figues séchées faisaient partie des friandises plutôt courantes à l'époque des Croisades et le figuier lui-même, dans la Bible, est un symbole de fécondité.

Ce turban est percé en son centre, du fait de l'emploi de moules à savarin. On peut naturellement y loger, à la place de la crème de figues (que l'on pourra aussi présenter sur le côté), un sorbet alcoolisé selon le goût de chacun : calvados, cognac, armagnac… ou encore, si la saison s'y prête, un savoureux mélange de fruits rouges très frais.

1. Verser une noix de beurre dans 500 ml de sirop de sucre et faire pocher les goldens en lamelles de 0,5 cm d'épaisseur. Une fois tendres, les égoutter et les laisser refroidir.

2. Avec les lamelles de pommes refroidies, chemiser des moules à savarin individuels. Pour la crème de figues, faire cuire 20 minutes les figues coupées en morceaux dans 250 ml de sirop de sucre. Mixer le tout en purée épaisse et détendre avec la crème anglaise.

de compote de fruits secs

3. Pour la compote, faire cuire les dés de pommes reinettes avec le sucre et le beurre. Ajouter les raisins secs trempés dans l'eau. Pour le sirop de fruits, faire cuire doucement les pruneaux, les raisins secs, les dés de pommes et le vin rouge, puis faire réduire en sirop épais.

4. Remplir les moules chemisés de compote de pommes et de raisins. Rabattre les lamelles de pommes sur la garniture. Démouler, saupoudrer de sucre et glacer sous le gril chaud. Dresser le turban sur l'assiette, garnir le centre de crème de figues et verser tout autour le sirop de fruits.

Recettes de base

Crème anglaise

Recettes:

Assiette du maître chocolatier et poire rôtie au bourgogne, de Michel Blanchet

Pommes et raisins en streusel, d'Émile Jung

Soufflé glacé aux figues et armagnac, de Michel Libotte

Fondant de marrons à la sauce noisette, de Georges Paineau

Pruneaux en chemise à la crème d'amandes, de Jean-Claude Rigollet

Parfait glacé à l'anis, sauce arabica, d'Émile Tabourdiau

Turban de pomme farci de compote de fruits secs, d'Alberto Zuluaga

Ingrédients:
500 ml de lait – 150 g de sucre – 1 gousse de vanille – 6 jaunes d'œufs

Préparation:
Porter le lait à ébullition avec la moitié du sucre et la gousse de vanille fendue dans le sens de la longueur. Dans un récipient, blanchir au fouet les jaunes d'œufs et le reste du sucre. Verser un peu de lait sur le mélange sucre-jaunes d'œufs. Remettre le tout dans la casserole en remuant sans arrêt avec une spatule en bois. Le mélange ne doit surtout pas bouillir. Continuer de remuer hors du feu jusqu'à complet refroidissement. Passer au chinois.

Crème pâtissière

Recettes:

Gâteau basque, de Firmin Arrambide

Sablé aux oranges, au chocolat amer, de Jean-Pierre Bruneau

Normandise gourmandise, de Michel Bruneau

Craquelins de pralines roses, de Francis Chauveau

Gratin de fruits aux amandes, de Jean Fleury

Fondant « chocolat-café » aux noix, de Louis Grondard

Charlotte au moka, noix caramélisées, d'André Jaeger

Mille-feuille craquant aux framboises, de Patrick Jeffroy

Tarte de figues fraîches, crème à la cannelle, de Jean-Louis Neichel

Ingrédients:
1 l de lait – 1 gousse de vanille (facultatif) – 10 jaunes d'œufs – 200 g de sucre – 80 g de Maïzena

Préparation:
Dans une grande casserole, faire bouillir le lait avec la gousse de vanille fendue en deux dans le sens de la longueur. Dans un récipient, travailler les jaunes d'œufs avec le sucre jusqu'à ce que le mélange blanchisse. Ajouter la Maïzena. Verser le lait bouillant sur le mélange œufs-sucre en fouettant, remettre le tout dans la casserole et porter à ébullition 2 minutes en fouettant pour éviter que la crème n'attache. Réserver dans un saladier et tamponner le dessus avec du beurre pour éviter la formation d'une croûte.

Génoise

Recettes:
Cassata alla siciliana, de Carlo Brovelli
Grand dessert au caramel laitier, de Jean-Pierre Vigato

Ingrédients:
250 g de sucre – 8 œufs – 250 g de farine

Préparation:
Dans le bol du batteur, au bain-marie, fouetter le sucre et les œufs entiers pour faire tiédir le mélange. Hors du feu, fouetter pour monter la préparation, à grande vitesse pour commencer, puis à vitesse moyenne pour faire refroidir le mélange qui doit former le ruban. À l'aide d'une écumoire, mélanger délicatement la farine tamisée. Verser dans les moules beurrés et farinés, mettre au four et cuire à 200 °C pendant 30 minutes environ.

Glace à la pistache

Recette:
Giboulée de cerises en chaud-froid, de Jean Bardet

Ingrédients:
100 g de pistaches fraîches – 150 g de sucre – 500 ml de lait – 6 jaunes d'œufs

Préparation:
Dans un mortier, piler les pistaches avec la moitié du sucre. Verser dans le lait, faire bouillir et laisser infuser hors du feu 40 minutes à couvert. Dans un récipient, fouetter les jaunes d'œufs et le reste du sucre pour les blanchir. Passer le lait au chinois et porter de nouveau à ébullition. Verser un peu de lait sur le mélange jaunes d'œufs-sucre en fouettant. Remettre le tout dans une casserole en remuant sans arrêt avec une spatule en bois. Le mélange ne doit surtout pas bouillir. Hors du feu, continuer de remuer jusqu'à complet refroidissement. Mettre à tourner dans la sorbetière.

Glace à la vanille

Recettes:

Soupe de rhubarbe, d'Eyvind Hellstrøm

Charlotte au moka, noix caramélisées, d'André Jaeger

Figues rôties au banyuls, de Dominique Toulousy

Mirliton à la rouennaise, de Gilles Tournadre

Ingrédients:
500 ml de lait – 150 g de sucre – 1 gousse de vanille – 6 jaunes d'œufs – 250 ml de crème fraîche

Préparation:
Porter le lait à ébullition avec la moitié du sucre et la gousse de vanille fendue dans le sens de la longueur. Dans un récipient, fouetter les jaunes d'œufs et le reste du sucre pour les blanchir. Verser un peu de lait sur le mélange jaunes d'œufs-sucre. Remettre le tout dans la casserole en remuant sans arrêt avec une spatule en bois. Le mélange ne doit surtout pas bouillir. Continuer de remuer hors du feu jusqu'à complet refroidissement, puis passer au chinois. Ajouter la crème fraîche et mettre à tourner dans la sorbetière.

Meringue

Recettes :

Mille-feuille de riz au lait, d'Hilario Arbelaitz

Soufflé de patxaran à la mangue, d'Hilario Arbelaitz

Nougat glacé « route des épices », de Stéphane Raimbault

Ingrédients :
100 g de miel de sapin – 25 g de glucose – 120 ml d'eau – 50 g de sucre – 4 blancs d'œufs (120 g) – 2 g de gélatine

Préparation :
Verser dans un poêlon le miel, le glucose, l'eau, le sucre et cuire à 121 °C. Verser aussitôt sur les blancs d'œufs préalablement montés en neige ferme. Laisser tourner 4 minutes à vitesse 3, puis à vitesse 2 jusqu'à refroidissement complet. Incorporer la gélatine fondue.

Pâte à cigarettes

Recette :

Corolle de fraises et ananas malibu, de Stéphane Raimbault

Ingrédients :
200 g de beurre – 200 g de sucre glace – 7 blancs d'œufs (210 g) – 150 g de farine – 5 ml de vanille liquide – 20 g de pistaches – 20 g de raisins secs – 20 g de noix de coco râpée – 20 g d'amandes brutes – 20 g d'amandes effilées

Préparation :
Dans un récipient, verser le beurre en pommade, ajouter le sucre glace et incorporer progressivement les blancs d'œufs, puis la farine et la vanille liquide. Étaler à l'aide d'un chablon rond sur une plaque antiadhésive. Agrémenter de pistaches, de raisins secs, de noix de coco râpée et d'amandes brutes effilées. Laisser cuire quelques minutes au four à 180 °C.

Pâte à crêpes

Recettes :

Ravioli de crêpes, beurre Suzette, de Philippe Dorange

Variation d'ananas, de Dieter Kaufmann

Ingrédients :
250 g de farine – 80 g de sucre – 1 grosse pincée de sel – 4 œufs – 500 ml de lait – 100 g de beurre

Préparation :
Verser dans un saladier la farine tamisée, le sucre et le sel. Ajouter les œufs entiers, mélanger à l'aide d'un fouet, puis incorporer le lait par petites quantités pour obtenir une pâte bien lisse. Faire fondre le beurre dans une poêle, le retirer du feu dès qu'il a pris une couleur noisette et l'ajouter au mélange en fouettant. Passer au chinois, puis laisser reposer la pâte 30 minutes avant utilisation.

Pâte à savarin

Recette :

Corolle de fraises et ananas malibu, de Stéphane Raimbault

Ingrédients :
250 g de farine – 5 g de sel – 15 g de sucre – zestes râpés d'1 citron $1/2$ – 15 g de lait en poudre – 30 g de levure de boulanger – 110 ml d'eau – 2 œufs – 75 g de beurre

Préparation :
Dans la cuve du batteur, verser la farine, le sel, le sucre et les zestes. Parallèlement, dissoudre dans un récipient le lait en poudre et la levure dans l'eau tiède (28 °C), puis mélanger. Ajouter les œufs sans remuer. Incorporer cette préparation au contenu de la cuve du batteur à la feuille, d'abord à vitesse 1, puis à vitesse 2 pendant quelques minutes. Ajouter le beurre à température ambiante et laisser tourner encore 2 minutes. Remplir au tiers des moules individuels et laisser lever en étuve à 50 °C. Cuire à 200 °C pendant 20 minutes environ.

Pâte à tulipes

Recettes :

Soufflé chaud à la banane, glace au miel, de Paul Heathcote

Délicatesse des Trois Couleurs, de José Tourneur

Ingrédients :
100 g de beurre – 100 g de sucre glace – 3 blancs d'œufs (105 g) – 85 g de farine

Préparation :
Travailler le beurre en pommade avec le sucre glace, ajouter petit à petit les blancs d'œufs et en dernier la farine. Dresser des cercles de 15 cm de diamètre sur une plaque à pâtisserie beurrée et farinée. Laisser cuire et colorer au four, puis mettre en forme de tulipes sur un moule.

Pâte brisée

Recettes :

Tarte au vin doux, de Fritz Schilling

Pastiera napolitana, de Gianfranco Vissani

Ingrédients :
500 g de farine – 20 g de sucre – 15 g de sel – 350 g de beurre – 2 œufs – 2 à 3 cuil. à soupe d'eau

Préparation :
Déposer la farine sur le plan de travail et former une fontaine. Y verser le sucre, le sel, le beurre ramolli, les œufs et 2 à 3 cuil. à soupe d'eau. Pétrir le tout. Travailler la pâte le moins possible et terminer de pétrir en fraisant (opération qui consiste à pousser devant soi la pâte en petits morceaux avec la paume de la main). Mettre la pâte en boule, l'envelopper dans un torchon et laisser reposer environ 1 heure avant l'emploi. Il est préférable de préparer cette pâte la veille de son utilisation.

Pâte feuilletée

Recettes :

Mille-feuille de riz au lait, d'Hilario Arbelaitz

Normandise gourmandise, de Michel Bruneau

Tarte fine aux pommes et son sorbet à l'estragon,
    de Jean Crotet

Tartelette de fruits poêlés, de Philippe Dorange

Galette feuilletée en goldens caramélisées, de Michel Haquin

Tarte de figues fraîches, crème à la cannelle,
   de Jean-Louis Neichel

Feuillantine aux fraises, de Paul Pauvert

Salade d'oranges sanguines en gelée, de J. et L. Pourcel

Nonnette de pommes acidulées au caramel, de Michel Rochedy

Feuilleté de mamía au Sagardoz, de Pedro Subijana

Grillé aux pommes, glace aux épices, de Gilles Tournadre

Mirliton à la rouennaise, de Gilles Tournadre

Ingrédients:
500 g de farine – 15 g de sel – 250 ml d'eau – 500 g de beurre

Préparation:
Déposer la farine en couronne sur le plan de travail. Y verser le sel et l'eau, mélanger, puis rassembler la pâte en boule sans trop la travailler. Laisser reposer 20 minutes, puis étaler sur le marbre en carré. Poser au centre les 500 g de beurre ramolli. Ramener les quatre extrémités sur le beurre de façon à former un carré.

Tourage:
Donner six tours (trois fois deux tours) à des intervalles réguliers de 20 minutes.

Pâte sablée

Recettes:

Sablé aux oranges, au chocolat amer, de Jean-Pierre Bruneau

Sablé au chocolat, vanille, orange et glace au thé,
   de Guy Van Cauteren

Ingrédients:
100 g de beurre – 80 g de sucre – 2 jaunes d'œufs – 1 pincée de vanille – 1 pincée de sel – 100 g de farine – 20 g de cacao amer en poudre – 40 g de poudre d'amandes – 40 g de sucre glace

Préparation:
Travailler le beurre avec le sucre. Lorsqu'ils sont bien mélangés, ajouter les jaunes d'œufs, les pincées de vanille et de sel, puis mélanger en deux ou trois fois la farine, le cacao amer, les amandes et le sucre glace tamisés. Envelopper dans un torchon et laisser reposer au frais 1 heure environ avant utilisation.

Sorbet aux pommes

Recette:

Normandise gourmandise, de Michel Bruneau

Ingrédients:
2 grosses pommes granny smith – jus d'1 citron – 1 tour de moulin à poivre – 100 ml de sirop à 30°Beaumé (50 g de sucre – 50 ml d'eau)

Préparation:
Couper les pommes en petits morceaux et les mettre au congélateur pour cuire leur peau au froid. Passer le tout au mixeur avec le citron et le poivre, puis ajouter le sirop. Verser dans la sorbetière.

Sorbet de coing

Recette:

Sorbet de coing au romarin, de Jean-Louis Neichel

Ingrédients:
500 g de coings frais – eau – 1 cuil. à café de romarin frais haché – 1 petit verre de liqueur de coing – 1 citron non traité – 500 g de sucre

Préparation:
Peler les coings, les couper en morceaux dans une casserole, couvrir d'eau et laisser cuire à feu doux pendant 15 minutes avec le romarin, la liqueur, le jus et le zeste de citron et le sucre. Laisser refroidir, mixer le tout et mettre à tourner dans la sorbetière.

Sorbet de mangue

Recette:

Envoltini de mango y miel, de Fernando Adría

Ingrédients:
2 grosses mangues de 700 à 800 g environ – 400 ml de sirop de sucre à 28° Beaumé – jus d'1 citron

Préparation:
Peler les mangues, détacher la chair des noyaux et passer au mixeur. Ajouter le sirop de sucre et le jus de citron. Bien mélanger le tout au fouet, passer au chinois, puis verser dans la sorbetière.

Tuiles aux amandes

Recettes:

Soufflé glacé aux figues et armagnac, de Michel Libotte

Délicatesse des Trois Couleurs, de José Tourneur

Ingrédients:
125 g de sucre – 125 g d'amandes effilées – 20 g de farine – 1 petite pincée de vanille en poudre – 2 blancs d'œufs (75 g) – 25 g de beurre

Préparation:
Mélanger dans un récipient en inox le sucre, les amandes effilées, la farine, la vanille et enfin les blancs d'œufs. Mélanger à la spatule en bois, ajouter le beurre fondu et bien mélanger. Dresser sur des feuilles de papier sulfurisé de petits tas de pâte, les aplatir avec une fourchette trempée dans l'eau et cuire au four à 240 °C.

Tuiles aux épices

Recette:

Sorbet de coing au romarin, de Jean-Louis Neichel

Ingrédients:
100 g d'amandes effilées – 100 g de sucre – 20 g de farine – 2 œufs – épices selon le goût

Préparation:
Dans un récipient en inox, mélanger les amandes effilées, le sucre, la farine, les œufs et les épices. Laisser reposer et infuser 2 heures environ. Dresser sur une plaque beurrée et cuire au four à 240 °C.

Les chefs

Fernando Adría

Né le 14 mai 1962

Restaurant **El Bulli**
30, Apartado de Correos Cala Montjoi
17480 Rosas — Espagne
Tél. (0)972-150457; fax (0)972-150717

Ce jeune prodige a obtenu à 27 ans les 2 étoiles du Michelin pour l'activité qu'il déployait depuis 1983 dans son établissement de la Costa Brava. Gault et Millau l'a consacré avec 19 points et 4 toques rouges. Les guides espagnols n'ont pas moins reconnu son talent : 4 étoiles au Campsa, 9,5/10 au Gourmetour. Fernando Adría a reçu le prix national espagnol de la Gastronomie et même en 1994 le grand prix de l'Art culinaire européen.
Lorsque ses fourneaux lui en laissent le loisir, notre chef court applaudir le Barça (le football club de Barcelone), dont il est un enthousiaste « *socio* ».

Hilario Arbelaitz

Né le 27 mai 1951

Restaurant **Zuberoa**
Barrio Iturrioz, 8
20180 Oyarzun — Espagne
Tél. (0)943-491228 ; fax (0)943-492679

Né au cœur du Pays basque espagnol dont il célèbre avec vigueur les traditions gourmandes, notre chef a fait ses premiers pas en 1970 au restaurant Zuberoa, dont il est devenu chef de cuisine en 1982. Dès lors comblé de distinctions tant françaises qu'espagnoles (2 étoiles Michelin, 3 toques rouges et 17 au Gault et Millau, 4 étoiles au Campsa), il a reçu le titre de meilleur cuisinier d'Euzkadi (Pays basque) en 1993 et meilleur cuisinier d'Espagne en 1991.
Il pratique avec un égal bonheur la pelote basque et la vie de famille, et se passionne pour l'histoire et l'avenir de son métier.

Firmin Arrambide

Né le 16 septembre 1946

Restaurant **Les Pyrénées**
19, place du général-de-Gaulle
64220 Saint-Jean-Pied-de-Port — France
Tél. 0559370101 ; fax 0559371897

C'est depuis 1986 que Firmin Arrambide préside aux destinées des Pyrénées, l'établissement le plus coté de sa ville natale : 2 étoiles Michelin, 3 toques rouges et 18 au Gault et Millau. Il y pratique une cuisine d'inspiration régionale dont la qualité lui a valu la deuxième place au prix Taittinger (1978), et d'arriver en finale au concours de meilleur ouvrier de France en 1982.
Comme il se doit, cet enfant du Pays basque adore en saison la chasse à la palombe et à la bécasse, et parcourt inlassablement « ses » montagnes. Mais il déguste aussi les bains de soleil au bord de sa piscine.

Jean Bardet

Né le 27 septembre 1941

Restaurant **Jean Bardet**
57, rue Groison
37000 Tours — France
Tél. 0347414111 ; fax 0347516872

Avant de s'installer en 1987 à Tours sous son propre nom, notre chef a parcouru l'Europe et servi notamment comme saucier au Savoy de Londres. Il est membre des Relais et châteaux et Relais gourmands, compte 4 toques rouges au Gault et Millau (19,5) et 2 étoiles au Michelin. Ce disciple de la fondation Auguste-Escoffier a même préparé le repas des chefs d'États au sommet de Versailles (1982).
Jean Bardet fume le cigare avec passion (l'American Express lui a octroyé en 1984 le diplôme de plus grand fumeur du monde) et multiplie en saison « les virées à la chasse avec les copains ».

Giuseppina Beglia

Née le 16 mai 1938

Restaurant **Balzi Rossi**
2, Via Balzi Rossi
18039 Ventimiglia — Italie
Tél. (0)184-38132 ; fax (0)184-38532

Son restaurant surplombe depuis 1983 le célèbre site et les grottes des « balzi rossi » (les rochers rouges), mais Giuseppina Beglia n'est pas moins célèbre en Italie grâce aux émissions de télévision qu'elle a proposées de 1985 à 1990. Membre de la chaîne Le Soste, elle affiche 2 étoiles Michelin, 3 toques rouges Gault et Millau (18) et 82/100 au guide Gambero Rosso. Elle a reçu en 1992 la première clé d'or de la Gastronomie attribuée par Gault et Millau à un chef étranger.
Très attirée par la décoration florale qui participe à l'ambiance de son restaurant, Giuseppina Beglia aime aussi dévaler à ski les Alpes toutes proches.

Michel Blanchet

Né le 16 juin 1949

Restaurant **Le Tastevin**
9, avenue Eglé
78600 Maisons-Laffitte — France
Tél. 0139621167 ; fax 0139627309

Après une riche et prestigieuse formation de 1967 à 1971 chez Maxim's, au Lutétia et chez Ledoyen, notre chef a pris en 1972 les rênes du Tastevin et y jouit aujourd'hui de 2 étoiles Michelin. Son talent lui a valu d'arriver plusieurs fois en finale au prix Prosper Montagné (1970 et 1972), au prix Taittinger (1974) et au concours de meilleur ouvrier de France (1979). Michel Blanchet est maître cuisinier de France et membre de l'Académie culinaire de France.
Grand amateur de nature et de promenades en sous-bois (pour y chercher par exemple les champignons), il pratique aussi le cyclisme et la course à pied.

Michel Bourdin

Né le 6 juin 1942

Restaurant **The Connaught**
Carlos Place, Mayfair
W1Y 6AL London — Angleterre
Tél. (0)171-4910668 ; fax (0)171-4953262

Dans la grande lignée des chefs français qui ont exercé en Grande-Bretagne, Michel Bourdin régale depuis 1975 les Londoniens au Connaught. Formé chez Ledoyen et Maxim's (sous la férule d'Alex Humbert), titulaire de multiples prix (Prosper Montagné, Taittinger), membre du club des Cent et de Traditions et qualité, il préside la branche Royaume-Uni de l'Académie culinaire de France depuis 1980. Il est enfin membre honoraire du club Chefs des chefs, tout comme Paul Haeberlin.
Ses collaboratrices en pâtisserie, les jumelles Carolyn et Deborah Power, ont rendu célèbres les desserts du Connaught.

Carlo Brovelli

Né le 23 mai 1938

Restaurant **Il Sole di Ranco**
5, Piazza Venezia
21020 Ranco — Italie
Tél. (0)331-976507 ; fax (0)331-976620

Un soleil : le guide Veronelli ne pouvait décerner moins à ce restaurant placé sous le signe de l'astre du jour, qu'après 120 ans de tradition familiale Carlo Brovelli dirige avec une rare maîtrise. Il en a pris la tête en 1968, après sa formation à l'école hôtelière de La Stresa. Membre de la chaîne Le Soste, de Relais et châteaux et Relais gourmands, il collectionne les mentions flatteuses : 2 étoiles au Michelin, 3 toques au Gault et Millau (18), 84/100 au guide italien Gambero Rosso.
Adepte du cyclisme et du calcio, Carlo Brovelli guette chaque année le retour de l'automne, qui lui permet de pratiquer sa principale passion, la chasse.

Jean-Pierre Bruneau

Né le 18 septembre 1943

Restaurant **Bruneau**
73-75, avenue Broustin
1080 Bruxelles — Belgique
Tél. (0)2-4276978 ; fax (0)2-4259726

À l'ombre de la remarquable basilique de Koekelberg, en plein Bruxelles, Jean-Pierre Bruneau tient depuis quelque 20 ans les fourneaux du restaurant qui porte son nom. Les créations raffinées de ce maître cuisinier de Belgique ont moissonné les distinctions : 3 étoiles Michelin, 4 toques rouges au Gault et Millau, 3 étoiles au Bottin gourmand et 94/100 au guide belge Henri Lemaire. Il est en outre membre de Traditions et qualité.
Quand il quitte un instant sa cuisine, notre chef se partage entre la chasse, qu'il adore en saison, le sport automobile, qu'il pratique, et les voitures anciennes, qu'il collectionne.

Michel Bruneau

Né le 11 février 1949

Restaurant **La Bourride**
15-17, rue du Vaugueux
14000 Caen — France
Tél. 02 31 93 50 76 ; fax 02 31 93 29 63

« Normand et fier de l'être » : telle est la devise de ce chef qui ne cesse de décliner au long d'une carte enchanteresse les généreux produits du Calvados. D'abord installée au cœur du bocage, à Évrecy, sur les bords de la Guigne (1972-1982), puis à Caen même depuis 1982, La Bourride présente aux amateurs une cuisine inventive, imprégnée de traditions régionales et très appréciée des critiques : 2 étoiles Michelin, 3 toques rouges au Gault et Millau (18).
Dans le privé, Michel Bruneau fait encore la cuisine... pour ses amis. Il pratique le football et n'hésite pas à suivre son fils sur les pistes de karting.

Alain Burnel

Né le 26 janvier 1949

Restaurant **Oustau de Baumanière**
Val d'Enfer
13520 Les Baux-de-Provence — France
Tél. 04 90 54 33 07 ; fax 04 90 54 40 46

La formation d'Alain Burnel l'a conduit à Beaulieu (La Réserve de Beaulieu, 1969-1973), au Frantel de Nantes avec Roger Jaloux, au Sofitel de Marseille et au Château du Besset à Saint-Romain-de-Lerps, dont il fut chef de cuisine de 1978 à 1982 avant de reprendre aux Baux les célèbres fourneaux de Raymond Thuillier, aujourd'hui propriété de la famille Charial. Ce compagnon du Tour de France a reçu 2 étoiles Michelin et 3 toques blanches au Gault et Millau (18) ; il est membre de Traditions et qualité, Relais et châteaux et Relais gourmands.
Notre chef est cycliste à ses heures et pratique volontiers le bricolage.

Jan Buytaert

Né le 16 octobre 1946

Restaurant **De Bellefleur**
253 Chaussée d'Anvers
2950 Kapellen — Belgique
Tél. (0)3-6646719 ; fax (0)3-6650201

Bien qu'il soit Belge de souche et qu'il ait accompli toute sa carrière en Belgique (Villa Lorraine à Bruxelles, 1973-1974), Jan Buytaert a passé deux ans dans les cuisines des Prés et Sources d'Eugénie à Eugénie-les-Bains, sous la direction de Michel Guérard (1974-1975). C'est après cet intermède français qu'il a ouvert en 1975 son actuel établissement, qui lui vaut 2 étoiles au Michelin et compte parmi les tables les plus réputées d'outre-Quiévrain.
Ce maître cuisinier de Belgique apprécie les sports paisibles, telles la marche et l'équitation, et se livre encore au jardinage avec un plaisir constant.

Jacques Cagna

Né le 24 août 1942

Restaurant **Jacques Cagna**
14, rue des Grands-Augustins
75006 Paris — France
Tél. 01 43 26 49 39 ; fax 01 43 54 54 48

Ce chef prestigieux a exercé ses talents dans les plus célèbres établissements de la capitale (Lucas Carton en 1960, Maxim's en 1961, La Ficelle en 1964) et a même été cuisinier de l'Assemblée nationale (1961-1962) avant de s'installer en 1975 sous son propre nom et de cumuler les plus hautes distinctions : 2 étoiles Michelin, 3 toques rouges au Gault et Millau (18), 3 étoiles au Bottin gourmand.
Jacques Cagna est également chevalier du Mérite national et des Arts et des Lettres. Il connaît fort bien l'Asie, parle couramment le japonais et se passionne pour la musique classique, l'opéra et le jazz.

Stewart Cameron

Né le 16 septembre 1945

Restaurant **Turnberry Hotel & Golf Courses**
KA26 9LT Turnberry — Écosse
Tél. (0)165-5331000 ; fax (0)165-5331706

La cuisine de l'hôtel Turnberry, l'un des deux établissements d'Écosse titulaires de 5 étoiles rouges, a un chef purement écossais depuis 1981 : Stewart Cameron, auparavant en poste au Malmaison, le restaurant du Central Hotel de Glasgow. Notre chef est encore membre du Taste of England et de l'Académie culinaire de France (branche Royaume-Uni). Il a eu l'honneur d'accueillir en 1986 et en 1994 l'open de golf de Grande-Bretagne dans son établissement.
Stewart Cameron pratique à l'occasion la chasse et la pêche. Il est bien entendu passionné de rugby et compte parmi les plus fidèles supporters du XV d'Écosse.

Marco Cavallucci

Né le 20 mai 1959

Restaurant **La Frasca**
38, Via Matteotti
47011 Castrocaro Terme — Italie
Tél. (0)543-767471 ; fax (0)543-766625

Deux étoiles Michelin, 4 toques au Gault et Millau (19), un soleil Veronelli, 89/100 au guide Gambero Rosso : que manque-t-il à Marco Cavallucci ? Avec la chaleureuse complicité de son propriétaire, le maître sommelier Gianfranco Bolognesi, ce jeune chef infatigable et couvert d'honneurs, membre de la chaîne Le Soste, illustre avec brio depuis 1978 la grande tradition de la cuisine italienne.
Cette extraordinaire aventure lui laisse quand même un peu de temps pour s'adonner à la pêche (qu'il adore) et à la lecture, pour se rendre parfois au cinéma, et pour jouer aux cartes, au football et au billard.

Francis Chauveau

Né le 15 septembre 1947

Restaurant **La Belle Otéro**
Hôtel Carlton (7e étage)
58, La Croisette
06400 Cannes — France
Tél. 04 93 69 39 39 ; fax 04 93 39 09 06

La rencontre de ce chef né aux confins du Berry et de la cuisine provençale a produit d'excellents résultats, que dégustent avec bonheur depuis 1989 les clients du légendaire palace cannois, dont le restaurant est titulaire de 2 étoiles au guide Michelin. Ce chef a fait ses premiers pas à l'Hôtel d'Espagne à Valençay et a poursuivi sa carrière à l'Auberge de Noves en 1965. Depuis, ses compétences le propulsent dans des établissements de prestige : l'Auberge du Père Bise, la Réserve de Beaulieu, la Terrasse de l'hôtel Juana à Juan-les-Pins, et, de 1980 à 1989, au célèbre restaurant L'Amandier de Mougins. Amoureux de cuisine, il apprécie de la pratiquer en famille et consacre ses loisirs à voyager.

Jacques Chibois

Né le 22 juillet 1952

Restaurant **La Bastide Saint-Antoine**
45, avenue Henri-Dunant
06130 Grasse — France
Tél. 04 92 42 04 42 ; fax 04 92 42 03 42

Au cours d'une carrière fertile en déplacements, Jacques Chibois a pu approcher bien des grands noms de la gastronomie française : Jean Delaveyne à Bougival, Louis Outhier à La Napoule, Roger Vergé à Mougins et Gaston Lenôtre pour la pâtisserie. Il a travaillé aux alentours de 1980 sous la direction éclairée de Michel Guérard et obtenu 2 étoiles Michelin lors de son passage au Gray d'Albion (Cannes, 1981-1995). Mais c'est à Grasse qu'il a ouvert La Bastide Saint-Antoine en 1995.
Entre-temps, ce passionné de cyclisme et de nature a multiplié comme à son ordinaire les parties de chasse et de pêche.

Serge Courville

Né le 9 décembre 1935

Restaurant **La Cote 108**
Rue du colonel-Vergezac
02190 Berry-au-Bac — France
Tél. 03 23 79 95 04 ; fax 03 23 79 83 50

Serge Courville évoque avec émotion ses trois maîtres : Roger Petit, Robert Morizot et Jean-Louis Lelaurain. Peu attaché aux distinctions, cet homme de cœur et d'amitié a cependant connu plusieurs finales de prix culinaires (Prosper Montagné, 1971 ; trophée national de l'Académie culinaire, 1972 ; Pierre Taittinger, 1973), et dirige La Cote 108 depuis 1972, avec la collaboration de son épouse. Ils ont reçu 1 étoile Michelin en 1982.
Notre chef adore faire goûter sa cuisine « aux copains » ; il est passionné de lecture et de cyclisme, et fréquente assidûment la nature, tant pour la pêche que pour la recherche des champignons.

Bernard Coussau

Né le 15 septembre 1917

Restaurant **Relais de la Poste**
40140 Magescq — France
Tél. 05 58 47 70 25 ; fax 05 58 47 76 17

Bernard Coussau est le symbole vivant de la gastronomie landaise. Au Relais de la Poste, ouvert en 1954 et titulaire de 2 étoiles Michelin sans interruption depuis 1969, ce président honoraire des maîtres cuisiniers de France propose à ses clients une fine cuisine de terroir, bien accordée à cet ancien relais de poste magnifiquement conservé. Au faîte d'une carrière exceptionnelle, notre chef est aujourd'hui officier du Mérite agricole, chevalier de la Légion d'honneur et des Palmes académiques.
Cet ancien international militaire de rugby est un supporter inconditionnel de l'équipe de Dax et se passionne pour l'automobile.

Jean Coussau

Né le 6 mai 1949

Restaurant **Relais de la Poste**
40140 Magescq — France
Tél. 05 58 47 70 25 ; fax 05 58 47 76 17

Digne fils de son père Bernard, Jean Coussau est maître cuisinier de France, membre des J.R.E. (Jeunes restaurateurs d'Europe) et de la Chambre syndicale de la haute cuisine française. C'est après une belle carrière franco-espagnole (Café de Paris à Biarritz, Plaza-Athénée à Paris, Ritz à Madrid) qu'il a rejoint son père à Magescq en 1970 et qu'il y tient avec lui les fourneaux du Relais de la Poste. Il a été en 1976 finaliste du concours du meilleur sommelier de France.
S'il partage la passion de son père pour la chasse, Jean Coussau est aussi un grand amateur de golf et pratique souvent ce sport bienfaisant.

Jean Crotet

Né le 26 janvier 1943

Restaurant **Hostellerie de Levernois**
Route de Combertault
21200 Levernois — France
Tél. 03 80 24 73 68 ; fax 03 80 22 78 00

Au cœur d'un somptueux parc planté de cèdres de Louisiane, de saules et de frênes, traversé d'une rivière aux eaux vives, Jean Crotet sert aux amateurs une cuisine sanctionnée par 2 étoiles au Michelin et 3 étoiles au Bottin gourmand. Il est maître cuisinier de France, membre des Relais et châteaux, des Relais gourmands, et s'est installé en 1988 à Levernois, tout près de Beaune, après 15 ans passés à La Côte d'Or de Nuits-Saint-Georges.
Jean Crotet apprécie également la pêche en mer et le pilotage d'hélicoptère. Il joue au tennis et consacre volontiers ses loisirs à la chasse et au jardinage.

Michel Del Burgo

Né le 21 juin 1962

Restaurant **La Barbacane**
Place de l'Église
11000 Carcassonne-La Cité — France
Tél. 04 68 25 03 34 ; fax 04 68 71 50 15

C'est dans le Sud que ce jeune Picard a mis en œuvre ses talents : chez Alain Ducasse à Courchevel, chez Raymond Thuillier aux Baux-de-Provence, chez Michel Guérard à Eugénie-les-Bains. Après un passage dans la vallée du Rhône et en Avignon (1987-1990), le voici en 1991 placé par Jean-Michel Signoles à la tête des cuisines de La Barbacane, en plein centre de Carcassonne. Il y a gagné en 1995 sa deuxième étoile Michelin, l'iris de la Restauration et la clé d'or Gault et Millau (avec 3 toques rouges et 18).
Ce « cuisinier en terre cathare » apprécie la cuisine de ses confrères, mais aussi la musique, le sport automobile et la randonnée.

Joseph Delphin

Né le 4 septembre 1932

Restaurant **La Châtaigneraie**
156, route de Carquefou
44240 Sucé-sur-Erdre — France
Tél. 02 40 77 90 95 ; fax 02 40 77 90 08

Maître cuisinier de France, membre de l'Académie culinaire de France et compagnon du Tour de France, Joseph Delphin régale avec talent les gourmets de la région nantaise. Il est chevalier du Mérite agricole et a reçu le vase de Sèvres du président de la République française.
Tout au bord de l'Erdre, La Châtaigneraie (1 étoile au Michelin) est accessible au choix par la route, par la rivière ou même par hélicoptère... Rien n'est trop bon quand il s'agit d'apprécier le chaleureux accueil de la famille Delphin, puisque Jean-Louis, membre des Jeunes restaurateurs d'Europe, y travaille de concert avec son père Joseph.

Philippe Dorange

Né le 27 mai 1963

Restaurant **Fouquet's**
99, avenue des Champs-Élysées
75008 Paris — France
Tél. 01 47 23 70 60 ; fax 01 47 20 08 69

Présente-t-on encore le Fouquet's ? Assurément non, guère plus que les prestigieux établissements qu'a fréquentés auparavant Philippe Dorange : Le Moulin de Mougins de Roger Vergé (1977-1981), le Negresco de Jacques Maximin à Nice (1981-1988) et enfin Ledoyen à Paris, où il a été chef de cuisine de 1988 à 1992. Un très joli parcours pour ce jeune chef qui conserve de son Midi natal un grand nombre de préférences et de réflexes, très appréciés des célébrités qui se restaurent sur les Champs-Élysées.
Quand il n'est pas en cuisine, Philippe Dorange aime la boxe, les voitures de sport et le football.

Claude Dupont

Né le 7 juin 1938

Restaurant **Claude Dupont**
46, avenue Vital Riethuisen
1080 Bruxelles — Belgique
Tél. (0)2-4260000 ; fax (0)2-4266540

Les guides belges et français ne ménagent pas leurs efforts pour la cuisine de Claude Dupont : 2 étoiles au Michelin depuis 1976, 3 étoiles au Bottin gourmand, 3 toques blanches Gault et Millau (17), 92/100 au guide Henri Lemaire. À cette pluie de références succède une moisson de titres : prix Prosper Montagné (1967), oscar des Gastronomes (1973) – ce maître cuisinier de Belgique a aussi été chef de cuisine du pavillon belge à l'Exposition universelle d'Osaka (1970), avant d'ouvrir à Bruxelles le restaurant qui porte son nom.
C'est avec le bricolage et le jardinage que notre chef occupe ses loisirs, mais il pratique aussi le tennis et la natation.

Éric Dupont

Né le 16 avril 1966

Restaurant **Claude Dupont**
46, avenue Vital Riethuisen
1080 Bruxelles — Belgique
Tél. (0)2-4260000 ; fax (0)2-4266540

S'il a jamais été question de voir briller les étoiles, c'est bien ainsi que l'on peut résumer la formation d'Éric Dupont : tour à tour disciple des Bruxellois Freddy van Decasserie (Villa Lorraine), Pierre Wynants (Comme chez soi) et Willy Vermeulen (De Bijgaarden), le voici qui seconde son père Claude Dupont aux commandes du restaurant familial. Bon sang ne saurait mentir et l'on a toutes les raisons de placer des espoirs en ce jeune chef qu'a formé l'école hôtelière C.E.R.I.A. de Bruxelles.
Éric Dupont voyage avec passion, et son naturel sportif s'accommode aussi bien de la natation que du tennis et de l'équitation.

Lothar Eiermann

Né le 2 mars 1945

Restaurant **Wald- & Schloßhotel Friedrichsruhe**
74639 Friedrichsruhe — Allemagne
Tél. (0)7941-60870 ; fax (0)7941-61468

Depuis plus de 20 ans aux commandes du Relais et châteaux de Friedrichsruhe, résidence d'été du prince de Hohenlohe-Öhringen, notre chef a d'abord sillonné l'Europe : La Grappe d'Or à Lausanne, l'hôtel Victoria à Glion (Suisse) et l'hôtel Gleneagles (Écosse) l'ont accueilli tour à tour comme chef de cuisine, puis l'Angleterre et à nouveau l'Écosse, où il fut manager en 1972-1973.
Ce passionné des grands vins du Bordelais, fidèle lecteur de Philip Roth, est même diplômé en sciences économiques de l'université de Heidelberg, et pratique au fil des saisons le ski, le tennis ou le vélo.

Jean Fleury

Né le 22 avril 1948

Restaurant **Paul Bocuse**
69660 Collonges-au-Mont-d'Or — France
Tél. 04 72 42 90 90 ; fax 04 72 27 85 87

Après d'excellents débuts dans sa ville natale, capitale de la Bresse aux produits renommés, Jean Fleury s'est fait connaître à l'hôtel Royal d'Évian (1968-1969) et au Hilton de Bruxelles (1971-1978). Lauréat du prix Prosper Montagné en 1976, il a été la même année meilleur cuisinier de Belgique et a remporté en 1979 le concours du meilleur ouvrier de France. En 1985 a pris fin l'intermède lyonnais (à l'Arc-en-ciel) qui le préparait à rejoindre Paul Bocuse dans son incomparable établissement de Collonges.
Amateur de voyages et de randonnées, notre chef collectionne les anciens livres de cuisine, qui nourrissent son inspiration.

Constant Fonk

Né le 1er septembre 1947

Restaurant **De Oude Rosmolen**
Duinsteeg 1
1621 Er Hoorn — Pays-Bas
Tél. (0)229-014752 ; fax (0)229-014938

Depuis 1990, les 2 étoiles Michelin n'ont pas quitté le ciel de Hoorn, au Nord des Pays-Bas, où notre chef exerce ses talents. Après des premiers pas très prometteurs au Hilton d'Amsterdam (1965-1966), puis à l'Amstel Hotel de la capitale hollandaise (1966-1967), Constant Fonk a rejoint sa ville natale et repris en 1976 les fourneaux du restaurant qui l'employait depuis 1967, De Oude Rosmolen.
Féru de cuisine et de bons vins, il aime tout particulièrement les déguster avec ses confrères. Côté sport – car il faut un certain équilibre – c'est nettement le golf qui recueille sa préférence.

Louis Grondard

Né le 20 septembre 1948

Restaurant **Drouant**
16-18, rue Gaillon
75002 Paris — France
Tél. 01 42 65 15 16 ; fax 01 49 24 02 15

Préparer chaque année depuis 1990 la pitance des jurés du Goncourt n'est pas une mince affaire : il fallait bien ce meilleur ouvrier de France (1979), qui a fait ses classes chez Taillevent, Maxim's (à Orly, puis à Roissy), et pris quelque hauteur avec le restaurant de la Tour Eiffel, le fameux Jules Verne qu'il a ouvert sur la Tour en 1983. Comme dit Michel Tournier, «les étoiles (2 au Michelin) lui tombent du ciel, il les mérite». Il mérite également 3 toques blanches Gault et Millau (17).
Louis Grondard aime la littérature (c'est bien le moins), la musique baroque et l'opéra. En vacances, il pratique la plongée sous-marine.

Philippe Groult

Né le 17 novembre 1953

Restaurant **Amphyclès**
78, avenue des Termes
75017 Paris — France
Tél. 01 40 68 01 01 ; fax 01 40 68 91 88

Fidèle collaborateur et disciple de Joël Robuchon à l'époque du Jamin (1974-1985), ce Normand vole aujourd'hui de ses propres ailes à la satisfaction générale : meilleur ouvrier de France en 1982, il compte aujourd'hui 2 étoiles au Michelin et 3 toques rouges Gault et Millau (18). Il sait aussi s'exporter, puisqu'il a remporté en 1988 les olympiades culinaires de Tokyo, un an tout juste avant de s'installer aux fourneaux d'Amphyclès. Il est encore compagnon des Devoirs unis depuis 1978.
Grand amateur de voyages et connaisseur de l'Extrême-Orient, Philippe Groult s'adonne avec passion aux arts martiaux.

Marc Haeberlin

Né le 28 novembre 1954

Restaurant **Auberge de L'Ill**
2, rue de Collonges-au-Mont-d'Or
68970 Illhaeusern — France
Tél. 03 89 71 89 00 ; fax 03 89 71 82 83

Le digne héritier de la dynastie Haeberlin ne saurait décevoir les gourmets que le succès de son père Paul avait attirés et fait revenir dans ce temple de la cuisine alsacienne : 3 étoiles au Michelin, 4 toques rouges Gault et Millau (19,5 !), 4 étoiles au Bottin gourmand, c'est un honorable palmarès pour cet ancien élève de l'école hôtelière d'Illkirch, qui a complété sa formation chez Bocuse et les Troisgros, et a même fait en son temps ses preuves à Paris, chez Lasserre (1976).
Quand il en a le temps, Marc Haeberlin se passionne pour l'automobile et la peinture ; l'hiver, il dévale à ski les pentes enneigées des Vosges toutes proches.

Michel Haquin

Né le 27 septembre 1940

Restaurant **Le Trèfle à 4**
87, avenue du Lac
1332 Genval — Belgique
Tél. (0)2-6540798 ; fax (0)2-6533131

Non loin de Bruxelles, au bord du paisible lac de Genval, Michel Haquin poursuit avec bonheur une carrière entamée dès 1961 dans la capitale belge, où il a même tenu un restaurant sous son propre nom de 1977 à 1985. Maître cuisinier de Belgique et membre de l'Académie culinaire de France, notre chef a été reçu dans l'ordre des Trente-trois maîtres queux et détient l'oscar du club des Gastronomes. Les guides le comblent d'honneurs et d'attributs : 2 étoiles au Michelin, 3 toques rouges Gault et Millau, 3 étoiles au Bottin gourmand, 91/100 au guide belge Henri Lemaire.
Notre chef partage enfin ses loisirs entre la lecture et les voyages.

Paul Heathcote

Né le 3 octobre 1960

Restaurant **Paul Heathcote's**
Higher Road 104-106
PR3 3SY Longridge — Angleterre
Tél. (0)1772-784969 ; fax (0)1772-785713

Très coté outre-Manche, ce jeune chef anglais s'est largement ouvert à la cuisine française : après avoir travaillé au Connaught chez Michel Bourdin, il a passé deux ans avec Raymond Blanc au Manoir au Quat'Saisons d'Oxford ; de 1987 à 1990, il exerçait au Broughton Park Hotel de Preston, et pour finir tient son propre établissement (2 étoiles Michelin) depuis 1990. Le guide Egon Ronay lui a décerné en 1994 le titre envié de meilleur chef de l'année.
Paul Heathcote est un mordu de divers sports : il reconnaît se passionner pour le football, mais pratique aussi bien le squash et le ski, lorsque la saison s'y prête.

Eyvind Hellstrøm

Né le 2 décembre 1948

Restaurant **Bagatelle**
Bygdøy Allé 3
0257 Oslo — Norvège
Tél. 22446397 ; fax 22436420

Le chef le plus étoilé des pays scandinaves s'est imprégné de la gastronomie française, à laquelle l'ont initié à la faveur de multiples stages des confrères illustres comme Guy Savoy, Alain Senderens, Bernard Loiseau et Fredy Girardet. Membre des Eurotoques et de Traditions et qualité, Eyvind Hellstrøm, depuis 1982 sur Bagatelle, est décoré de 2 étoiles Michelin.
Passionné d'œnologie et notamment fin connaisseur des vins de Bourgogne, notre chef aime rendre visite aux caves de Beaune et de la région. Il voyage avec plaisir et pratique le ski, à l'instar du champion suédois Ingmar Stenmark.

Alfonso Iaccarino

Né le 9 janvier 1947

Restaurant **Don Alfonso 1890**
Piazza Sant'Agata
80064 Sant'Agata sui due Golfi — Italie
Tél. (0)818780026 ; fax (0)815330226

Alfonso Iaccarino a baptisé en 1973 son établissement du nom de son grand-père, et y jouit d'une double vue sur les golfes de Naples et de Salerne. Membre de la chaîne Le Soste, des Relais gourmands et de Traditions et qualité, notre chef accumule de flatteuses références : 2 étoiles Michelin, 4 toques à l'Espresso/Gault et Millau, un soleil Veronelli et 92/100 au Gambero Rosso. Il a reçu en 1989 le titre de meilleure cave d'Italie pour sa collection de grands vins d'Italie et de France.
C'est aussi un sportif accompli, pilote de rallye (tourisme groupe A) et cycliste. Il se déclare enfin passionné de nature, de peinture et de voyages.

André Jaeger

Né le 12 février 1947

Restaurant **Rheinhotel Fischerzunft**
Rheinquai 8
8200 Schaffhausen — Suisse
Tél. (0)52-6253281 ; fax (0)52-6243285

André Jaeger se flatte d'introduire en Suisse, et même en Europe, une cuisine originale d'inspiration asiatique. Il faut dire qu'il y excelle, puisque son restaurant, ouvert en 1975, compte 2 étoiles Michelin et 4 toques rouges Gault et Millau (19). Il a reçu les titres de chef de l'année (Gault et Millau, 1995), clé d'or de la Gastronomie (1988), et s'est vu élire président des Grandes tables de Suisse. Il est en outre membre des Relais et châteaux et des Relais gourmands.
Notre chef apprécie les vins du monde entier (France, Allemagne, Italie, Californie, Chili), mais il ne s'intéresse pas moins à l'art contemporain et aux voitures de collection.

Roger Jaloux

Né le 20 mai 1942

Restaurant **Paul Bocuse**
69660 Collonges-au-Mont-d'Or — France
Tél. 04 72 42 90 90 ; fax 04 72 27 85 87

Fidèle parmi les fidèles de Paul Bocuse, Roger Jaloux a rejoint sa maison en 1965, l'année même – il y a 30 ans – où l'on y décrocha la troisième étoile Michelin. On a tout dit sur l'établissement de Collonges et ses distinctions inoubliables : c'est là que Roger Jaloux prépara le concours du meilleur ouvrier de France, qu'il remporta en 1976, au cours d'une carrière exactement fidèle aux obligations que comporte ce titre prestigieux.
Pour le reste, notre chef partage son temps entre des activités artistiques (la peinture, mais aussi et surtout le chant) et de nombreux sports : le tennis, le vélo et le ski, pour ne citer que ceux-là.

Patrick Jeffroy

Né le 25 janvier 1952

Restaurant **Patrick Jeffroy**
11, rue du Bon-Voyage
22780 Plounérin — France
Tél. 02 96 38 61 80 ; fax 02 96 38 66 29

Ce Breton d'un tempérament solitaire a fait le choix d'un village des Côtes-d'Armor pour proposer aux gourmets une cuisine inventive et délectable, dans ce restaurant qu'il a fondé en 1988 et qui lui a valu 1 étoile Michelin, puis 3 toques rouges Gault et Millau (17). Telle est la suite logique d'une carrière commencée à Abidjan en 1972 et poursuivie entre-temps à Morlaix (Hôtel de l'Europe), de 1977 à 1987. Étoilé Michelin depuis 1984, notre chef est maître cuisinier de France et a reçu le premier prix Mandarine impériale.
En privé, Patrick Jeffroy cultive pour son plaisir le théâtre et le cinéma.

Émile Jung

Né le 2 avril 1941

Restaurant **Le Crocodile**
10, rue de l'Outre
67000 Strasbourg — France
Tél. 03 88 32 13 02 ; fax 03 88 75 72 01

En souvenir de la campagne d'Égypte (celle de Bonaparte), Émile Jung a placé sous le signe du crocodile un établissement fort prisé des amateurs : ce haut lieu de la gastronomie alsacienne a reçu 3 étoiles Michelin, 3 toques blanches Gault et Millau (18) et 3 étoiles au Bottin gourmand. Ce n'est guère étonnant quand on sait que notre chef a été formé à La Mère Guy de Lyon, puis à Paris, au Fouquet's (1965) et chez Ledoyen (1966). Il est aujourd'hui maître cuisinier de France, membre des Relais gourmands et de Traditions et qualité.
Passionné d'œnologie, Émile Jung est un connaisseur éminent des vins d'Alsace.

Dieter Kaufmann

Né le 28 juin 1937

Restaurant **Zur Traube**
Bahnstraße 47
41515 Grevenbroich — Allemagne
Tél. (0)2181-68767 ; fax (0)2181-61122

Dieter Kaufmann se tourne volontiers vers la France, et la France le lui rend bien : avec 2 étoiles au Michelin et 4 toques rouges Gault et Millau (19,5), il est l'un des chefs étrangers les plus appréciés et a été nommé en 1994 chef de l'année Gault et Millau. Il est membre des chaînes les plus prestigieuses : Traditions et qualité, Relais et châteaux et Relais gourmands. L'établissement qu'il gouverne depuis 1962 jouit sans doute de la plus grande cave d'Allemagne : plus de 30 000 bouteilles et des millésimes exceptionnels.
Bibliophile et polyglotte, Dieter Kaufmann aime les voyages, qui lui donnent l'occasion de goûter les cuisines étrangères.

Örjan Klein

Né le 15 mai 1945

Restaurant **K.B.**
Smalandsgatan, 7
11146 Stockholm — Suède
Tél. 86796032 ; fax 86118283

À l'apogée d'une carrière qui a surtout eu pour cadre la capitale suédoise (Berns en 1966-1967 et Maxim's de Stockholm de 1971 à 1979), Örjan Klein s'est associé en 1980 à Ake Hakansson pour ouvrir le K.B., qui compte 1 étoile au Michelin. Nommé chef de l'année en 1993, il est également titulaire de la médaille d'or Nordfishing Trondheim (1976) et de la médaille d'or de l'Académie suédoise de Gastronomie (1983).
Très porté sur la nature, notre chef pratique volontiers le jardinage et la randonnée. Quand il ne restaure pas sa maison, il écrit des livres (de cuisine), et s'adonne aux joies du tennis et du ski.

Robert Kranenborg

Né le 12 octobre 1950

Restaurant **La Rive/**
Hotel Amstel Inter-Continental
Prof. Tulpplein, 1
1018 GX Amsterdam — Pays-Bas
Tél. (0)20-6226060 ; fax (0)20-5203277

Ce n'est pas du jour au lendemain que l'on devient le chef de La Rive, le restaurant gastronomique de l'Inter-Continental, l'hôtel le plus prestigieux d'Amsterdam (1 étoile Michelin). Avant d'obtenir cette consécration en 1987, notre chef a d'abord collectionné les références prestigieuses : Oustau de Baumanière aux Baux-de-Provence (1972-1974), Le Grand Véfour à Paris (1975-1977) et La Cravache d'Or à Bruxelles (1979-1986). En 1994, Robert Kranenborg a été nommé chef de l'année.
Si d'aventure ses fourneaux lui en laissent le temps, il aime jouer de la batterie et se consacre au sport, de préférence au golf.

Étienne Krebs

Né le 15 août 1956

Restaurant **L'Ermitage**
75, rue du Lac
1815 Clarens-Montreux — Suisse
Tél. (0)21-9644411 ; fax (0)21-9647002

Dans une magnifique maison de maître au bord du Léman, Étienne Krebs coule des jours heureux : membre des Jeunes restaurateurs d'Europe et des Grandes tables de Suisse, ce chef a reçu 1 étoile Michelin et 3 toques rouges Gault et Millau (18), et a même été cuisinier de l'année pour la Suisse romande en 1995. Formé par les plus grands chefs suisses (Fredy Girardet à Crissier, Hans Stucki à Bâle), il a ouvert à Cossonay l'Auberge de la Couronne de 1984 à 1990, avant de venir fonder L'Ermitage à Montreux.
Cette situation favorise les promenades autour du lac et la pratique du cyclisme. Étienne Krebs aime aussi la cuisine... en famille.

Jacques Lameloise

Né le 6 avril 1947

Restaurant **Lameloise**
36, place d'Armes
71150 Chagny — France
Tél. 03 85 87 08 85 ; fax 03 85 87 03 57

Jacques Lameloise est le troisième du nom et tient depuis 1971 les fourneaux du restaurant familial. Il a fait ses premiers pas chez Ogier à Pontchartrain, puis connu les grands établissements parisiens de 1965 à 1969 : Lucas Carton, Fouquet's, Ledoyen, Lasserre – sans oublier le Savoy de Londres. Le Lameloise jouit de 3 étoiles au Michelin et au Bottin gourmand, et de 3 toques rouges Gault et Millau (18). Il figure parmi les Relais et châteaux, Relais gourmands et Traditions et qualité.
Notre chef court les antiquaires et se passionne pour les voitures anciennes. Il pratique surtout le golf et, à l'occasion, le ski.

Erwin Lauterbach

Né le 21 mars 1949

Restaurant **Saison**
Strandvejen, 203
2900 Hellerup — Danemark
Tél. 39624842 ; fax 39625657

Après avoir illustré de 1972 à 1973 sa gastronomie nationale à la Maison du Danemark de Paris (dont il garde un excellent souvenir), puis à Malmö en Suède (Primeur, de 1977 à 1981), Erwin Lauterbach est revenu dans sa patrie pour y ouvrir en 1981 le restaurant Saison, qui s'est vu décorer d'1 étoile Michelin. Il est aussi membre de l'Académie danoise de Gastronomie et s'attache aux traditions danoises qu'il renouvelle avec brio.
Amateur inconditionnel de peinture naïve, dont il a décoré la carte de son restaurant, notre chef adore visiter les musées et les expositions. Côté sport, il pratique surtout le football.

Michel Libotte

Né le 1er mai 1949

Restaurant **Au Gastronome**
2, rue de Bouillon
6850 Paliseul — Belgique
Tél. (0)61-533064 ; fax (0)61-533891

Michel Libotte règne depuis 1978 sur les cuisines du restaurant Au Gastronome, que le guide belge Henri Lemaire cote 94/100. Ses confrères français ne sont pas en reste, puisque notre chef affiche avec fierté 2 étoiles Michelin et 3 étoiles au Bottin gourmand. Ce maître cuisinier de Belgique est aussi membre des Eurotoques et de l'Académie culinaire de France. Tout près de la frontière, il propose à ses clients une cuisine particulière, très imaginative et sans cesse renouvelée. Une fois sorti de ses fourneaux, Michel Libotte collectionne avec passion les armes à feu. Il pratique régulièrement le tennis et la natation.

Léa Linster

Née le 27 avril 1955

Restaurant **Léa Linster**
17, route de Luxembourg
5752 Frisange — Luxembourg
Tél. 668411 ; fax 676447

Léa Linster est à ce jour la première et la seule femme à s'enorgueillir de la récompense suprême, le Bocuse d'or, que le maître lui a remis en mains propres en 1989 à Lyon. C'était la juste récompense du combat que mène chaque jour notre chef en vue de faire mieux connaître la généreuse gastronomie luxembourgeoise, dans son auberge natale convertie en 1982 en restaurant de haute cuisine. C'est en 1987 qu'elle a obtenu son brevet de maîtrise.
Passionnée de gastronomie (pourrait-il en être différemment ?), Léa Linster aime aussi la marche dans la nature et les échanges toujours renouvelés avec ses clients.

Régis Marcon

Né le 14 juin 1956

Restaurant **Auberge et Clos des Cimes**
43290 Saint-Bonnet-le-Froid — France
Tél. 04 71 59 93 72 ; fax 04 71 59 93 40

L'année de ses 39 ans, Régis Marcon a reçu le Bocuse d'or 1995, auquel l'avait parrainé son (presque) voisin Michel Troisgros. Mais cette distinction vient enrichir un palmarès déjà brillant : prix Taittinger (1989), prix Brillat-Savarin (1992) et plusieurs finales du concours de meilleur ouvrier de France (1985, 1991 et 1993). En 1979, notre chef a fondé dans son village un restaurant qui lui a valu 3 toques rouges Gault et Millau (17), et conçu « à la façon d'un cloître baigné de lumière ».
On reconnaît l'œil du peintre, et c'est bien ce qu'ambitionnait d'être ce grand sportif, médaillé de ski et fervent amateur de nature.

Guy Martin

Né le 3 février 1957

Restaurant **Le Grand Véfour**
17, rue de Beaujolais
75001 Paris — France
Tél. 01 42 96 56 27 ; fax 01 42 86 80 71

Impossible de résumer en quelques mots la carrière de Guy Martin, 2 étoiles Michelin, 3 toques blanches Gault et Millau (18), 3 étoiles au Bottin gourmand et 18,5/20 au guide Champérard. Ce jeune prodige a fait ses classes chez Troisgros, puis dans sa région natale (à Divonne notamment) avant de prendre en mains le Grand Véfour (1991), ce joyau que fréquente depuis 200 ans le tout-Paris littéraire et qu'illustra Raymond Oliver.
Guy Martin reste fidèle au souvenir de sa mère et à la Savoie, et se passionne pour son histoire culinaire. Il aime aussi la musique, la peinture et l'art gothique, et pratique évidemment le ski.

Maria Ligia Medeiros

Née le 9 août 1946

Restaurant **Casa de Comida**
1, Travessa das Amoreiras
1200 Lisbonne — Portugal
Tél. (0)1-3885376 ; fax (0)1-3875132

Depuis 1978, Maria Ligia Medeiros dirige les cuisines d'un sympathique établissement dont le propriétaire, M. Jorge Vale, est un ancien comédien de la Casa de Comedia (d'où un subtil jeu de mots sur le nom du restaurant). Elle y fait brillamment valoir, au cœur de sa capitale historique, les indiscutables qualités de la gastronomie portugaise traditionnelle, et s'en est vu récompensée depuis plusieurs années par 1 étoile Michelin.
Outre sa passion pour la haute cuisine, notre chef apprécie la musique classique et consacre une part importante de ses loisirs à toutes sortes de lectures.

Dieter Müller

Né le 28 juillet 1948

Restaurant **Dieter Müller**
Lerbacher Weg
51469 Bergisch Gladbach — Allemagne
Tél. (0)2202-2040 ; fax (0)2202-204940

S'il s'est installé en 1992 dans son pays natal, Dieter Müller a parcouru bien des continents depuis 1973 : tour à tour chef en Suisse, en Australie (à Sydney), au Japon et aux États-Unis (Hawaï), il a récolté de multiples distinctions comme le titre de cuisinier de l'année « Krug » en 1982, et le même décerné par Gault et Millau en 1988. Il affiche aujourd'hui 2 étoiles Michelin et 4 toques rouges (19,5), ainsi qu'un prix national de Gastronomie. Il est membre des Relais et châteaux et Relais gourmands.
Dieter Müller est passionné de photo et d'anciennes recettes ; il pratique hockey sur glace et football.

Jean-Louis Neichel

Né le 17 février 1948

Restaurant **Neichel**
Beltran i Rózpide, 16 bis
08034 Barcelone — Espagne
Tél. (0)93-2038408 ; fax (0)93-2056369

Jean-Louis Neichel est un cuisinier européen par excellence, tel que l'ont formé des maîtres aussi prestigieux que Gaston Lenôtre, Alain Chapel et Georges Blanc. Fort de ces expériences, notre chef a dirigé dix ans El Bulli à Rosas, pour installer en 1981 son propre restaurant à Barcelone, où l'on apprécie particulièrement sa collection de vieux armagnacs et cognacs. Il a reçu 2 étoiles Michelin et 9/10 au Gourmetour, et fait partie des Relais gourmands.
Notre chef pratique aussi la peinture à l'huile (pour les paysages), et se partage entre sa vie de famille et divers sports : tennis, vélo, ski.

Pierre Orsi

Né le 12 juillet 1939

Restaurant **Pierre Orsi**
3, place Kléber
69006 Lyon — France
Tél. 04 78 89 57 68 ; fax 04 72 44 93 34

On ne trouve aucun défaut dans le parcours de ce meilleur ouvrier de France (1972) qui a fréquenté les plus grands de son époque : Bocuse en 1955-1958, puis le Lucas Carton, le Maxim's avec Alex Humbert, le Lapérouse à Paris – il a même couronné le tout d'un séjour aux États-Unis (1967-1971) avant de revenir à Lyon s'établir au bord du parc de la Tête d'Or. Une étoile Michelin, 3 étoiles au Bottin gourmand, le palmarès de cette maison fleurie ne manque pas d'attirer les gourmets. Pierre Orsi est membre des Relais gourmands et de Traditions et qualité. Passionné d'art de la table, notre chef collectionne sur ce thème objets d'art et antiquités.

Georges Paineau

Né le 16 avril 1939

Restaurant **Le Bretagne**
13, rue Saint-Michel
56230 Questembert — France
Tél. 02 97 26 11 12 ; fax 02 97 26 12 37

Tout le monde n'a pas débuté chez Fernand Point à La Pyramide, vers 1960. Depuis, Georges Paineau s'est approché de la Bretagne en s'installant à La Baule (1962), puis à Nantes (1963) et enfin à Questembert, tout près du golfe du Morbihan, en 1965. Il y collectionne les étoiles (2 au Michelin, 4 au Bottin gourmand) et les toques Gault et Millau (4 rouges et 19). Ce médaillé des Sciences, Arts et Lettres travaille avec son gendre Claude Corlouer, et son ancien relais de poste est inscrit aux Relais et châteaux et aux Relais gourmands.
Georges Paineau est un artiste peintre de talent et déclare aimer sans vergogne littérature et rugby.

Paul Pauvert

Né le 25 juillet 1950

Restaurant **Les Jardins de la Forge**
1, place des Piliers
49270 Champtoceaux — France
Tél. 02 40 83 56 23 ; fax 02 40 83 59 80

Après ses premiers pas au Café de la Paix à Paris, Paul Pauvert a servi de 1972 à 1974 dans les cuisines du *Grasse*, le célèbre paquebot de la Générale Transatlantique. Entré par la suite à l'hôtel Frantel de Nantes sur la demande de Roger Jaloux, il a finalement créé en 1980 son propre restaurant dans sa ville natale, là même où se trouvait jadis la forge de ses ancêtres. Membre de l'Académie culinaire de France et des J.R.E. (Jeunes restaurateurs d'Europe), il a reçu 1 étoile Michelin.
Dans cette région limitrophe de l'Anjou et du pays nantais, notre chef pratique avec un égal bonheur la chasse, la pêche et l'équitation.

Horst Petermann

Né le 18 mai 1944

Restaurant **Petermann's Kunststuben**
Seestraße 160
8700 Küsnacht — Suisse
Tél. (0)1-9100715 ; fax (0)1-9100495

Après un apprentissage à Hambourg, Horst Petermann est passé en Suisse où s'est déroulée toute sa carrière, entre Saint-Moritz, Lucerne et Genève. Notre chef a connu Strasbourg (Le Crocodile d'Émile Jung) et les olympiades culinaires de Tokyo en 1985, dont il fut lauréat. Clé d'or de la Gastronomie en 1987, chef de l'année en 1991, il a reçu de Gault et Millau 4 toques rouges (19) qui voisinent avec 2 étoiles Michelin. Son chef pâtissier, Rico Zandonella, soutient ce beau succès de son travail exigeant et ponctuel.
Horst Petermann adore son métier et cultive les relations d'amitié qu'il lui a permis de tisser. C'est aussi un grand amateur de sports.

Roland Pierroz

Né le 26 août 1942

Restaurant **Hôtel Rosalp-Restaurant Pierroz**
Route de Médran
1936 Verbier — Suisse
Tél. (0)27-7716323 ; fax (0)27-7711059

Au cœur d'une station de sports d'hiver très cotée, Roland Pierroz exerce depuis 1962 dans un établissement qui ne l'est pas moins : 1 étoile Michelin, 4 toques rouges (19), 3 étoiles au Bottin gourmand, tel est le palmarès de celui qui fut nommé par Gault et Millau clé d'or de la Gastronomie en 1980, puis chef de l'année en 1992. Formé à Lausanne et à Londres, notre chef est membre des Relais et châteaux et Relais gourmands, et vice-président de l'association des Grandes tables de Suisse.
Ce Valaisan de naissance pratique la chasse avec passion et joue volontiers au golf à ses moments de loisir.

Jacques et Laurent Pourcel

Nés le 13 septembre 1964

Restaurant **Le Jardin des Sens**
11, avenue Saint-Lazare
34000 Montpellier — France
Tél. 04 67 79 63 38 ; fax 04 67 72 13 05

Ces inséparables jumeaux ont suivi une formation identique, mais diversifiée, puisqu'elle les a tour à tour emmenés chez Alain Chapel, Marc Meneau, Pierre Gagnaire, Michel Bras, Michel Trama et Marc Veyrat. Ils ont installé en 1988, avec leur associé Olivier Château, leur Jardin des Sens dans un immeuble de verre et de pierre, et depuis collectionnent les bons points : 2 étoiles Michelin et 3 toques rouges Gault et Millau (17). Ils sont tous deux maîtres cuisiniers de France et membres des Relais gourmands.
Comment démêler lequel des deux se passionne pour le vin et le ski, et lequel pour le cinéma américain et le bateau ?

Stéphane Raimbault

Né le 17 mai 1956

Restaurant **L'Oasis**
Rue Honoré-Carle
06210 La Napoule — France
Tél. 04 93 49 95 52 ; fax 04 93 49 64 13

Après quelques années parisiennes, à La Grande Cascade sous l'œil attentif d'Émile Tabourdiau, puis chez Gérard Pangaud, notre chef s'en est allé 9 ans au Japon, où il a tenu à l'hôtel Plaza d'Osaka le restaurant Rendez-vous. Revenu en France en 1991, il a repris L'Oasis à La Napoule, avec son frère comme chef pâtissier. Il compte 2 étoiles Michelin et 3 toques rouges (18), et a même été finaliste du concours de meilleur ouvrier de France (1986). Il est maître cuisinier de France et membre de Traditions et qualité.
Fin connaisseur de l'Asie, Stéphane Raimbault aime les voyages, et pratique la course à pied, la voile et la natation.

Paul Rankin

Né le 1er octobre 1959

Restaurant **Roscoff**
7, Lesley House, Shaftesbury Square
BT2 7DB Belfast — Irlande
Tél. (0)1232-331532 ; fax (0)1232-312093

Ce n'est pas le parcours international de Paul Rankin (Londres avec Albert Roux au Gavroche, puis le Canada et la Californie), mais une croisière… en Grèce qui lui a fait rencontrer Jeanne, sa femme originaire de Winnipeg, dont les qualités de pâtissière sont depuis 1989 très appréciées des clients du Roscoff. Le guide Courvoisier en a d'ailleurs fait le meilleur restaurant du Royaume-Uni en 1994-1995, et l'on s'étonne de ne lui voir encore qu'1 étoile Michelin. Paul Rankin anime aussi des émissions de télévision sur la BBC («Gourmet ireland»). Notre chef adore les voyages et les vins, et pratique le football, le rugby et le yoga.

Jean-Claude Rigollet

Né le 27 septembre 1946

Restaurant **Au Plaisir Gourmand**
2, rue Parmentier
37500 Chinon — France
Tél. 02 47 93 20 48 ; fax 02 47 93 05 66

Jean-Claude Rigollet a commencé très jeune chez Maxim's avec Alex Humbert (1966-1968) avant de regagner le Val de Loire où il a exercé à Montbazon (Domaine de la Tortinière, 1971-1977) et à la très célèbre Auberge des Templiers des Bézard, non loin de Montargis (1978-1982). C'est en 1983 qu'il est devenu chef du Plaisir Gourmand à Chinon, en plein pays de Rabelais, et en 1985 que lui est venu l'étoile Michelin qui ne l'a jamais quitté depuis lors.
Ce Solognot cultive en voisin la gastronomie tourangelle et sa cave est justement réputée comme celle d'un excellent connaisseur de la production régionale.

Michel Rochedy

Né le 15 juillet 1936

Restaurant **Le Chabichou**
Quartier Les Chenus
73120 Courchevel 1850 — France
Tél. 02 47 93 20 48 ; fax 02 47 93 05 66

Michel Rochedy est d'abord le disciple fidèle entre tous d'André Pic, le maître de Valence, qui guida ses premiers pas en 1954-1956. Ensuite, cet Ardéchois a gagné la Savoie dès 1963, et succombé au charme de cette région dont il pratique la gastronomie dans son Chabichou, décoré de 2 étoiles Michelin et de 3 toques rouges Gault et Millau (17). Il est maître cuisinier de France, membre des Eurotoques et même président de l'Office de tourisme de Courchevel.
Féru de poésie, notre chef adore découvrir les arts sous la conduite de son ami Lad Kijno. Le reste du temps, il pratique la pêche, le football et le rugby.

Joël Roy

Né le 28 novembre 1951

Restaurant **Le Prieuré**
3, rue du Prieuré
54630 Flavigny-sur-Moselle — France
Tél. 03 79 26 70 45 ; fax 03 86 26 75 51

Joël Roy a remporté en 1979 le concours du meilleur ouvrier de France, alors qu'il travaillait avec Jacques Maximin à l'hôtel Negresco de Nice. Devenu peu après chef de cuisine au Frantel de Nancy (1980-1983), il a ouvert en 1983 Le Prieuré, dont le jardin pourvu d'arcades a tout d'un cloître moderne. Avec 1 étoile Michelin, ce maître cuisinier de France poursuit une carrière très rigoureuse dans une région – la Lorraine – dont il apprécie le charme et les traditions. Il aime notamment se consacrer à la pêche en rivière (car c'est un excellent connaisseur de poissons) et pratique volontiers le cyclisme.

Santi Santamaria

Né le 26 juillet 1957

Restaurant **El Racó de Can Fabes**
Carrer Sant Joan, 6
08470 San Celoni — Espagne
Tél. (0)93-8672851 ; fax (0)93-8673861

Depuis 1981, Santi Santamaria se réjouit de faire partager aux amateurs les traditions culinaires de sa Catalogne natale ; à quelques pas de Barcelone, au pied du parc naturel de Montseny, son établissement a récolté 3 étoiles Michelin et 8/10 au Gourmetour. Il est en outre membre des Relais gourmands et de Traditions et qualité.
Notre chef organise aussi des journées gastronomiques : au printemps pour les herbes, en automne pour les champignons. Cette formule rencontre un vif succès, ne serait-ce qu'en raison de son amour passionné pour les champignons. Le reste du temps, Santi Santamaria se consacre à la lecture.

Ezio Santin

Né le 17 mai 1937

Restaurant **Antica Osteria del Ponte**
9, Piazza G. Negri
20080 Cassinetta di Lugagnano — Italie
Tél. (0)2-9420034 ; fax (0)2-9420610

« Bon sang ne saurait mentir », dit le proverbe : et c'est bien ce que démontre chaque jour, dans les cuisines de l'Antica Osteria del Ponte, le fils d'Ezio Santin, Maurizio. L'excellence de l'hérédité se double dans son cas de l'enseignement prodigué par Joël Robuchon, lors d'un stage parisien qu'il suivit au Jamin.
Il est aussi passé chez Georges Blanc à Vonnas, chez Alain Ducasse au Louis XV de Monaco et chez Taillevent : ce fils prodige a tous les atouts pour renforcer l'éclat de l'établissement paternel, qui fait partie des Traditions et qualité. Maurizio Santin est enfin membre de la chaîne Le Soste que préside son père.

Nadia Santini

Née le 19 juillet 1954

Restaurant **Dal Pescatore**
46013 Runate Canneto S/O — Italie
Tél. (0)376-723001 ; fax (0)376-70304

Depuis 1974, Nadia Santini dirige les cuisines du restaurant ouvert en 1920 par le grand-père de son mari, et dont elle fait reconnaître l'excellence par les guides français et italiens : 2 étoiles Michelin, 4 toques à l'Espresso/Gault et Millau (19), un soleil Veronelli et 94/100 au Gambero Rosso. Elle est membre de la chaîne Le Soste, des Relais gourmands et de Traditions et qualité. En 1993, l'Espresso/Gault et Millau lui a décerné le prix de la meilleure cave de l'année.
Notre chef s'intéresse à l'histoire, surtout à l'histoire culinaire qui nourrit son inspiration, et pratique la promenade en montagne.

Maria Santos Gomes

Née le 10 août 1962

Restaurant **Conventual**
Praça das Flores, 45
1200 Lisbonne — Portugal
Tél. (0)1-609196 ; fax (0)1-3875132

À deux pas du Parlement portugais, dans le centre historique de la capitale, Mme Dina Marquez a recruté ce jeune chef en 1982, pour la plus grande satisfaction du tout-Lisbonne politique, client de cet établissement dont la décoration provient en grande partie de l'ancien couvent d'Igreja. La cuisine délectable et très inventive de Maria Santos Gomes y a déjà décroché 1 étoile Michelin et, en 1993, le premier prix du concours national de Gastronomie (à Lisbonne, toujours).
En plus de la haute cuisine, notre chef apprécie la lecture, les promenades à la campagne et les voyages à l'étranger.

Nikolaos Sarantos

Né le 5 décembre 1945

Restaurant **Hôtel Athenaeum Inter-Continental**
89-93, Syngrou Avenue
117 45 Athènes — Grèce
Tél. (0)1-9023666 ; fax (0)1-9243000

De 1971 à 1988, notre chef n'a cessé de parcourir le bassin méditerranéen et le Moyen-Orient, à la faveur de ses engagements dans les hôtels Hilton : Téhéran, Athènes, Corfou, Koweït City et Le Caire ont ainsi goûté son savoir-faire gastronomique, avant son installation à l'Athenaeum Inter-Continental en 1988. Nikolaos Sarantos exerce les fonctions de juge dans des concours culinaires internationaux, à San Francisco, Copenhague ou Bordeaux. Il est président du club des Chefs de Grèce. C'est encore un sportif accompli qui pratique avec un égal enthousiasme le tennis, le football et le basket.

Fritz Schilling

Né le 8 juin 1951

Restaurant **Schweizer Stuben**
Geiselbrunnweg 11
97877 Wertheim — Allemagne
Tél. (0)9342-3070 ; fax (0)9342-307155

Fritz Schilling, cuisinier depuis 1972, s'est installé en 1990 dans la vallée du Main, à proximité de la vieille ville romantique de Wertheim. Sa cuisine, délicatement complexe et naturellement empreinte des plus pures traditions de la gastronomie germanique, y a reçu 2 étoiles Michelin et 4 toques rouges Gault et Millau (19,5). Il est aussi membre des Relais et châteaux et des Relais gourmands, et sa table compte parmi les plus cotées d'Allemagne.
Dans le privé, notre chef se déclare passionné par la musique pop et la conduite automobile. Il pratique le golf et la plupart des sports de plage.

Jean Schillinger

Né le 31 janvier 1934
Décédé le 27 décembre 1995

Le président des maîtres cuisiniers de France
était aussi le symbole vivant de la gastronomie
alsacienne : son restaurant de Colmar (depuis
1957) compte 2 étoiles Michelin, 3 toques
rouges Gault et Millau (17) et 3 étoiles au Bottin
gourmand. Jean Schillinger représentait la
troisième génération d'une dynastie de
restaurateurs éclose en 1893 et n'a cessé
pendant 20 ans de faire mieux connaître la
cuisine française à travers le monde, du Japon
au Brésil, et jusqu'en Australie.
Cet infatigable voyageur, chevalier de l'ordre
du Mérite, se passionnait pour l'argenterie et les porcelaines anciennes. Il
aimait aussi se détendre par de longues marches en forêt.

Jean-Yves Schillinger

Né le 23 mars 1963

Restaurant **Schillinger**
Colmar — France

La relève est bien assurée dans la dynastie
Schillinger avec ce brillant jeune chef qui se
montre en tous points digne de ses
prédécesseurs et travaille à Colmar depuis
1988. Auparavant, on relève dans sa carrière
des établissements prestigieux comme le
Crillon à Paris, le Jamin (où il a été l'assistant
de Joël Robuchon) et même La Côte Basque à
New York. Il est aussi membre du club Prosper
Montagné, de la Chambre syndicale de la
haute cuisine française et des J.R.E. (Jeunes
restaurateurs d'Europe).
Très sportif, Jean-Yves Schillinger aime particulièrement le golf, le ski et la
moto.

Rudolf Sodamin

Né le 6 avril 1958

Restaurant **Paquebot** *Queen Elizabeth II*
Southampton – Grande-Bretagne

Cet Autrichien de naissance est aujourd'hui
chef des chefs de la Cunard Line qui
comporte, outre le *Queen Elizabeth II*,
quelques autres navires de même prestance. Il
est à la fois cuisinier et chef pâtissier, et s'est
déjà signalé dans de nombreux établissements, tant en Autriche qu'en France, en
Suisse et aux États-Unis où il a exercé au
célèbre Waldorf Astoria de New York. Rudolf
Sodamin est membre du club Prosper
Montagné et du club Chefs des chefs.
Chaque escale est une occasion pour lui de s'adonner au jogging, mais son
sport favori reste le ski à Kitzbühel, dans son pays natal.

Roger Souvereyns

Né le 2 décembre 1938

Restaurant **Scholteshof**
Kermstraat, 130
3512 Stevoort-Hasselt — Belgique
Tél. (0)11-250202 ; fax (0)11-254328

Souvereyns préside aux destinées du
Scholteshof depuis 1983 : dans cette ferme du
XVIIIe siècle, il possède un important potager,
naguère encore cultivé par son ami le jardinier
Clément, et prépare en cuisine des fruits et
légumes d'une admirable fraîcheur. Avec 2 étoiles
Michelin, 4 toques rouges Gault et Millau (19,5), 3
étoiles au Bottin gourmand et 95/100 au guide
belge Henri Lemaire, Souvereyns est membre
des Relais et châteaux, Relais gourmands et Traditions et qualité.
Notre chef adore les antiquités et les tableaux anciens, qu'il collectionne, et
se passionne pour l'opéra. Il pratique la natation et le vélo.

Pedro Subijana

Né le 5 novembre 1948

Restaurant **Akelaré**
56, Paseo del Padre Orcolaga
20008 San Sebastian — Espagne
Tél. (0)943-212052 ; fax (0)943-219268

Meilleur cuisinier d'Espagne en 1982, Pedro
Subijana est depuis 1989 propriétaire de son
restaurant, largement ouvert sur la mer
cantabrique (2 étoiles Michelin, 9/10 au
Gourmetour). Il a suivi une formation traditionnelle à l'école hôtelière de Madrid et à
l'école Euromar de Zarauz avant de devenir en
1970 professeur de cuisine. En 1986, il a été
nommé commissaire général de la Commu-
nauté européenne des cuisiniers dont le siège est à Bruxelles. Il présente
enfin des émissions culinaires à la télévision basque E.T.B. et sur Télé-
Madrid. Notre chef apprécie la musique et le cinéma, et fréquente la mer et la
montagne.

Émile Tabourdiau

Né le 25 novembre 1943

Restaurant **Le Bristol**
112, rue du faubourg Saint-Honoré
75008 Paris — France
Tél. 01 53 43 43 00 ; fax 01 53 43 43 01

Émile Tabourdiau n'a fréquenté depuis 1964
que les établissements les plus prestigieux :
Ledoyen, puis La Grande Cascade et enfin le
Bristol depuis 1980, ce restaurant voisin de
l'Élysée, avec son exceptionnel jardin intérieur
de 1 200 m². Ce disciple d'Auguste Escoffier est
membre de l'Académie culinaire de France,
lauréat du prix Prosper Montagné (1970) et
surtout meilleur ouvrier de France (en 1976). Il
compte 1 étoile au guide Michelin.
Pour meubler ses loisirs, Émile Tabourdiau aime surtout la peinture, mais il
pratique aussi le tennis et le jardinage, et ne dédaigne pas de bricoler à
l'occasion.

Romano Tamani

Né le 30 avril 1943

Restaurant **Ambasciata**
33, Via Martiri di Belfiore
46026 Quistello — Italie
Tél. (0)376-619003 ; fax (0)376-618255

Romano Tamani est le seul de nos chefs qui
porte le titre envié de « commendatore della
republica italiana », décerné par son pays natal
en 1992. Il y a bien peu d'ambassadeurs plus
éloquents de la gastronomie italienne que ce
Lombard formé à Londres, puis en Suisse, et
qui tient avec son frère Francesco, depuis
1978, l'Ambasciata : 2 étoiles Michelin,
3 toques à l'Espresso/Gault et Millau, un soleil
Veronelli et 90/100 au guide Gambero Rosso. Il est enfin membre de la
prestigieuse chaîne italienne Le Soste.
Il est de plus très attiré par la mer et le milieu marin.

Laurent Tarridec

Né le 26 mai 1956

Restaurant **Le Restaurant du Bistrot des Lices**
Place des Lices
83990 Saint-Tropez — France
Tél. 04 94 97 29 00 ; fax 04 94 97 76 39

C'est par un remarquable phénomène d'adaptation que ce chef breton, jadis condisciple de
Michel Rochedy, a pu trouver ses marques sur la
Côte d'Azur et y décrocher dès la première
année (1995) 1 étoile Michelin et 3 toques
rouges Gault et Millau (18). Il est vrai qu'on avait
déjà pu apprécier son savoir-faire en Bretagne
(Le Lion d'Or à Liffré), à Paris et dans la vallée du
Rhône (Beau Rivage à Condrieu).
Laurent Tarridec se passionne pour la politique et s'intéresse à tout ce qui
touche la mer. Il pratique le ski et la moto, et son installation à Saint-Tropez lui
fait apprécier depuis peu la pétanque.

Dominique Toulousy

Né le 19 août 1952

Restaurant **Les Jardins de l'Opéra**
1, place du Capitole
31000 Toulouse — France
Tél. 05 61 23 07 76 ; fax 05 61 23 63 00

Dominique Toulousy n'est Toulousain que depuis 1984, lorsqu'il a pris ses quartiers place du Capitole et moissonné les récompenses : clé d'or de la Gastronomie (1986), 3 toques rouges Gault et Millau (18), 2 étoiles Michelin et surtout meilleur ouvrier de France (1993). Auparavant, notre chef avait exercé dans le Gers, réputé pour sa gastronomie généreuse, et remporté quelque succès. Il est membre des J.R.E. (Jeunes restaurateurs d'Europe), du club Prosper Montagné, des Eurotoques et de Traditions et qualité.
S'il s'occupe volontiers avec des livres anciens sur la cuisine, Dominique Toulousy se consacre aussi au jardinage, au tennis et à la natation.

Gilles Tournadre

Né le 29 juin 1955

Restaurant **Gill**
8 – 9, quai de la Bourse
76000 Rouen — France
Tél. 02 35 71 16 14 ; fax 02 35 71 96 91

On peut être Normand et s'expatrier pour apprendre : c'est ainsi que Gilles Tournadre a fait ses premiers pas au Lucas Carton, puis à l'Auberge des Templiers des Bézard et ensuite chez Taillevent, avant de voler de ses propres ailes à Bayeux, et enfin dans sa ville natale à partir de 1984. L'expérience est concluante, si l'on en croit les 2 étoiles Michelin et les 3 toques rouges (soit 17 points) qu'arbore fièrement ce jeune chef, à deux pas de la cathédrale de Rouen. Il est en outre membre des J.R.E. (Jeunes restaurateurs d'Europe).
C'est aussi un grand sportif et un farouche défenseur de la nature.

José Tourneur

Né le 4 janvier 1940

Restaurant **des Trois Couleurs**
453, avenue de Tervuren
1150 Bruxelles — Belgique
Tél. (0)2-7703321 ; fax (0)2-7708045

Les trois couleurs sont celles du drapeau belge, que José Tourneur a choisi en 1979 pour emblème d'un restaurant consacré à la gastronomie nationale, titulaire d'1 étoile gastronomique Michelin et coté 88/100 au guide belge Henri Lemaire. Cet autodidacte formé à Bruxelles et à Nice a reçu le prix Prosper Montagné en 1969, et dirigé de 1969 à 1979 les cuisines du Carlton de Bruxelles. Il est aujourd'hui membre de l'ordre des Trente-trois maîtres queux de Belgique, de l'Académie culinaire de France et du Vatel Club.
Très attiré par la mer et les bateaux, José Tourneur pratique la pêche et le ski nautique.

Luisa Valazza

Née le 20 décembre 1950

Restaurant **Al Sorriso**
Via Roma, 18
28018 Soriso — Italie
Tél. (0)322-983228 ; fax (0)322-983328

Le talent culinaire de Luisa Valazza fait l'unanimité : le restaurant qu'elle tient depuis 1981 dans son Piémont natal, avec son mari Angelo, affiche 2 étoiles Michelin, 4 toques à l'Espresso/ Gault et Millau (19,2), un soleil Veronelli et 90/100 au Gambero Rosso. Dans ce déluge de récompenses, ce membre de la chaîne Le Soste garde la tête froide et conserve soigneusement les préceptes appris dès 1971 à l'Europa de Borgomanero.
Luisa Valazza est très portée sur les arts, surtout la peinture et la littérature. Elle adore visiter les musées.

Guy Van Cauteren

Né le 8 mai 1950

Restaurant **T'Laurierblad**
Dorp, 4
9290 Berlare — Belgique
Tél. (0)52-424801 ; fax (0)52-425997

Avant d'ouvrir en 1979 cette « feuille de laurier », Guy van Cauteren est passé chez les meilleurs chefs : Alain Senderens à Paris, à l'Archestrate, et les Allégrier au Lucas Carton (1972-1974), puis un séjour à l'ambassade de France à Bruxelles (1974-1979). Depuis, il aligne 2 étoiles Michelin, 3 toques rouges Gault et Millau (17) et 89/100 au guide belge Henri Lemaire. Heureux lauréat du Bocuse de bronze en 1993, notre chef est maître cuisinier de Belgique.
Il est un grand collectionneur de thés et de livres anciens.

Freddy Van Decasserie

Né le 10 octobre 1943

Restaurant **La Villa Lorraine**
75, avenue du Vivier-d'Oie
1180 Bruxelles — Belgique
Tél. (0)2-3743163 ; fax (0)2-3720195

Entré en 1963 comme commis à la Villa Lorraine, Freddy van Decasserie a gravi tous les échelons hiérarchiques de la brigade pour en être aujourd'hui le chef de cuisine, et recevoir en cette qualité de multiples honneurs : 2 étoiles Michelin, 3 toques rouges Gault et Millau (18), 3 étoiles au Bottin gourmand, 92/100 au guide Henri Lemaire. Il est maître cuisinier de Belgique, membre de l'Académie culinaire de France et de Traditions et qualité.
Notre chef a le plaisir de pratiquer le cyclisme avec son ami Eddy Merckx, qui lui propose des « sorties d'entraînement ».

Geert Van Hecke

Né le 20 juillet 1956

Restaurant **De Karmeliet**
Langestraat, 19
8000 Bruges — Belgique
Tél. (0)50-338259 ; fax (0)50-331011

Initié par Freddy van Decasserie à la Villa Lorraine en 1977, Geert van Hecke a connu ensuite Alain Chapel, puis la célèbre Cravache d'Or de Bruxelles, avant d'ouvrir son propre restaurant dans une ancienne maison de maître, au cœur de la « Venise du Nord ». Ce parcours lui vaut aujourd'hui de collectionner 2 étoiles Michelin, 3 étoiles au Bottin gourmand, 3 toques rouges Gault et Millau (18) et 92/100 au guide Henri Lemaire. Il est maître cuisinier de Belgique et membre de Traditions et qualité.
Geert van Hecke aime l'art et apprécie la visite des musées.

Gérard Vié

Né le 11 avril 1943

Restaurant **Les Trois Marches**
(Trianon Palace)
1, boulevard de la Reine
78000 Versailles — France
Tél. 01 39 50 13 21 ; fax 01 30 21 01 25

Celui qui est devenu en 1970 l'inégalable chef des Trois Marches a commencé très jeune sa carrière chez Lapérouse en 1956. Ensuite sont venus le Lucas Carton, le Plaza-Athénée et le Crillon Tower's de Londres, avant un passage à la Compagnie des wagons-lits (1967-1970). Gérard Vié présente aujourd'hui 2 étoiles Michelin et 3 toques rouges (18). Il a reçu en 1984 le titre de table d'argent de Gault et Millau et, en 1993, la clé d'or de la Gastronomie.
C'est un grand amateur de théâtre, d'opéra et de cinéma.

Jean-Pierre Vigato

Né le 20 mars 1952

Restaurant **Apicius**
122, avenue de Villiers
75017 Paris — France
Tél. 01 43 80 19 66 ; fax 01 44 40 09 57

Notre chef a pris son essor au Grandgousier à Paris en 1980-1983, avant d'y créer Apicius en 1984. Ce restaurant placé sous l'invocation d'un célèbre gastronome romain a reçu une première étoile Michelin en 1985, une seconde en 1987 et compte aujourd'hui 3 toques rouges au Gault et Millau (18). Jean-Pierre Vigato a été chef de l'année Gault et Millau en 1988, et cuisinier du pavillon français à l'Exposition universelle de Séville en 1992.
Il consacre ses loisirs à sa passion de la lecture.

Gianfranco Vissani

Né le 22 novembre 1951

Restaurant **Vissani**
05020 Civitella del Lago — Italie
Tél. (0)744-950396 ; fax (0)744-950396

Gianfranco Vissani a crevé le plafond du guide L'Espresso/Gault et Millau : avec 19,6 et 4 toques, il détient la meilleure note d'Italie. Cet honneur s'accompagne de 2 étoiles Michelin, d'un soleil Veronelli et de 87/100 au Gambero Rosso, légitimes trophées de ce restaurant que notre chef tient en famille depuis 1980, avec sa femme, sa mère et sa sœur. En particulier, il produit lui-même son huile d'olive, essentiel condiment de toute cuisine méditerranéenne.
Dans le privé, Gianfranco Vissani collectionne les montres, aime la musique classique et la lecture. Il est en outre un supporter inconditionnel du Milan AC.

Jonathan F. Wicks

Né le 14 juin 1962

Restaurant
Paquebot *Queen Elizabeth II*
Southampton — Grande-Bretagne

De 1980 à 1987, Jonathan Wicks a travaillé dans plusieurs restaurants londoniens très cotés, tels le Mayfair Intercontinental, le Grosvenor House de Park Lane et le Meridien de Picadilly, où il a été junior sous-chef, avant d'être nommé en 1987 maître de cuisine du prestigieux yacht *Queen Elizabeth II* basé à Southampton, dont les incessants déplacements satisfont son appétit de voyages.
Originaire de Bath, notre chef pratique le football américain et la voile. Il collectionne les assiettes précieuses et préfère prendre son petit déjeuner au lit.

Heinz Winkler

Né le 17 juillet 1949

Restaurant **Residenz Heinz Winkler**
Kirchplatz 1
83229 Aschau im Chiemgau — Allemagne
Tél. (0)8052-17990 ; fax (0)8052-179966

Comment décroche-t-on 3 étoiles Michelin à 31 ans ? Par exemple, en se formant à l'hôtel Victoria d'Interlaken, chez Paul Bocuse et au Tantris de Munich, et en ouvrant en 1991 la Residenz Heinz Winkler. Pour faire bonne mesure, Heinz Winkler détient également 3 toques blanches (18), a été cuisinier de l'année Gault et Millau en 1979 et restaurateur de l'année en 1994. Il est membre des Relais et châteaux, Relais gourmands, Traditions et qualité, et même de la chaîne italienne Le Soste.
Pendant ses loisirs, il pratique volontiers le golf.

Harald Wohlfahrt

Né le 7 novembre 1955

Restaurant **Schwarzwaldstube**
Tonbachstrasse 237
72270 Baiersbronn — Allemagne
Tél. (0)7442-492665 ; fax (0)7442-492692

Harald Wohlfahrt est entré en 1976 à la Schwarzwaldstube, restaurant de l'hôtel Traube-Tonbach, en pleine Forêt-Noire, dont il dirige les cuisines depuis 1980. Il a auparavant fait ses classes au Stahlbad de Baden-Baden et au Tantris de Munich. Il a reçu le titre de chef de l'année Gault et Millau en 1991, et compte aujourd'hui 3 étoiles Michelin et 4 toques rouges (19,5). Il est membre des Relais gourmands et de Traditions et qualité.
Passionné des traditions gastronomiques, notre chef est aussi un sportif accompli.

Armando Zanetti

Né le 11 décembre 1926

Restaurant **Vecchia Lanterna**
Corso Re Umberto, 21
10128 Turin — Italie
Tél. (0)11-537047 ; fax (0)11-530391

Vecchia Lanterna, la « vieille lanterne » : c'est sous ce nom très évocateur que s'est ouvert en 1970 à Turin le restaurant d'Armando Zanetti, qui avait auparavant tenu dans la même ville, de 1955 à 1969, la Rosa d'Oro. Ce chef originaire de Vénétie, très porté sur les traditions culinaires de son pays, a reçu 2 étoiles Michelin et s'enorgueillit de 4 toques au guide L'Espresso/Gault et Millau, avec 19,2 sur 20.
Il ne cesse de rechercher les informations les plus diverses sur la cuisine ancienne que l'on pratiquait en Europe et apprécie tout particulièrement les dégustations de plats (les siens, mais aussi ceux de ses confrères).

Alberto Zuluaga

Né le 31 mars 1960

Restaurant **Lopez de Haro y Club Nautico**
Obispo Orueta, 2
48009 Bilbao — Espagne
Tél. (0)94-4235500 ; fax (0)94-4234500

Basque de Biscaye et fier d'exercer son talent dans la propre capitale de sa province, Alberto Zuluaga tient depuis 1991 les cuisines du restaurant de luxe Club Nautico (5 étoiles), dans le centre financier de Bilbao. Il a auparavant, de 1987 à 1991, travaillé au Bermeo de Bilbao, et affirmait déjà son goût pour les traditions gastronomiques basques qui lui a valu en 1988 le titre de meilleur cuisinier d'Euzkadi.
Bien évidemment, notre chef pratique la pelote basque.

Glossaire

ABAISSER : étaler une pâte au rouleau sur un plan de travail afin de lui donner une épaisseur constante. Par extension, on emploie le terme d'abaisse pour chacune des parties d'une pâte coupée dans son épaisseur.

ABRICOTER : *voir* glaçage à l'abricot.

APPAREIL : mélange de plusieurs ingrédients : crème, lait, beurre, levure, farine, farce, épices, etc.

AROMATISER : ajouter des arômes ou des essences pour donner une saveur particulière.

ARÔME : arômes et essences confectionnés à partir de fleurs, de plantes ou d'épices liées pour des excipients, alcools ou huiles (arôme d'amandes amères, arôme à base de vanille, de citron, etc.).

BAIN-MARIE : eau bouillante dans laquelle on met un récipient contenant la préparation que l'on veut faire chauffer lentement et sans contact avec le feu. Mettre de l'eau à chauffer dans une grande casserole qui accueillera le récipient. Le niveau d'eau doit être tel qu'elle ne puisse pas s'écouler dans le récipient. Au bain-marie, on peut monter des mousses ou des crèmes, faire ramollir des feuilles de gélatine ou du chocolat.

BATTRE : remuer vigoureusement un appareil au fouet, notamment des préparations à base d'œufs (blancs en neige, omelette, etc.).

BATTRE À CHAUD : monter une mousse ou une préparation aux œufs dans un bain-marie chaud.

BATTRE À FROID : battre une préparation à base d'œufs ou une mousse dans un bain froid jusqu'à complet refroidissement.

BEURRE CLARIFIÉ : beurre décanté après avoir fondu. Ce procédé permet d'éliminer le petit lait et la caséine contenus dans le beurre.

BEURRE EN POMMADE : beurre ramené à température ambiante (mais non fondu), présentant une consistance souple.

BEURRE MALAXÉ : beurre assoupli à la main, susceptible d'être intégré à une pâte de consistance moyenne.

BEURRER : appliquer du beurre sur les parois d'un moule pour que la préparation se démoule plus facilement.

BLANCHIR (FAIRE) : en cuisine, tremper brièvement des fruits dans de l'eau bouillante et refroidir rapidement pour que la peau se détache plus facilement. En pâtisserie, transformer par l'action du fouet un mélange d'œufs et de sucre.

CANDIR : *voir* confire.

CARAMEL : sucre fondu qui se colore en brun clair ou brun foncé sous l'effet de la chaleur.

CHEMISER : saupoudrer de sucre, de farine, d'amandes ou de noix broyées les parois ou le fond d'un moule préalablement beurré. Garnir de papier sulfurisé le fond d'un moule.

CHIQUETER : entailler par intervalles le bord d'un feuilleté pour augmenter sa capacité de gonflage à la cuisson.

CISELER : couper en fines lanières ou en petits dés des aliments solides (fruits frais ou confits, feuilles de menthe, etc.).

COMPOTER : faire cuire à feu doux des fruits jusqu'à semi-décomposition.

CONFIRE (FAIRE) : placer des fruits, des fleurs, des écorces de fruits ou des graines (cerises, gingembre, fleurs de violettes, écorces de citrons ou d'oranges) dans un sirop de sucre concentré. En séchant, le sucre cristallise et créé une croûte typique, épaisse.

CONGELER : faire séjourner un aliment ou une préparation dans un congélateur, que ce soit pour faire durcir une crème ou pour une conservation de longue durée. Ce procédé facilite souvent la découpe ultérieure d'un gâteau.

COUCHER : dresser une pâte à la poche à douille sur une plaque à pâtisserie. Ce procédé est employé pour les éclairs, les meringues, etc.

COULIS : sauce confectionnée à partir de purée de fruits, de jus de citron et de sucre.

CROQUANT : préparation faite à partir de noisettes ou d'amandes et de sucre caramélisé.

CUISSON À BLANC : procédé de cuisson au four d'une pâte sans garniture. Poser sur le fond du papier sulfurisé avec des légumes secs (pois chiches) ou des billes métalliques spécifiques, afin que les bords ne s'affaissent pas.

CUISSON À L'ÉTOUFFÉE : procédé de cuisson au four, dans un récipient clos, sans évacuation d'air.

CUISSON AU FOUR : procédé de cuisson de la pâte ou des préparations à base de pâte (soufflé…) dans un four, à chaleur sèche.

DÉCUIRE : allonger à l'eau froide un sirop de sucre en cours de cuisson pour l'empêcher de caraméliser.

DÉGLACER : dissoudre à l'eau les croûtes résiduelles de sucre sur le bord d'un moule, après cuisson d'un fondant.

DRESSER : en cuisine, disposer une préparation terminée sur un plat de service. En pâtisserie, façonner des formes avec de la crème à l'aide d'une poche à douille.

ÉCALER : ôter la coquille (écale) des fruits secs (amandes, noix, noisettes, etc.).

ENROBER : couvrir entièrement d'une couche épaisse.

ÉPLUCHER À VIF : retirer la peau ou l'écorce, généralement d'un agrume ou d'un légume.

ÉTALER : étaler de la pâte à l'aide d'un rouleau en bois afin de lui donner la forme souhaitée.

ÉTIRER, TIRER : procédé utilisé pour satiner le sucre cuit par extensions successives.

ÉTUVER : passer à l'étuve pour dessécher certains ingrédients, voire aider leur fermentation ; cuire à couvert à feu doux.

FAÇONNER : donner une forme arrondie, molle et lisse à la pâte. Rassembler la pâte en une boule lisse sur le plan de travail et l'aplatir légèrement.

FARINER : enduire un moule d'une légère couche de farine pour éviter l'adhérence des mets en cours de cuisson.

FLAMBER : verser de l'alcool chauffé sur une préparation et l'enflammer. L'alcool brûle avec une flamme bleue et donne un arôme caractéristique qui rend le dessert plus fin.

FONCER : garnir l'intérieur d'un moule avec une pâte.

FOND : biscuit ou pâte servant de base au montage d'un gâteau (génoise, meringue, etc.).

FONDANT : préparation à base de sucre servant à glacer un dessert.

FONTAINE : farine déposée en couronne sur un plan de travail ou dans un plat.

FOUETTER : battre au fouet une préparation, généralement pour la faire mousser.

FRAPPER : faire refroidir dans de la glace.

FRÉMIR (FAIRE) : faire cuire lentement à la limite de l'ébullition.

FRIRE (FAIRE) : faire cuire une pâtisserie en la plongeant dans de l'huile végétale chaude.

GARNIR : remplir d'une crème ou d'une autre préparation un fond de tarte prévu pour la recevoir ; ajouter un décor spécifique à un gâteau.

GÉLATINE : matière qui se présente sous la forme de feuilles ou de poudre. Les feuilles de gélatine se ramollissent dans de l'eau froide pendant 5 à 10 minutes. Essorer puis faire dissoudre dans une préparation chaude. La gélatine en poudre se dissout dans de l'eau, sur feu doux, en remuant continuellement.

GLAÇAGE À L'ABRICOT : application de confiture d'abricots chaude sur une pâtisserie, soit en couche de surface transparente, soit en couche de séparation.

GLACER : recouvrir finement des fruits, des crèmes ou des pâtisseries avec de la gelée, de la confiture ou de la gomme arabique.

GRIL (PASSER SOUS LE GRIL OU À LA SALAMANDRE) : faire colorer une préparation dans un four avec une chaleur venant d'en haut. On peut aussi se servir d'une salamandre, appareil électrique utilisé pour faire dorer ou gratiner un plat.

HUILER : enduire d'huile un moule ou tout autre ustensile pour éviter l'adhérence des mets que l'on y dépose.

IMBIBER : immerger un fond ou des tranches de gâteau dans un mélange de sirop de sucre, d'alcool ou de jus de fruits jusqu'à ce que le liquide soit totalement absorbé.

INFUSER (FAIRE) : verser un liquide bouillant sur une substance aromatique en le couvrant afin qu'il s'imprègne des arômes de celle-ci.

JULIENNE : bâtonnets minces et réguliers de légumes, de fruits ou de viande.

LEVAIN : mélange composé de farine, de levure et d'eau qui doit lever seul avant d'être incorporé à une préparation.

LEVER UNE PÂTE (FAIRE) : laisser reposer, dans un endroit chaud, une pâte mélangée avec de la levure et recouverte d'un torchon pour que son volume augmente.

LIER : donner une consistance épaisse à un liquide avec de la farine, de la Maïzena, des œufs, de la gélatine ou de la crème fraîche.

LISSER : égaliser la surface d'un glaçage au moyen d'une spatule.

MACÉRER (FAIRE) : mettre des fruits (principalement des fruits secs) dans de l'alcool ou de la liqueur et les laisser gonfler.

MALAXER : remuer en souplesse un ensemble d'ingrédients pour en faire une pâte homogène.

MARBRER : alterner les couleurs de fondant sur un glaçage et rayer au couteau pour imiter les veinures du marbre.

MARZIPAN : *voir* pâtes d'amandes.

MASSE : toute préparation dont la consistance est assez dense.

MONDER : ôter après passage à l'eau bouillante le tégument qui recouvre certains fruits secs. Se dit aussi pour certains fruits (pêches, tomates, etc.).

MONTER : fouetter des ingrédients à la main ou à l'aide d'un mixeur afin de les rendre plus légers.

NAPPE (CUIRE À LA) : laisser frémir sans faire bouillir une crème ou une sauce en remuant continuellement jusqu'à ce qu'elle atteigne une consistance épaisse et qu'elle recouvre la cuillère. Lorsque l'on prélève un peu de crème avec la cuillère et si l'on souffle dessus, de petites vagues en forme de roses vont apparaître.

NAPPER : recouvrir d'une sauce épaisse, d'une gelée ou d'un fondant un plat cuisiné ou un entremets pour le terminer.

NOUGAT : préparation à base de noisettes ou d'amandes grillées et moulues avec du sucre et du cacao. Le nougat clair (nougat de Montélimar) ne contient pas de cacao.

PANADE : se dit de l'appareil de pâte à choux avant l'addition des œufs.

PARURES : petits morceaux de pâte restés inemployés dans la préparation.

PASSER : filtrer ou évacuer l'eau au travers d'une passoire, d'un chinois ou d'un linge.

PÂTE D'AMANDES : préparation à base de poudre d'amandes très fine et de sucre en poudre.

PÂTONS : éléments composites d'une pâte feuilletée, une fois beurrée, avant cuisson.

PÉTRIR : malaxer avec les mains un mélange fait de farine et d'autres ingrédients afin d'obtenir une pâte homogène, lisse et souple.

PIQUER : piquer une pâte avant de la mettre au four avec une fourchette pour qu'elle ne cloque pas lors de la cuisson.

POCHER (FAIRE) : cuire un aliment dans un liquide frémissant.

PRALIN : préparation à base de pralines pilées.

PRALINE : friandise composée d'une amande ou d'une noisette enrobée de sucre caramélisé.

PRALINÉ : mélange de pralin et de chocolat.

PUNCHER : imbiber un gâteau de sirop à base d'alcool ou non.

RAFFERMIR (FAIRE) : faire séjourner une préparation au frais pour lui donner plus de consistance.

RAFRAÎCHIR : faire couler de l'eau froide sur un mets pour le faire refroidir rapidement et stopper la cuisson.

RÉDUIRE (FAIRE) : diminuer le volume d'un liquide par évaporation jusqu'à l'obtention d'une consistance plus épaisse.

RÉSERVER : mettre de côté, au frais ou au chaud, des préparations destinées à être utilisées ultérieurement.

RUBAN (REMUER JUSQU'AU) : remuer ou battre une préparation avec une spatule en bois jusqu'à ce qu'elle soit bien lisse et qu'elle se déroule comme un ruban quand on la laisse couler.

SABAYON : crème à base d'œufs, de sucre, d'aromates et d'alcool cuite au bain-marie sans cesser de fouetter.

SABLER : travailler le beurre et le sucre pour obtenir une poudre comparable à du gros sable.

SERRER : donner une consistance épaisse et très homogène à des œufs en neige.

SIROP DE GLUCOSE : sirop d'amidon que l'on ajoute au sucre de cuisson pour l'empêcher de cristalliser.

SIROP DE SUCRE : liquide préparé à base de sucre et d'eau dans des proportions équivalentes. Le sucre est cuit avec de l'eau jusqu'à ébullition (100 °C). Si l'on utilise une balance de sucre, celui-ci est cuit jusqu'à 28° Beaumé (ce qui correspond, lorsque le liquide est refroidi, à 30° Beaumé). Cette balance fut inventée par le chimiste français Antoine Beaumé (1728-1804).

SUCRE VANILLÉ : sucre aromatisé à la vanille.

SUCRE VANILLE : sucre avec un supplément d'au moins 5 % de poudre de gousse de vanille et dans lequel les petits grains sont visibles.

TAMISER : passer au travers d'un tamis.

TANT POUR TANT : mélange composé de 50 % de poudre d'amandes et de 50 % de sucre.

TAPISSER : recouvrir sur toute la surface.

TOURER (TOURAGE) : lors de la préparation de la pâte feuilletée, plier et bien fermer les bords de la pâte en appuyant avec un rouleau. Plus cette opération est répétée, plus la pâte présentera de couches. Les bonnes pâtes feuilletées sont pliées quatre à six fois. Entre chaque opération, la pâte doit être conservée 30 minutes au frais.

TRAVAILLER : pétrir ou mélanger vigoureusement un ingrédient ou une préparation pour lui donner la consistance voulue.

TURBINER : mettre à tourner dans une sorbetière jusqu'à solidification.

VOILER : décorer d'un voile de sucre filé.

ZESTER : couper ou râper en surface la peau d'un citron ou d'une orange.

Index

	Page		Page
Ananas chaud avec son sorbet à la piña colada	224	Croquant aux mûres, fraises et framboises	54
Ananas safrané, crème de coco au Grand Marnier	258	Croquettes de bananes caramélisées	152
Assiette du maître chocolatier	28	Croustades aux marrons glacés du Piémont	58
Au clair de lune	248	Croustillant de chocolat amer et noix de coco	244
Aumônières d'oranges, soufflé glacé au Grand Marnier	80	Croustillants de semoule de la Barbacane	84
Aumônières de poires caramélisées	216	Délicatesse des Trois Couleurs	278
Beignets truffés au chocolat	252	Délice Geneviève	186
Biscuit de Savoie	172	Dessert de fruits d'été à l'anglaise	250
Blanc-manger avec copeaux de chocolat blanc	104	Effeuillé de fraises au chocolat	72
Bread and butter pudding	32	Encharcada de Évora	238
Cannelloni fourrés de mousse au chocolat et noix	118	Envoltini de mango y miel	10
Cannetilles farcies d'intxaursaltza	308	Éventail de mangue, sauce à la vanille	94
Cassata all'italiana	64	Feuillantine aux fraises	194
Cassata alla siciliana	40	Feuilleté à la glace au riz à l'impératrice	136
Cassolette de pêche de vigne, raisins au vieux marc	202	Feuilleté de mamía au Sagardoz	256
Charlotte au chocolat blanc et fruits exotiques	178	Feuilleté de meringue aux fruits des sous-bois	24
Charlotte au moka, noix caramélisées et ses glaces	134	Feuillets croquants aux pruneaux	266
Charlotte chaude aux pommes bramley	212	Figue cactus aux framboises et mousse d'amandes	300
Cherry trifle « Wally Ladd »	34	Figues rôties au banyuls farcies de glace à la vanille	270
Coco choco curry	8	Flan de chocolat chaud, sauce au chocolat blanc	228
Corolle de fraises et ananas malibu	208	Flan et compote de pêches blanches	198
Craquelins de pralines roses aux fruits rouges	68	Fondant « chocolat-café » aux noix du Périgord	108
Crème au chocolat athénaeum à la coriandre	240	Fondant de marrons à la sauce noisette	190
Crème brûlée	36	Fondant de réglisse aux pommes caramélisées	112
Crème brûlée à la bergamote, à l'ananas anisé	222	Framboises et fraises Romanov	188
Crème brûlée du couvent	236	Galette feuilletée aux goldens caramélisées	120
Crêpes d'amandes, sabayon et framboises	276	Gâteau à la mousse au miel de bruyère et au brandy	60
Crêpes hasseltoises	254	Gâteau au fromage frais de Småland	148

	Page		Page
Gâteau basque	16	Noyer mère de Dieu	176
Gâteau de fromage blanc	174	Œufs à la neige de ma grand-mère	166
Gâteau de tagliatelle, zabaglione al marsala	264	Omelette au fromage blanc et poire, glace au chocolat	302
Gâteau épicé au gingembre, compote de rhubarbe	214	Panna cotta aux fruits des bois	306
Gaufrettes au pralin avec fraises et amandes	122	Panna cotta e zabaione a la Artusi	66
Gélatine d'oranges aux zestes de citrons confits	130	Parfait aux printes	144
Gelée de pommes, sabayon au calvados et son sorbet	286	Parfait glacé à l'anis, sauce arabica	260
Giboulée de cerises en chaud-froid	20	Passion à la coque et mouillettes au chocolat	154
Glace au miel et à la gentiane	110	Pasticcio d'aubergine au chocolat	132
Glace aux pruneaux et sabayon au Grand Marnier	138	Pastiera napolitana	296
Gouttes de chocolat, sauce à l'orange	232	Pêche Haeberlin	116
Grand dessert au caramel laitier	292	Petite crème brûlée à la gentiane et pamplemousse	50
Gratin de framboises au sabayon léger	96	Petite tatin de figues fraîches au miel d'acacia	52
Gratin de fruits aux amandes	102	Piccola torta de pommes cotognes	42
Gratin de pamplemousses aux pralines roses	158	Poire rôtie à la crème de cassis glacée au poivre	290
Gratin de pamplemousses et de figues en amandine	70	Poires aux airelles rouges, sauce vanille	150
Gratin de poires à la réglisse	88	Poires rôties au bourgogne, glace à la réglisse	30
Grillé aux pommes, glace aux épices	272	Pommes au romarin, biscuit semoule, sorbet au cacao	204
Griottines au chocolat, oranges au Grand Marnier	160	Pommes au sureau, parfait glacé au bourgeon de pin	156
Kouglof glacé à la souabe	98	Pommes et raisins en streusel	142
Larmes de chocolat amer à la mousse de poires	62	Pruneaux en chemise à la crème d'amandes	218
Les trois sorbets d'hiver et le chocolat chaud	106	Pruneaux et massepain à la bière de l'abbaye	282
Mille-feuille à la verveine avec sa glace	226	Pyramide au chocolat amer	114
Mille-feuille au café et sa glace au lait	294	Ravioli de crêpes, beurre Suzette	90
Mille-feuille craquant aux framboises	140	Riz à la crème, ananas et dattes confits	268
Mille-feuille de riz au lait	12	« Rödgröd » aux amandes	162
Mirliton à la rouennaise aux abricots	274	Sabayon au vin liquoreux de Ligurie et ganses	26
Mousse au mastic de Chio	242	Sablé au chocolat, vanille, orange et glace au thé	284
Mousse créole à la banane et au chocolat	230	Sablé aux oranges, au chocolat amer	44
Mûres jaunes aux blinis caramélisés	126	Salade d'oranges en gelée, lait glacé	206
Nonnette de pommes acidulées au caramel	220	Semifreddo au madère, sauce aux myrtilles	298
Normandise gourmandise	46	Sorbet au melon et fraises du pays	196
Nougat glacé au miel de bruyère calluna	78	Sorbet de coing au romarin, compote de rhubarbe	182
Nougat glacé « route des épices »	210	Soufflé à la banane et au chocolat, sirop de fruits	180

	Page		Page
Soufflé au chocolat et jus de noix vertes	288	Tarte fine aux pommes et son sorbet à l'estragon	82
Soufflé aux marrons et filets d'oranges à l'anis	304	Tarte tiède aux châtaignes	170
Soufflé chaud à la banane, glace au miel	124	Tartelette de fruits poêlés	92
Soufflé chaud au Grand Marnier	74	Tartelettes au chocolat	56
Soufflé de patxaran à la mangue	14	Tartelettes au fromage blanc, sauce à la pêche	100
Soufflé glacé aux figues et armagnac	164	Terrine d'agrumes au muscat, sauce au thé	76
Soufflé vanillé, coulis de fraises des bois	200	Terrine d'oranges au coulis de kiwis	192
Soupe de pêches de Carcassonne au vin rouge	86	Terrine de fruits à la mousse d'amandes	18
Soupe de rhubarbe façon « Bagatelle »	128	Tiramisù	280
Summer pudding	38	Torta di cantucci au café	234
Symphonie de tomates et framboises	48	Tortelli à la crème, sauce au café	262
Tarte à la semoule	168	Turban de pomme farci de compote de fruits secs	310
Tarte au vin doux	246	Vaporeux glacé au café	22
Tarte de figues fraîches, crème à la cannelle	184	Variation d'ananas	146